W9-CUP-182

HERMANN

HESSE

WILK STEPOWY

HERMANN

HESSE

WILK STEPOWY

Tłumaczyła

Gabriela Mycielska

Z posłowiem

Volkera Michelsa

Media Rodzina

Przedmowa

Książka ta zawiera notatki pozostałe po człowieku, którego nazywaliśmy „wilkiem stepowym", czyli określeniem, jakiego on sam wielokrotnie używał w stosunku do siebie. Jest kwestią dyskusyjną, czy jego rękopis wymaga przedmowy; odczuwam jednak potrzebę dorzucenia do tych zapisków kilku kartek, na których spróbuję naszkicować moje o nim wspomnienia. Wiem o tym człowieku niewiele, a zwłaszcza nie znam ani jego przeszłości, ani pochodzenia. Osobowość jego wywarła na mnie jednak silne i – muszę przyznać – mimo wszystko sympatyczne wrażenie.

Wilk stepowy, mężczyzna około pięćdziesięcioletni, zjawił się pewnego dnia – przed kilkoma laty – w domu mojej ciotki, szukając umeblowanego pokoju. Wynajął mansardę i przyległą izdebkę sypialną, wrócił po kilku dniach z dwiema walizkami i dużą skrzynią książek i mieszkał u nas dziewięć czy dziesięć miesięcy. Prowadził życie bardzo ciche i samotne, i gdyby nie sąsiedztwo naszych pokoi sypialnych, sprzyjające przypadkowym spotkaniom na schodach i w korytarzu, prawdopodobnie nie poznalibyśmy się nigdy, gdyż był to człowiek nietowarzyski w stopniu niespotykanym, prawdziwy wilk stepowy – jak siebie niekiedy nazywał – istota obca, dzika, a także bardzo płochliwa, istota z innego świata niż mój. Jak dalece pogrążył się w osamotnieniu z racji swych predyspozycji i losu, i w jakim stopniu osamotnienie to świadomie uważał za swój los, o tym – rzecz jasna – dowiedziałem się dopiero z pozostawionych przez niego zapisków; jednak w pewnej mierze poznałem go już wcześniej z jego niepozornych gestów i rozmów; doszedłem do wniosku, że obraz, jaki wyrobiłem sobie o nim na podstawie zapisków, jest w zasadzie zgodny z – oczywiście bledszym i mniej kompletnym – obrazem ukształtowanym na podstawie naszej osobistej znajomości.

Przypadek sprawił, że byłem przy tym, kiedy wilk stepowy zjawił się w naszym domu po raz pierwszy i wynajął u mojej ciotki pokój. Przyszedł w porze obiadowej, talerze stały jeszcze na stole, a ja miałem zaledwie pół godziny czasu przed powrotem do biura. Jeszcze dziś pamiętam dziwne i sprzeczne wrażenie, jakie wywarł na mnie przy pierwszym spotkaniu. Wszedł przez oszklone drzwi, pociągnąwszy uprzednio za dzwonek. W mrocznym przedpokoju ciotka spytała, czego sobie życzy. Wilk stepowy zrazu nie odpowiedział ani też nie wymienił swojego nazwiska, uniósł w górę kanciastą głowę o krótko ostrzyżonych włosach, węszył wrażliwym nosem dookoła i powiedział: „O, jak tu przyjemnie pachnie". Uśmiechał się przy tym, a moja poczciwa ciotka uśmiechała się również, mnie zaś te słowa powitania wydały się raczej śmieszne i usposobiły do niego negatywnie.

– Prawda – powiedział – przychodzę w sprawie pokoju do wynajęcia.

Dopiero kiedy we trójkę wchodziliśmy po schodach na poddasze, mogłem dokładniej przyjrzeć się przybyszowi. Nie był wysoki, chodził jednak i trzymał głowę tak, jak ludzie o słusznym wzroście, miał na sobie modny, obszerny płaszcz zimowy i w ogóle ubrany był dostatnio, lecz niedbale, był gładko ogolony, a włosy, całkiem krótko ostrzyżone, tu i ówdzie połyskiwały siwizną. Jego chód początkowo zupełnie mi się nie podobał, było w nim coś z wysiłku i wahania, co nie harmonizowało ani z jego ostrym i surowym profilem, ani z tonem i temperamentem jego mowy. Dopiero później spostrzegłem i dowiedziałem się, że był chory i że chodzenie sprawiało mu trudności. Z osobliwym uśmiechem, który wówczas był mi również niemiły, przyglądał się schodom, ścianom, oknom i starym, wysokim szafom stojącym na korytarzu; odnosiłem wrażenie, że wszystko mu się podoba, a zarazem w jakiś sposób go śmieszy. W ogóle człowiek ten sprawiał wrażenie, jak gdyby przybywał do nas z obcego świata, być może z zamorskich krajów, i uważał, że wszystko tu jest ładne, ale trochę śmieszne. Był – nie mogę tego określić inaczej – grzeczny, nawet uprzejmy, podobał mu się dom, zgodził się też natychmiast i bez zastrzeżeń na pokój, czynsz, śniadania i w ogóle na wszystko, a jednak człowieka tego otaczała, jak mi się zdawało, niedobra czy też wroga aura. Wynajął gabinet i pokój sypialny, wysłuchał uważnie i grzecznie informacji dotyczących opału, wody, obsługi i regulaminu domowego, zgodził się na wszystko, zaproponował też od razu zadatek; a mimo to był jak gdyby nieobecny, sam wydawał się sobie śmieszny w swych poczynaniach i nie brał siebie serio, tak jak gdyby wynajmowanie pokoju i rozmowa z ludźmi po niemiecku była dla niego czymś dziwnym i nowym i jak gdyby w myślach zajęty był zgoła innymi sprawami. Takie mniej więcej było moje wrażenie i nie mógłbym nazwać go korzystnym, gdyby nie zostało przeobrażone i skorygowane innymi szczegółami.

Przede wszystkim od razu spodobała mi się twarz tego mężczyzny; spodobała mi się mimo wyrazu obcości, była to bowiem twarz może trochę dziwna i smutna, ale czujna, myśląca, przeorana doświadczeniem i uduchowiona. A poza tym nieco mnie udobruchał rodzaj jego grzeczności i uprzejmości, który – choć zdawało się, że sprawia mu trochę wysiłku – był całkowicie pozbawiony pychy, a nawet miał w sobie coś nieomal wzruszającego, coś błagalnego, na co dopiero później znalazłem wytłumaczenie, co mnie jednak od razu trochę dla niego zjednało.

Jeszcze nim skończyło się oglądanie obu pomieszczeń oraz dalsze pertraktacje, upłynął czas mojej przerwy obiadowej; musiałem wracać do biura. Pożegnałem się i zostawiłem go ciotce. Kiedy wieczorem wróciłem do domu, ciotka oświadczyła, że obcy wynajął mieszkanie i sprowadza się w najbliższych dniach, prosił tylko, żeby nie zgłaszać jego przybycia policji, ponieważ dla niego, człowieka chorowitego, formalności, wystawanie w urzędach policyjnych itd. są nie do zniesienia. Przypominam sobie dokładnie, jak mnie to zaskoczyło i jak ostrzegałem ciotkę przed zgodą na te warunki. Z dziwną obcością, cechującą tego człowieka, zdawał się aż nadto dobrze harmonizować właśnie ów lęk przed policją, który wręcz rzucał mi się w oczy jako podejrzany. Tłumaczyłem ciotce, że na spełnienie tego dość dziwnego wymagania, mogącego w pewnych okolicznościach mieć dla niej bardzo niepożądane skutki, nie wolno jej się pod żadnym warunkiem zgodzić, zwłaszcza wobec całkowicie obcego człowieka. Ale okazało się, że ciotka już mu przyrzekła dostosować się do tego życzenia i że w ogóle dała się już uwieść i oczarować nieznajomemu; nigdy bowiem nie przyjmowała lokatorów, z którymi nie mogłaby nawiązać jakiegoś ludzkiego, przyjaznego i rodzinnego albo raczej matczynego kontaktu, co też przez niejednego z poprzednich lokatorów było solidnie wykorzystywane. Zdarzało się, że w pierwszych tygodniach nowemu lokatorowi miałem niejedno do zarzucenia, gdy tymczasem moja ciotka za każdym razem serdecznie brała go w obronę. Ponieważ nie podobała mi się sprawa z niedopełnieniem obowiązku zameldowania na policji, chciałem przynajmniej usłyszeć od ciotki, co wie o obcym, o jego pochodzeniu i zamiarach. Okazało się, że wie o nim już to i owo, choć po moim wyjściu w południe bawił u niej bardzo krótko. Powiedział, że zamierza zatrzymać się w naszym mieście kilka miesięcy, korzystać z bibliotek i obejrzeć zabytki. Właściwie ciotce nie odpowiadało, że chciał wynająć mieszkanie tylko na krótki okres, ale widocznie już ją sobie zjednał, mimo dość dziwnego sposobu bycia. Krótko mówiąc, pokoje były wynajęte, a moje zastrzeżenia okazały się spóźnione.

– Dlaczego właściwie powiedział, że tu przyjemnie pachnie? – zapytałem.

Wtedy moja ciotka, która czasami miewa dobre przeczucia, oświadczyła: – To dla mnie oczywiste. U nas pachnie czystością i porządkiem, atmosferą pogodnego i przyzwoitego życia i to mu się spodobało. Wygląda tak, jak gdyby od tego już odwykł i jak gdyby mu tego brakowało.

Niech i tak będzie, pomyślałem. – Ale – ciągnąłem – jeśli nie jest przyzwyczajony do porządnego i przyzwoitego życia, to co z tego wyniknie? Co zrobisz, jeśli nie jest schludny i wszystko zabrudzi albo jeśli będzie nocami wracał pijany?

– To się okaże – powiedziała ciotka, śmiejąc się; poprzestałem więc na tym.

I rzeczywiście obawy moje okazały się nieuzasadnione. Lokator, choć absolutnie nie wiódł życia solidnego i rozsądnego, nie przeszkadzał nam ani nie wyrządzał szkód, dziś jeszcze chętnie go wspominamy. Ale do naszego wnętrza, do mojej duszy i do duszy mojej ciotki człowiek ten wniósł jednak wiele zamętu i wyrządził nam krzywdę, a mówiąc szczerze, długo jeszcze nie będę mógł się z nim uporać. Śni mi się czasem po nocach i czuję się samym jego istnieniem do głębi poruszony i zaniepokojony, choć stał mi się wręcz drogi.

W dwa dni później woźnica przyniósł rzeczy obcego, który nazywał się Harry Haller. Bardzo ładna skórzana walizka zrobiła na mnie dobre wrażenie, a duży płaski neseser zdawał się wskazywać na dawne dalekie podróże, gdyż był oblepiony spłowiałymi etykietami hoteli i firm spedycyjnych z różnych, także zamorskich krajów.

W końcu zjawił się on sam, po czym zaczął się okres, w którym stopniowo poznawałem tego osobliwego człowieka. Zrazu niczym się do tego nie przyczyniłem. I choć interesowałem się Hallerem od momentu, kiedy tylko go zobaczyłem, to jednak w ciągu paru tygodni nie uczyniłem niczego, żeby go spotkać czy nawiązać z nim rozmowę. Natomiast, muszę to przyznać, obserwowałem go już od początku, wchodziłem niekiedy do jego pokoju pod nieobecność lokatora i w ogóle trochę go z ciekawości szpiegowałem.

Powiedziałem już nieco o powierzchowności wilka stepowego. Na pierwszy rzut oka robił wrażenie człowieka wybitnego, wyjątkowego i niezwykle uzdolnionego, twarz jego była pełna wyrazu, a niezwykle subtelna i ożywiona mimika odzwierciedlała interesujące, ogromnie wrażliwe, pełne delikatności i uczuciowości życie duchowe. Kiedy w rozmowie przekraczał nieraz granice konwenansu i z głębi swej obcości wypowiadał osobiste, własne myśli, wtedy każdy z nas musiał się mu bezwzględnie podporządkować, więcej bowiem przemyślał niż inni ludzie i w sprawach ducha był nieomal rzeczowy, pewny swych przemyśleń i wiedzy, jakimi odznaczają się tylko ludzie prawdziwie uduchowieni, całkowicie wyzbyci próżności, którzy nigdy nie pragną błyszczeć, kogokolwiek przekonywać albo za wszelką cenę postawić na swoim.

Taką wypowiedź, która nie była nawet wypowiedzią, a raczej spojrzeniem, przypominam sobie z ostatniego okresu jego pobytu u nas. Otóż pewien sławny historiozof i krytyk kultury, człowiek o europejskim nazwisku, zapowiedział swój wykład w auli; udało mi się namówić wilka stepowego do pójścia na ten wykład, choć początkowo wcale nie miał na to ochoty. Poszliśmy tam razem i siedzieliśmy na sali obok siebie. Gdy prelegent wszedł na katedrę i zaczął wygłaszać prelekcję, rozczarował swoim nieco kokieteryjnym i pyszałkowatym wystąpieniem wielu słuchaczy, którzy spodziewali się dostrzec w nim proroka. Kiedy więc zaczął mówić i na wstępie zwrócił się do obecnych z paroma pochlebstwami, dziękując jednocześnie za liczną frekwencję, wilk stepowy rzucił mi krótkie spojrzenie pełne krytycyzmu zarówno wobec słów, jak i całej osoby prelegenta; ach, niezapomniane i straszne spojrzenie, o którego znaczeniu można by napisać całą książkę! Spojrzenie to nie tylko krytykowało tego właśnie mówcę i unicestwiało sławnego człowieka swoją nieodpartą, choć łagodną ironią: było raczej smutne niż ironiczne, nawet przepastnie i beznadziejnie smutne. Treścią bowiem tego spojrzenia była cicha rozpacz, która w pewnym sensie stała się już nawykiem i formą. Swoją rozpaczliwą jasnością spojrzenie to prześwietlało nie tylko osobę nadętego mówcy, ale wyszydzało i osądzało sytuację chwili, oczekiwanie i nastrój publiczności, nieco pretensjonalny tytuł zapowiedzianej prelekcji – nie – spojrzenie wilka stepowego przenikało całą naszą współczesność, całą zapobiegliwą krzątaninę, całe karierowiczostwo i próżność, całą powierzchowną grę zarozumiałej, płytkiej duchowości i – niestety – sięgało jeszcze głębiej, nie tylko do braków i beznadziejności naszych czasów, naszej mentalności, naszej kultury, ale przenikało aż do serca człowieczeństwa, wymownie wyrażało w jednej sekundzie całe zwątpienie myśliciela, być może wtajemniczonego w godność i sens życia ludzkiego w ogóle. Spojrzenie to mówiło: „Patrz, jakimi jesteśmy małpami! Patrz, jaki jest człowiek!" – i cała sława, cała mądrość, wszystkie zdobycze ducha, wszystkie dążenia do wzniosłości, wielkości i trwałości, do tego, co ludzkie, runęły i stały się małpią igraszką!

Relacją tą wybiegłem daleko w przyszłość i – wbrew moim zamiarom i woli – powiedziałem o Hallerze w gruncie rzeczy to, co istotne, choć początkowo zamierzałem odsłaniać jego obraz stopniowo, w miarę opowiadania o naszej rozwijającej się powoli znajomości.

Skoro już wyprzedziłem fakty, nie pozostaje mi nic innego jak opowiadać dalej o „zagadkowej" obcości Hallera i szczegółowo zdać sprawę z tego, jak stopniowo odgadywałem i poznawałem przyczyny i znaczenie tej obcości, tego niezwykłego, straszliwego osamotnienia. Tak będzie lepiej, gdyż chciałbym własną osobę pozostawić w cieniu. Nie zamierzam przedstawiać moich poglądów ani opowiadać bajek czy też uprawiać psychologii, pragnę jedynie jako naoczny świadek dorzucić coś niecoś do obrazu tego dziwnego człowieka, który pozostawił po sobie rękopis wilka stepowego.

Już wówczas, gdy go zobaczyłem po raz pierwszy, kiedy wszedł przez oszklone drzwi do mieszkania ciotki i wyciągnąwszy głowę do przodu jak ptak, chwalił przyjemny zapach domu, uderzyła mnie dziwność tego człowieka; moją pierwszą naiwną reakcją była niechęć. Wyczułem (a moja ciotka, która w przeciwieństwie do mnie wcale nie jest typem intelektualnym, wyczuła mniej więcej to samo) – że mężczyzna ten jest chory, że cierpi na jakąś chorobę psychiczną, chorobę usposobienia lub charakteru, i instynktem zdrowego broniłem się przeciwko temu. Z biegiem czasu niechęć moja zmieniła się w sympatię, przejawiającą się w wielkim współczuciu dla tego głęboko i stale cierpiącego człowieka, gdyż byłem świadkiem jego osamotnienia i wewnętrznego umierania. W tym też okresie uświadamiałem sobie coraz wyraźniej, że jego choroba nie polega na jakichś brakach natury, lecz przeciwnie, na wielkim a niezharmonizowanym bogactwie uzdolnień i sił. Przekonałem się, że Haller jest geniuszem cierpienia, że wykształcił w sobie, w sensie niektórych wypowiedzi Nietzschego, genialną, nieograniczoną i straszliwą zdolność cierpienia. Przekonałem się równocześnie, że podstawą jego pesymizmu nie była pogarda dla świata, lecz pogarda dla samego siebie, gdyż mówiąc bezlitośnie i druzgocąco o instytucjach lub osobach, nigdy nie wyłączał siebie, zawsze najpierw przeciw sobie kierował ostrze swych strzał, siebie przede wszystkim nienawidził i negował...

Tu muszę wtrącić pewną uwagę psychologiczną. Choć o życiu wilka stepowego niewiele mi wiadomo, mam jednak wszelkie powody do przypuszczenia, że przez kochających, ale surowych i bardzo pobożnych rodziców i nauczycieli wychowywany był w duchu, którego zasadą jest „łamanie woli". To unicestwienie osobowości i łamanie woli u tego ucznia zawiodło, był bowiem zbyt silny i nieugięty, zbyt dumny i inteligentny. Zamiast unicestwić jego osobowość, zdołano go tylko nauczyć nienawiści do samego siebie. Przeciw sobie samemu, przeciw temu niewinnemu i szlachetnemu obiektowi kierował odtąd przez całe życie genialność swej wyobraźni i pełnię swych intelektualnych możliwości. Był bowiem mimo wszystko na wskroś chrześcijaninem i męczennikiem w tym, że każde ostrze, każdą krytykę, każdą złośliwość, każdą nienawiść, do jakiej był zdolny, kierował przede wszystkim przeciw sobie. W odniesieniu do bliźnich, do otoczenia, podejmował stale bohaterskie i poważne wysiłki, by ich kochać, by oddać im sprawiedliwość, nie sprawiać bólu; zasadę miłości bliźniego wpojono mu bowiem równie głęboko jak nienawiść do samego siebie i w ten sposób całe jego życie stało się przykładem, że bez miłości własnej niemożliwa jest też miłość bliźniego, że nienawiść do samego siebie jest tym samym co skrajny egoizm i płodzi w końcu tę samą okrutną samotność i rozpacz.

Ale czas już przerwać rozmyślania i przejść do rzeczywistości. A więc pierwszą rzeczą, której dowiedziałem się o naszym lokatorze, po części przez własne przeszpiegi, po części dzięki uwagom ciotki, były szczegóły dotyczące jego trybu życia. Niebawem okazało się, że był on intelektualistą i molem książkowym i że nie wykonywał żadnego praktycznego zawodu. Zwykle długo leżał w łóżku, często wstawał dopiero około południa i w szlafroku przemierzał parę kroków, dzielących sypialnię od położonego naprzeciw gabinetu. Gabinet ten – duża i przyjemna mansarda o dwóch oknach – już po kilku dniach wyglądał inaczej niż wówczas, kiedy zamieszkiwali go inni lokatorzy. Zapełniał się i z czasem stawał się coraz ciaśniejszy. Na ścianach zawieszono obrazy, poprzyczepiano rysunki, niekiedy wycięte z czasopism ilustracje, które się często zmieniały. Był tam krajobraz południowy i fotografie jakiegoś niemieckiego miasteczka, widocznie rodzinnych stron Hallera, między nimi wisiały barwne, jasne akwarele, które – jak dowiedzieliśmy się później – sam malował. Dalej fotografia ładnej młodej kobiety albo młodej dziewczyny. Przez jakiś czas wisiał na ścianie syjamski Budda, którego potem zastąpiła reprodukcja *Nocy* Michała Anioła, a następnie wizerunek Mahatmy Gandhiego. Książki wypełniały nie tylko wielką szafę biblioteczną, ale były porozkładane wszędzie, na stołach, na pięknym starym sekretarzyku, na otomanie, na krzesłach, na ziemi: książki z papierowymi zakładkami, które się ciągle zmieniały. Książek przybywało stale, gdyż nie tylko znosił całe ich stosy z bibliotek, ale otrzymywał też często przesyłki pocztowe. Człowiek zamieszkujący ten pokój mógł być uczonym. Z wrażeniem tym harmonizował snujący się wszędzie dym z cygar i porozstawiane popielniczki z niedopałkami. Duża część książek nie była jednak treści naukowej.

Ogromną większość stanowiły dzieła pisarzy wszystkich epok i wszystkich narodów. Przez jakiś czas leżało na tapczanie, na którym często spędzał całe dni, sześć grubych tomów dzieła z końca osiemnastego wieku pod tytułem *Podróż Zofii z Kłajpedy do Saksonii*. Znać było, że często zaglądał do zbiorowych wydań Goethego, Jean Paula, Novalisa, a także Lessinga, Jacobiego i Lichtenberga. W kilku tomach Dostojewskiego tkwiło mnóstwo zapisanych kartek. Na dużym stole między tą masą książek i pism stał często bukiet kwiatów, tam też poniewierała się stale zakurzona kaseta z akwarelami, obok niej popielniczki, oraz – czego nie należy przemilczeć – różne butelki z trunkami. Butelka w słomianej plecionce była najczęściej napełniona czerwonym włoskim winem, które przynosił z pobliskiego małego sklepiku, czasem pojawiała się też flaszka burgunda albo malagi, a pękata butelka wiśniówki, opróżniona – jak zauważyłem – w bardzo krótkim czasie niemal całkowicie, znikła w kącie pokoju i tam pokryła się kurzem z nie umniejszającą się już resztką zawartości. Nie chcę się usprawiedliwiać z uprawianego przeze mnie szpiegowania i przyznaję otwarcie, że początkowo wszystkie te oznaki życia, wypełnionego wprawdzie intelektualnymi zainteresowaniami, ale przy tym dość hulaszczego i wyuzdanego, budziły we mnie odrazę i nieufność. Jestem nie tylko człowiekiem o mieszczańskich nawykach, prowadzącym regularny tryb życia, przyzwyczajonym do pracy i ścisłego rozkładu godzin: jestem również abstynentem i nie palę, więc owe butelki w pokoju Hallera jeszcze mniej mi się podobały niż reszta malowniczego artystycznego nieładu.

Tak jak w spaniu i pracy, tak też w sprawach kulinarnych gość nasz prowadził bardzo nieregularny i kapryśny tryb życia. Niekiedy wcale nie wychodził z domu i niczego nie brał do ust prócz rannej kawy, niekiedy ciotka znajdowała skórkę od banana jako jedyną pozostałość całego obiadu, ale znów w inne dni jadał bądź w dobrych i wykwintnych restauracjach, bądź w małych podmiejskich knajpkach. Wydawało się, że zdrowie ma nie najlepsze. Poza niedowładem nóg, często utrudniającym mu wchodzenie po schodach, zdawał się cierpieć również z powodu innych dolegliwości; kiedyś wspomniał mimochodem, że już od wielu lat nie sypia i nie trawi normalnie. Przypisywałem to przede wszystkim piciu. Później, kiedy towarzyszyłem mu czasem do którejś z jego knajp, byłem nieraz świadkiem, jak duszkiem i z fantazją wlewał w siebie wino, ale ani ja, ani nikt inny nie widział go naprawdę pijanym.

Nigdy nie zapomnę naszego pierwszego bardziej osobistego spotkania. Znaliśmy się ot tak, jak znają się lokatorzy sąsiadujących pokojów w tym samym mieszkaniu. Pewnego wieczoru, gdy wróciłem z biura do domu, ku mojemu zdumieniu zobaczyłem pana Hallera siedzącego na schodach między pierwszym a drugim piętrem. Siedział na najwyższym stopniu i usunął się na bok, aby mnie przepuścić. Zapytałem, czy nie czuje się źle, i wyraziłem gotowość odprowadzenia go na górę.

Haller spojrzał na mnie; odniosłem wrażenie, że wyrwałem go z jakiegoś transu. Powoli zaczął się uśmiechać swoim ujmującym i smutnym uśmiechem, który tak często kładł mi się na sercu ciężarem, po czym prosił, żebym usiadł przy nim. Podziękowałem, mówiąc, że nie zwykłem siadywać na schodach przed mieszkaniami obcych ludzi.

– Ach tak – powiedział, uśmiechając się swobodniej. – Ma pan rację. Ale proszę poczekać chwilkę, chciałbym wyjaśnić panu, dlaczego musiałem tu trochę posiedzieć.

Wskazywał przy tym na podest przed mieszkaniem na pierwszym piętrze, zajmowanym przez jakąś wdowę. Na tej niewielkiej powierzchni, wyłożonej parkietem, między schodami, oknem i oszklonymi drzwiami, stała przy ścianie wysoka mahoniowa szafa, ozdobiona w górze staromodnym gzymsem, a przed szafą na ziemi, na dwóch małych, niskich postumencikach umieszczono dwie rośliny w dużych doniczkach: azalię i araukarię. Rośliny wyglądały ładnie, były zawsze utrzymane czysto, bez zarzutu, co i ja już z przyjemnością zauważyłem.

– Widzi pan – ciągnął dalej Haller – ten mały podest z araukarią pachnie tak bajecznie, że często nie mogę tędy przejść, żeby nie zatrzymać się choć na chwilę. U pańskiej szanownej ciotki także pachnie przyjemnie, panuje porządek i wzorowa czystość, ale tu ten kącik z araukarią aż błyszczy schludnością, jest tak odkurzony, wytarty i wymyty, tak nieskazitelnie czysty, że po prostu promienieje. Muszę się tu zawsze narozkoszować tym zapachem do syta... Czy i pan go czuje? Woń wosku z lekką domieszką terpentyny, zmieszana z wonią mahoniu, wilgotnych liści i w ogóle ze wszystkim, dają w sumie zapach, będący superlatywem mieszczańskiej czystości, staranności i dokładności, spełniania obowiązków i wierności w rzeczach małych. Nie wiem, kto tu mieszka, ale za tymi oszklonymi drzwiami istnieje chyba raj czystości i odkurzonego mieszczaństwa, a także raj ładu i wzruszająco trwożnego oddania się małym przyzwyczajeniom i obowiązkom.

Ponieważ milczałem, ciągnął: – Proszę nie sądzić, że mówię to ironicznie! Nic nie jest mi bardziej obce, drogi panie, niż chęć wyśmiewania tych mieszczańskich cnót i porządków. To prawda, że sam żyję w innym świecie i... być może... nie zdołałbym wytrzymać choćby jednego dnia w mieszkaniu z takimi araukariami. Ale jeśli nawet jestem starym i trochę nieokrzesanym wilkiem stepowym, to przecież i moja matka była mieszczką, hodowała kwiaty, dbała o pokój i schody, o meble i firanki i starała się włożyć w swoje mieszkanie i swoje życie tyle schludności, czystości i porządku, ile potrafiła. O tym właśnie przypomina mi delikatny zapach terpentyny i araukaria, więc siedzę tu od czasu do czasu, spoglądam w ten cichy, mały ogródek porządku i cieszę się, że coś takiego jeszcze istnieje.

Chciał wstać, jednak sprawiało mu to trudności i nie protestował, kiedy mu trochę pomogłem. Milczałem dalej, ale uległem – podobnie jak to się uprzednio przytrafiło mojej ciotce – jakiemuś urokowi, roztaczanemu niekiedy przez tego dziwnego człowieka. Powoli wchodziliśmy razem po schodach na górę i przed drzwiami, kiedy już trzymał klucze w ręku, spojrzał mi raz jeszcze prosto i przyjaźnie w twarz, mówiąc: – Czy wraca pan z biura? No cóż, nie znam się na tych sprawach, wie pan, żyję trochę na uboczu. Przypuszczam jednak, że i pana interesują książki i podobne sprawy. Pańska ciotka mówiła mi kiedyś, że pan skończył gimnazjum i dobrze znał grekę. Otóż dziś rano znalazłem u Novalisa pewne zdanie, czy mogę je panu przeczytać? Z pewnością i panu sprawi ono przyjemność.

Zabrał mnie do swego pokoju, mocno pachnącego tytoniem, wyciągnął ze stosu książek jakiś tom, odwracał kartki, szukał.

– To też jest dobre, bardzo dobre – powiedział – niech pan posłucha: „Powinno się być dumnym z bólu... każdy ból jest przypomnieniem naszej wysokiej rangi". Świetne! Osiemdziesiąt lat przed Nietzschem! Ale nie o tym zdaniu myślałem... niech pan poczeka... już je mam. Otóż: „Większość ludzi nie chce pływać, dopóki nie nauczy się pływania". Czy to nie dowcipne? Oczywiście nie chcą pływać! Urodzili się przecież dla ziemi, nie dla wody. I oczywiście nie chcą myśleć, gdyż stworzeni zostali do życia, a nie do myślenia! Tak, a kto myśli i kto z myślenia czyni sprawę najważniejszą, ten wprawdzie może w tej dziedzinie zajść daleko, ale taki człowiek zamienił ziemię na wodę i musi kiedyś utonąć.

Ujął mnie tym i zainteresował, pozostałem chwilę u niego i odtąd zdarzało się dość często, że kiedy spotykaliśmy się na schodach lub na ulicy, rozmawialiśmy trochę ze sobą. Przy tym początkowo miałem zawsze wrażenie, podobnie jak przy araukarii, że odnosi się do mnie z ironią. Ale było inaczej. Żywił dla mnie, podobnie jak dla owej araukarii, wręcz głęboki szacunek, był tak głęboko przekonany o swoim osamotnieniu, o swoim pływaniu po wodzie, o swoim wykorzenieniu, że szczerze i bez cienia szyderstwa wprawiał go niekiedy w zachwyt widok jakiejś zwyczajnej mieszczańskiej codzienności, na przykład punktualność, z jaką chodziłem do biura, albo powiedzenie woźnego czy konduktora tramwajowego. Początkowo wydawało mi się to śmieszne i przesadne, niby pańska, kawalerska fantazja lub jakieś zgrywanie się na sentymentalizm. Ale stopniowo coraz bardziej przekonywałem się, że on rzeczywiście z punktu widzenia swej próżni, swej obcości i wilczej natury po prostu podziwiał i kochał nasz mały mieszczański światek jako coś trwałego, niewzruszonego i pewnego, dla niego zaś dalekiego i nieosiągalnego, jako rodzaj gniazda rodzinnego i spokoju, do którego nie wiodła żadna z jego dróg. Przed naszą posługaczką, kobietą zresztą poczciwą, zawsze zdejmował kapelusz z prawdziwym uszanowaniem, a jeśli się zdarzyło, że moja ciotka gawędziła z nim przez chwilę albo zwracała mu uwagę na konieczność naprawienia bielizny lub na wiszący guzik przy palcie, słuchał tego z dziwnym skupieniem i uwagą, jak gdyby zadawał sobie nieopisany i beznadziejny trud, żeby przez jakąś szparę wtargnąć do tego małego, spokojnego światka i zadomowić się w nim choćby na jedną godzinę.

Już podczas pierwszej rozmowy przy araukarii, kiedy nazwał się wilkiem stepowym, zrobiło mi się przykro i zdziwiłem się trochę. Cóż to za określenie? Wnet jednak zacząłem godzić się na ten wyraz nie tylko z racji przyzwyczajenia; sam nazywałem tego człowieka w myślach już nie inaczej jak wilkiem stepowym, a i dziś jeszcze nie znalazłbym trafniejszego określenia dla tej przedziwnej postaci. Wilk stepowy, zabłąkany wśród nas, wśród miast i życia gromadnego – żaden inny obraz nie mógłby ukazać go dobitniej, jego trwożliwego osamotnienia, jego dzikości, niepokoju, nostalgii i bezdomności.

Kiedyś miałem sposobność obserwować go przez cały wieczór podczas koncertu symfonicznego; ku memu zdziwieniu siedział w pobliżu, wcale mnie jednak nie widząc. Najpierw grano szlachetne i piękne utwory Händla – lecz wilk stepowy pogrążony był w sobie, oderwany od muzyki i otoczenia. Siedział zagubiony, samotny i obcy, spoglądając w ziemię z chłodnym, ale pełnym troski wyrazem. Potem grano inny utwór, małą symfonię Friedemanna Bacha, i wtedy to zdumiałem się, widząc, że po kilku zaledwie taktach mój dziwak zaczął się uśmiechać i ulegać czarowi muzyki, pogrążając się całkowicie w sobie, i chyba w ciągu dziesięciu minut sprawiał wrażenie w pełni uszczęśliwionego i zatopionego w rozkosznych marzeniach, tak że więcej zwracałem uwagi na niego niż na muzykę. Gdy utwór dobiegł końca, ocknął się i wyprostował, zdawało się, że chce wstać i odejść, pozostał jednak i wysłuchał jeszcze ostatniego punktu w programie, wariacji Regera, muzyki, którą wielu odczuwało jako przydługą i nużącą. I także wilk stepowy, słuchający początkowo uważnie i chętnie, znów opadł na krześle, wsunął ręce w kieszenie i pogrążył się w sobie, ale tym razem bez wyrazu błogości i marzycielstwa, był raczej smutny, wreszcie zagniewany, jego twarz była daleka, szara, zgaszona, wyglądał na człowieka starego, chorego i niezadowolonego.

Po koncercie zobaczyłem go znowu na ulicy i poszedłem jego śladem; otulony w płaszcz szedł smutno i ociężale w kierunku naszej dzielnicy, zatrzymał się jednak przed małą, staroświecką restauracyjką, z wahaniem spojrzał na zegarek i wszedł do środka. Czyniąc zadość chwilowej zachciance, wszedłem tam za nim. Siedział przy typowym na owe czasy okrągłym stoliku, gospodyni i kelnerka przywitały go jak stałego bywalca, ukłoniłem się i przysiadłem do niego. Siedzieliśmy tam godzinę i podczas gdy ja wypiłem dwie szklanki wody mineralnej, on kazał sobie podać pół litra czerwonego wina, a potem jeszcze ćwiartkę. Wspomniałem, że wracam z koncertu, ale nie zareagował na to. Czytał etykietę na flaszce mojej wody i zapytał, czy nie chciałbym napić się wina, na które mnie zaprasza. Gdy usłyszał, że nigdy nie pijam wina, zrobił znów bezradną minę i powiedział: „No tak, ma pan rację. Ja też przez wiele lat żyłem wstrzemięźliwie i długi czas pościłem, ale obecnie znajduję się znów pod znakiem Wodnika, a to znak ciemny i wilgotny".

Kiedy żartując, napomknąłem, że wydaje mi się nieprawdopodobne, iżby właśnie on wierzył w astrologię, przybrał znów uprzejmy ton, który mnie często urażał, i powiedział: – Całkiem słusznie, również i w tę naukę nie mogę, niestety, uwierzyć.

Pożegnałem się i wyszedłem, on zaś wrócił do domu dopiero późną nocą, ale jego krok był normalny; jak zwykle nie od razu położył się do łóżka, słyszałem to dokładnie przez ścianę, lecz chyba z godzinę jeszcze siedział w swoim pokoju przy świetle.

Pamiętam również jeszcze inny wieczór. Byłem sam w domu, ciotka wyszła, ktoś zadzwonił do drzwi wejściowych, a kiedy otworzyłem, stała przede mną młoda, bardzo ładna osoba i pytała o pana Hallera; poznałem ją od razu. Była to pani z fotografii w jego pokoju. Pokazałem jej drzwi lokatora i wycofałem się, pani pozostała chwilę na górze, wkrótce jednak usłyszałem, jak razem schodzili ze schodów i wychodzili z domu, żartując przy tym wesoło i z ożywieniem. Byłem bardzo zdziwiony, że nasz pustelnik ma kochankę, w dodatku taką młodą, ładną i elegancką, i znowu zachwiały się wszystkie moje domysły na temat jego życia i jego osoby. Ale w niecałą godzinę wrócił do domu sam, ciężkim, smutnym krokiem, z trudem stąpał po schodach, po czym całymi godzinami chodził w swoim pokoju tam i z powrotem, cicho, jak wilk w klatce, światło paliło się u niego przez całą noc, prawie do rana.

Nie wiem nic o tym związku, chciałbym tylko dodać, że raz jeszcze widziałem go z tą kobietą na jakiejś ulicy miasta. Szli pod rękę, wyglądał na człowieka szczęśliwego, dziwiłem się znowu, że jego zatroskana, wyobcowana twarz potrafi zdradzać – zależnie od okoliczności – tyle wdzięku, tyle wręcz dziecinnego uroku, i zrozumiałem tę kobietę, zrozumiałem również współczucie, jakie moja ciotka miała dla tego człowieka. Ale i w tym dniu wrócił wieczorem do domu smutny i zbiedzony; spotkałem go przy bramie, miał, jak nie raz, butelkę włoskiego wina pod płaszczem i przesiedział przy niej pół nocy w swojej jaskini na górze. Żal mi go było, bo też jakże beznadziejne, stracone i bezbronne było to jego życie.

No, ale dość już gadania. Nie trzeba więcej relacji ani opisów, by wykazać, że wilk stepowy prowadził życie samobójcy. Mimo to nie wierzę, by sobie je odebrał owego dnia, kiedy nagle i bez pożegnania, ale po zapłaceniu wszystkich zaległości opuścił nasze miasto i zniknął. Nigdy więcej nie dał znaku życia i ciągle jeszcze przechowujemy kilka listów, które do niego przyszły. Niczego nie pozostawił po sobie prócz rękopisu, który sporządził podczas pobytu w naszym domu i który w kilku słowach mnie zadedykował, zaznaczając, że mogę z nim zrobić, co uznam za stosowne.

Nie miałem możności stwierdzić, ile prawdy zawierają przeżycia opisane w notatkach Hallera. Nie wątpię, że po większej części są fikcją, ale nie w sensie dowolnego zmyślenia, lecz w sensie próby znalezienia wyrazu dla głęboko odczutych przeżyć duchowych, próby, która przedstawiłaby je w szacie konkretnych zdarzeń. Te po części fantastyczne przygody w opowieści Hallera pochodzą przypuszczalnie z ostatniego okresu jego pobytu w naszym mieście i nie wątpię, że ich podstawą jest również pewna doza prawdziwych, realnych faktów. W owym czasie gość nasz rzeczywiście zmienił się w wyglądzie i sposobie bycia, często przebywał poza domem, niekiedy nie było go nawet całymi nocami, a jego książki leżały nietknięte. Podczas nielicznych wówczas spotkań wydawał mi się wyjątkowo ożywiony i odmłodzony, a parę razy wręcz uradowany. Oczywiście zaraz potem następowała kolejna ciężka depresja, całymi dniami leżał w łóżku, nie dopominał się o jedzenie i na ten okres przypada również niezwykle ostra, nawet brutalna kłótnia z jego kochanką, która pojawiła się znów na horyzoncie; kłótnia ta poruszyła cały dom, za co nazajutrz Haller przeprosił moją ciotkę.

Nie, jestem przekonany, że nie odebrał sobie życia. Żyje jeszcze i chodzi gdzieś po świecie na swoich umęczonych nogach, w górę i w dół po schodach obcych domów, gdzieś tam gapi się na wyfroterowane posadzki i starannie pielęgnowane araukarie, w ciągu dnia przesiaduje w bibliotekach, noce spędza w knajpach albo leży na wynajętym tapczanie i wsłuchuje się w żyjący za oknami świat i ludzi, i wie, że jest wykluczony z tego wszystkiego, jednak się nie zabija, gdyż resztka wiary powiada mu, że cierpienia tego musi w sercu zakosztować do końca i że na to cierpienie musi umrzeć. Często myślę o nim, nie ułatwił mi życia, nie miał daru wspierania i rozwijania tego, co we mnie silne i radosne, przeciwnie! Ale ja nie jestem nim i nie prowadzę życia w jego stylu, lecz moje własne, małe i mieszczańskie, bezpieczne i wypełnione obowiązkami. Dlatego możemy go wspominać spokojnie i z przyjaźnią, ja i moja ciotka, która umiałaby o nim powiedzieć więcej, ale to pozostanie na zawsze ukryte w jej poczciwym sercu.

A co się tyczy notatek Hallera, notatek dziwnych, po części chorobliwych, po części pięknych, pełnych zadumy i fantazji, to muszę przyznać, że gdyby te kartki przypadkiem wpadły mi w ręce, a ich autor nie byłby mi znany, z pewnością wyrzuciłbym je z oburzeniem na śmietnik.

Ale moja znajomość z Hallerem umożliwiła mi częściowe ich zrozumienie, a nawet zaaprobowanie. Gdybym widział w nich tylko patologiczne urojenia jednostki, jakiegoś chorego na umyśle biedaka, miałbym skrupuły, czy podać je do wiadomości innym. Dostrzegam w nich jednak coś więcej, dokument czasu, gdyż choroba umysłowa Hallera – wiem to dzisiaj – nie jest dziwactwem jednego tylko człowieka, lecz chorobą epoki, neurozą całego pokolenia, do którego należy Haller, neurozą, której nie ulegają bynajmniej tylko osobowości słabe i mniej wartościowe, lecz właśnie silne, najbardziej uduchowione, najbardziej uzdolnione.

Zapiski Hallera – bez względu na to, czy opierają się na wielu, czy na niewielu wydarzeniach z życia – są próbą przezwyciężenia wielkiej choroby czasu, nie przez jej omijanie i upiększanie, lecz przez próbę uczynienia z samej choroby przedmiotu opowiadania. Oznaczają dosłownie drogę przez piekło, bądź pełną lęku, bądź odważną, drogę przez chaos mrocznego świata duszy, podjętą w celu przejścia przez to piekło, stawienia czoła chaosowi, przecierpienia zła do końca.

Jedna uwaga Hallera dała mi klucz do zrozumienia tego. Kiedyś, po rozmowie o tak zwanych okrucieństwach średniowiecza, powiedział do mnie: – W rzeczywistości nie były to wcale okrucieństwa. Człowiek średniowiecza odczułby znacznie większy wstręt do stylu całego naszego dzisiejszego życia, jako do czegoś okrutnego, przerażającego i barbarzyńskiego! Każda epoka, każda kultura, każdy obyczaj i tradycja mają swój styl, swoją specyfikę, swoje subtelności i ostrości, uroki i okrucieństwa, każda epoka uważa pewne niedomogi za oczywiste, a inne zło znosi cierpliwie. Prawdziwym cierpieniem, piekłem, staje się życie ludzkie tylko tam, gdzie krzyżują się dwie epoki, dwie kultury i religie. Gdyby człowiek antyku musiał żyć w średniowieczu, zginąłby marnie, podobnie jak zginąłby dzikus w naszej cywilizacji. Bywają okresy, w których całe pokolenie dostaje się między dwie epoki, między dwa style życia, tak że zatraca ono wszelką naturalność, wszelki obyczaj, wszelkie poczucie bezpieczeństwa i niewinności. Rzecz jasna, nie wszyscy odczuwają to jednakowo silnie. Filozof taki jak Nietzsche przecierpiał dzisiejszą nędzę wcześniej o całe jedno pokolenie – to, co on świadomy prawdy musiał znieść sam, stało się dziś udziałem tysięcy.

W trakcie lektury notatek często musiałem myśleć o tych słowach. Haller należy do ludzi, którzy dostali się między dwie epoki, którzy zostali wytrąceni ze stanu bezpieczeństwa i niewinności, do tych, których przeznaczeniem jest przeżywać w spotęgowaniu całą problematykę ludzkiego życia jako osobistą męczarnię i piekło.

W tym tkwi – jak się wydaje – sens, jaki jego zapiski mogą mieć dla nas, i dlatego zdecydowałem się je opublikować. Zresztą nie chcę ich brać w obronę ani osądzać: niech każdy czytelnik uczyni to zgodnie z własnym sumieniem!

NOTATKI
HARRY'EGO
HALLERA

Tylko dla obłąkanych

Dzień minął, jak mijają dni; zepchnąłem go, zniszczyłem delikatnie moją prymitywną i nieśmiałą sztuką życia; pracowałem kilka godzin, wertowałem stare książki, miałem przez dwie godziny bóle, jakie zwykle miewają ludzie starsi, zażyłem pigułkę i cieszyłem się, że bóle dały się przechytrzyć, leżałem w gorącej kąpieli i wchłaniałem błogie ciepło, trzy razy odbierałem pocztę i przeglądałem wszystkie te zbędne listy i druki, odbyłem ćwiczenia oddechowe, ale darowałem sobie dziś z lenistwa gimnastykę myśli, byłem godzinę na spacerze i obserwowałem piękne, delikatne i niecodzienne desenie pierzastych chmurek, wrysowane w niebo. To było bardzo przyjemne, tak jak czytanie starych książek, jak leżenie w ciepłej kąpieli, ale – wziąwszy wszystko razem – nie był to wcale zachwycający, promienny dzień szczęścia i radości, lecz właśnie jeden z tych dni, jakimi już od dłuższego czasu powinny dla mnie być dni normalne i zwykłe: w miarę przyjemne, całkiem znośne, nie najgorsze, nijakie dni starszego, niezadowolonego pana, dni bez szczególnych dolegliwości, bez szczególnych trosk, bez istotnego zmartwienia, bez rozpaczy, dni, w których nawet pytanie, czy nie należałoby pójść za przykładem Adalberta-Stiftera i ulec nieszczęśliwemu wypadkowi przy goleniu, rozważa się rzeczowo i spokojnie, bez podniecenia i bez uczucia strachu.

Kto zakosztował tamtych dni złych, z atakami artretyzmu albo z dotkliwym bólem głowy, umiejscowionym za gałkami ocznymi, szatańsko zmieniającym każdą radość oka i ucha w udrękę, albo owych dni umierania duszy, niedobrych dni wewnętrznej pustki i rozpaczy, w których wśród wyniszczonej i wyeksploatowanej przez kartele ziemi na każdym kroku aż do mdłości szczerzy do nas zęby świat ludzki i tak zwana kultura w swoim zakłamanym, prostackim i obłudnym blasku jarmarcznym, skoncentrowana i doprowadzona do szczytu obrzydliwości we własnym chorym Ja — kto zakosztował tych piekielnych dni, ten jest zadowolony z normalnych i połowicznych, podobnych do dzisiejszego, ten siedzi z wdzięcznością przy ciepłym piecu, z wdzięcznością stwierdza przy czytaniu rannej gazety, że i dzisiaj nie wybuchła znów wojna, że nie ogłoszono nowej dyktatury, że nie wykryto ani w polityce, ani w gospodarce szczególnie jaskrawego świństwa, z wdzięcznością stroi swą zardzewiałą lirę na umiarkowane, wcale pogodne, niemal radosne tony dziękczynnego psalmu, którym zanudza swego cichego, łagodnego, trochę bromem odurzonego bożka zadowolenia, a w tej letniej, zagęszczonej atmosferze nudy, pełnej dobrego samopoczucia i godnego wdzięczności znieczulenia, ci dwaj: ów monotonnie kiwający głową półbożek i ów z lekka posiwiały i przytłumionym głosem śpiewający psalm półczłowiek, są podobni do siebie jak bliźniaki.

Jest coś pięknego w tym zadowoleniu, w tej bezbolesności, w tych znośnych, przyczajonych dniach, kiedy ani ból, ani rozkosz nie mają odwagi krzyczeć, kiedy wszystko tylko szepcze i skrada się na palcach.

Niestety ze mną jest tak, że źle znoszę uczucie zadowolenia, szybko staje mi się ono nienawistne i wstrętne i pełen rozpaczy muszę szukać innych temperatur, o ile to możliwe, w rozkoszy, a w razie konieczności – również i w cierpieniu. Jeśli przez jakiś czas nie doznałem ani rozkoszy, ani bólu i oddychałem letnią, mdłą i znośną atmosferą tak zwanych dobrych dni, wtedy dziecinną moją duszę ogarnia tak ogromny smutek i taka żałość, że zardzewiałą lirę wdzięczności ciskam sennemu bożkowi zadowolenia w sytą twarz, wolę bowiem czuć w sobie prawdziwie diabelny ból niż zdrową temperaturę pokojową. Wtedy rozpala się we mnie dzika żądza mocnych wrażeń, żądza sensacji, wściekłość na wymuskane, płaskie, unormowane i wysterylizowane życie i obłędna chęć zniszczenia czegoś, na przykład domu towarowego albo katedry, albo siebie samego; chciałbym wtedy popełnić jakieś zuchwałe głupstwa, zedrzeć peruki paru czczonym bożyszczom, zaopatrzyć paru zbuntowanych sztubaków w wymarzony bilet do Hamburga, uwieść małą dziewczynkę lub skręcić kark kilku przedstawicielom mieszczańskiego ładu. Gdyż przede wszystkim najszczerzej nienawidziłem, brzydziłem się i przeklinałem zadowolenie, zdrowie, wygodnictwo, ten wypielęgnowany optymizm burżuja, tę tłustą, prosperującą hodowlę wszystkiego, co mierne, normalne, przeciętne.

W takim nastroju, przy zapadającym zmroku, zakończyłem ten znośny, tuzinkowy dzień. Nie zakończyłem go jak przystało na mężczyznę trochę cierpiącego, w sposób normalny i zdrowy, nie skusiło mnie pościelone łóżko z przynętą w postaci termoforu, lecz niezadowolony i pełen wstrętu na myśl o odrobinie dokonanej dzisiaj pracy, z niechęcią włożyłem buty, wśliznąłem się w płaszcz i w ciemności i mgle poszedłem do miasta, by w restauracji „Pod Stalowym Hełmem" wypić to, co pijący mężczyźni starym zwyczajem nazywają „szklaneczką wina".

Zszedłem więc z mojej mansardy na dół po schodach, po owych trudnych do schodzenia schodach na obczyźnie, owych na wskroś mieszczańskich, wyfroterowanych, czystych schodach jednego z wielce przyzwoitych trójrodzinnych domów czynszowych, gdzie na poddaszu mam moją pustelnię. Nie wiem, jak to się dzieje, ale ja, bezdomny wilk stepowy i samotny wróg małomieszczańskiego świata, zawsze mieszkam w prawdziwie mieszczańskich domach, to taki stary mój sentyment. Nie mieszkam ani w pałacach, ani w proletariackich ruderach, lecz właśnie w tych bardzo przyzwoitych, bardzo nudnych, nienagannie utrzymanych małomieszczańskich gniazdach, gdzie pachnie trochę terpentyną i trochę mydłem, gdzie ogarnia nas przerażenie, jeśli nam się przytrafi głośno zatrzasnąć drzwi albo wejść do pokoju w zabłoconych butach. Niewątpliwie lubię tę atmosferę z czasów mojego dzieciństwa i moja skryta tęsknota za czymś takim jak gniazdo rodzinne prowadzi mnie niezmiennie na te same głupie ścieżki. A poza tym lubię również kontrast, jaki zachodzi między moim samotnym, pozbawionym miłości, gorączkowym i na wskroś nieporządnym życiem a owym środowiskiem rodzinno-mieszczańskim. Lubię na schodach zapach ciszy, porządku, schludności, przyzwoitości i swojskości, który mimo mej nienawiści do mieszczaństwa ma dla mnie zawsze coś wzruszającego, i lubię także przekraczać próg mojego pokoju, gdzie to wszystko się kończy, gdzie wśród stosu książek poniewierają się niedopałki cygar i stoją flaszki z winem, gdzie wszystko jest nieporządne, obce i zaniedbane, a książki, rękopisy, myśli są naznaczone i przesycone biedą samotnych, problematyką bytu ludzkiego, tęsknotą za nadaniem nowego sensu życiu człowieka, które stało się bezsensowne.

Minąłem właśnie araukarię. Na pierwszym piętrze tego domu schody mianowicie prowadzą przez mały podest przed mieszkaniem, które z pewnością utrzymane jest jeszcze bardziej nienagannie, jeszcze czyściej i troskliwiej niż inne, gdyż ten mały podest promieniuje jakimś nadludzkim zadbaniem, jest małą lśniącą świątynią ładu. Na parkiecie, na którym lękamy się postawić nogę, stoją dwa zgrabne stołeczki, a na każdym z nich wielka doniczka; w jednej rośnie azalia, w drugiej dość okazała araukaria, zdrowe, silne drzewko o doskonałej symetrii, którego nawet ostatnia igiełka na ostatniej gałązce lśni czystością. Czasem, kiedy wiem, że nikt mnie nie obserwuje, przychodzę tu jak do świątyni, siadam powyżej araukarii na jednym ze schodów, odpoczywam trochę, składam ręce i patrzę z nabożeństwem na ten ogródek ładu, którego wzruszające wypielęgnowanie i samotna śmieszność w jakiś sposób chwytają mnie za serce. Za tym podestem, niejako w świętym cieniu araukarii, domyślam się mieszkania pełnego błyszczących mahoniów i życia nacechowanego statecznością i zdrowiem, wczesnym wstawaniem, spełnianiem obowiązków, z uroczystościami rodzinnymi w miarę wesołymi, z niedzielnym chodzeniem do kościoła i wczesnym układaniem się do snu.

Z udaną wesołością szedłem po wilgotnym asfalcie uliczek, łzawe, spowite mgłą światła latarń patrzyły przez chłodną, wilgotną szarugę i wysysały z mokrej ziemi leniwe odbicia światełek. Przyszły mi na myśl moje zapomniane młodzieńcze lata – jakże lubiłem wtedy takie ciemne i posępne wieczory późnej jesieni i zimy, jak chciwie i z jakim upojeniem wchłaniałem wówczas nastroje samotności i melancholii, kiedy otulony płaszczem, w deszczu i burzy, biegłem przez wrogą, odartą z liści naturę, samotny już wtedy, ale przepojony rozkoszą i przepełniony wierszami, które spisywałem przy świecy w mojej izdebce, siedząc na brzegu łóżka! No cóż, to już minęło, ten kielich wychyliłem do dna i nigdy dla mnie się już nie napełnił. Czy tego szkoda? Nie, nie szkoda. Nie szkoda niczego, co minęło. Szkoda tylko tego, co jest teraz i dzisiaj, szkoda tych wszystkich godzin i dni, które traciłem, które tylko cierpliwie znosiłem, które nie przynosiły ani darów, ani wstrząsów. Ale, Bogu dzięki, bywały też wyjątki, zdarzały się niekiedy, rzadko, również i inne godziny, które przynosiły wstrząsy, przynosiły dary, burzyły ściany i znowu sprowadzały mnie, zbłąkanego, z powrotem do żywego serca świata. Smutny, a jednak do głębi poruszony, usiłowałem przypomnieć sobie ostatnie przeżycie tego rodzaju. Było to podczas koncertu, grano cudowną starą muzykę, gdy nagle, między dwoma ściszonymi taktami, wykonanymi na drewnianych instrumentach dętych, otworzyła się przede mną brama w zaświaty, przefrunąłem przez niebo i widziałem Boga przy pracy, cierpiałem błogie bóle i nie broniłem się już przed niczym w świecie, nie bałem się już niczego, akceptowałem wszystko, wszystkiemu oddawałem moje serce. Doznanie to nie trwało długo, może kwadrans, ale powróciło tej samej nocy we śnie i odtąd przez wszystkie jałowe dni rozbłyskiwało niekiedy skrycie, czasem w ciągu minut widziałem wszystko wyraźnie, jak wijący się przez moje życie złoty, boski ślad, prawie zawsze pokryty błotem i głęboko zasypany kurzem, potem znów świecący złotymi iskrami, zdawało się, że nigdy już nie zginie, a przecież niebawem znów gdzieś przepadał w głębi. Kiedyś zdarzyło się, że podczas bezsennej nocy nagle zacząłem mówić wiersze, wiersze zbyt piękne i zbyt dziwne, abym mógł myśleć o spisaniu ich; rano już ich nie pamiętałem, a jednak spoczywały we mnie ukryte, jak ciężki orzech w zmurszałej, kruchej łupinie. Innym razem nawiedzało mnie to przy czytaniu jakiegoś poety, przy analizowaniu jakiejś myśli Descartesa, Pascala, kiedy indziej znowu rozbłyskiwało i prowadziło dalej złotym śladem w niebiosa, gdy byłem u kochanki. Ach, trudno jest znaleźć ślad Boga wśród życia, jakie wiedziemy, wśród tego zadowolonego, tak bardzo mieszczańskiego, tak bardzo bezdusznego czasu, na widok tej architektury, tych interesów, tej polityki, tych ludzi! Jakże nie mam być wilkiem stepowym i nędznym pustelnikiem pośrodku świata, którego celów nie podzielam, którego radości są mi obce! Nie mogę długo wytrzymać ani w teatrze, ani w kinie, zaledwie zdołam przeczytać gazetę, rzadko współczesną książkę, nie rozumiem, jakiej przyjemności i zabawy ludzie szukają w przepełnionych pociągach i hotelach, w zatłoczonych kawiarniach, przy hałaśliwej, natrętnej muzyce, w barach i kabaretach eleganckich, luksusowych miast, w światowych wystawach, na korsach, na odczytach dla złaknionych wiedzy, na wielkich boiskach sportowych – nie mogę zrozumieć ani podzielać tych wszystkich przyjemności, które przecież byłyby dla mnie dostępne i o które starają się i dobijają tysiące ludzi. Natomiast to, co w rzadkich chwilach staje się moim udziałem i radością, co dla mnie jest rozkoszą, przeżyciem, ekstazą i podźwignięciem, to świat zna, kocha i tego szuka chyba tylko w poezji, w życiu zaś uważa za obłęd. W istocie, jeśli świat ma rację, jeśli rację mają masowe rozrywki, kawiarniana muzyka, zamerykanizowani ludzie, zadowoleni z byle czego, w takim razie ja nie mam racji, jestem szaleńcem, jestem naprawdę wilkiem stepowym – jak często sam siebie nazywałem – jestem zwierzęciem, zabłąkanym w obcym i niezrozumiałym świecie, zwierzęciem, które nie może już znaleźć swego legowiska, swego pożywienia i chęci do życia.

Zajęty tymi zwykłymi dla mnie myślami, szedłem dalej po mokrym bruku przez jedną z najcichszych i najstarszych dzielnic miasta. Nagle, po drugiej stronie uliczki, zobaczyłem w ciemnościach stary, kamienny, poszarzały mur, na który zwykle chętnie patrzyłem; stał tam zawsze taki sędziwy i beztroski, między małym kościółkiem i starym szpitalem. Za dnia oczy moje często spoczywały na jego szorstkiej powierzchni, gdyż takich cichych, dobrych, milczących płaszczyzn mało było w śródmieściu, gdzie przecież zwykle na każdym skrawku muru wykrzykuje swoją firmę jakieś biuro, jakiś adwokat, jakiś wynalazca, lekarz, fryzjer czy też pedikiurzysta. I teraz znowu ujrzałem stary mur, stojący cicho i spokojnie, a przecież coś się w nim zmieniło. Dostrzegłem w jego środku jakiś mały, ładny portal z ostrołukiem, co mnie zbiło z tropu, gdyż naprawdę nie wiedziałem, czy ten portal był tu zawsze, czy został dopiero teraz zbudowany. Niewątpliwie wyglądał archaicznie; należy przypuszczać, że mała, zamknięta furtka o drzwiach z ciemnego drewna wiodła już przed wiekami na jakieś uśpione klasztorne podwórko i czyni to jeszcze i dziś, choć dawno już nie ma klasztoru; prawdopodobnie ze sto razy widziałem tę furtkę, ale nigdy nie zwróciłem na nią uwagi, może była świeżo pomalowana i dlatego wpadła mi w oczy. Jakkolwiek by było, stanąłem i uważnie spojrzałem na drugą stronę, nie przeszedłem jednak przez jezdnię, gdyż była mokra i rozmiękła; pozostałem na chodniku i tylko spoglądałem na drugą stronę, wszystko pogrążało się już w cieniu nocy, kiedy wydało mi się, że furtkę obwiedziono wieńcem czy też inną kolorową ozdobą. A teraz, kiedy zadałem sobie trud, żeby dokładniej rzecz zbadać, spostrzegłem nad portalem jasny szyld, na którym, zdaje się, był jakiś napis. Wysiliłem wzrok i w końcu, mimo błota i kałuży, przeszedłem na drugą stronę ulicy. Wtedy dopiero zobaczyłem nad bramą, na znanej mi zielonkawej szarzyźnie muru, matowo połyskującą plamę; po tej zaś plamie biegły ruchome, kolorowe litery i znikały niebawem, znów się zjawiały i znów znikały. Oczywiście, pomyślałem, teraz i ten stary, poczciwy mur zbezcześcili świetlną reklamą! Tymczasem odcyfrowałem kilka przelotnie ukazujących się słów, były trudne do odczytania, trzeba je było w połowie odgadywać, gdyż litery jawiły się w nierównych odstępach czasu, blade, nikłe i gasły szybko. Człowiek, który chciał na tym zrobić interes, nie był obrotny, był – biedaczysko – wilkiem stepowym; dlaczego kazał swoim literom tańczyć tu, na tym murze, w najciemniejszej uliczce starego miasta w taki deszcz, o takiej porze, kiedy nikt tędy nie przechodził, i dlaczego litery były takie lotne, takie zwiewne, kapryśne i nieczytelne? Ale stop, teraz mi się udało, mogłem pochwycić kilka kolejnych słów, brzmiały one:

Teatr magiczny
wstęp nie dla każdego
– nie dla każdego

Próbowałem otworzyć furtkę, ale ciężka, stara klamka nie drgnęła nawet pod naciskiem. Gra liter skończyła się, urwała się nagle, smutna, świadoma swej daremności. Cofnąłem się o kilka kroków, zabrnąłem w błoto, litery już się nie ukazywały, świetlne efekty zgasły, długo stałem w kałuży i czekałem na próżno.

Ale kiedy już dałem za wygraną i wróciłem na chodnik, upadło przede mną na lśniący asfalt parę kolorowych świetlnych liter.

Czytałem:

Tylko – dla – obłą – kanych!

Przemoczyłem nogi i marzłem, mimo to stałem tam jeszcze dość długo w oczekiwaniu. Ale nic się już nie pojawiło. Kiedy tak stałem, myśląc o tym, jak ładnie mknęły po wilgotnym murze i czarnym błyszczącym asfalcie delikatne, barwne, błędne ogniki liter, przypomniałem sobie nagle fragment moich poprzednich rozważań: podobieństwo do złotego, rozbłyskującego śladu, który nieoczekiwanie staje się znów daleki i nie do odnalezienia.

Zmarzłem i poszedłem dalej, śniąc o tym śladzie, pełen tęsknoty za bramą do magicznego teatru, który był tylko dla obłąkanych. Doszedłem tymczasem do okolicy rynku, gdzie nie brak już było wieczornych rozrywek, co parę kroków wisiał plakat i werbował szyld: damska kapela – kabaret – kino – dansing, ale to wszystko nie dla mnie, to było dla „każdego", dla normalnych, którzy całymi falami cisnęli się do wejść. Mimo to mój smutek rozwiał się nieco, musnęło mnie przecież pozdrowienie z innego świata, zatańczyło kilka kolorowych liter, zagrało na mojej duszy i dotknęło ukrytych akordów, błysk złotego śladu stał się znów widoczny.

Odszukałem małą, staromodną knajpkę, w której nic się nie zmieniło od czasów mojego pierwszego pobytu w tym mieście przed dwudziestu pięciu laty. Jest nawet ta sama szynkarka, a niektórzy z dzisiejszych gości również i wówczas siedzieli tutaj, na tych samych miejscach, przed tymi samymi szklankami. Wszedłem do tej skromnej gospody, tu była moja ucieczka. Wprawdzie to tylko przystań, mniej więcej taka, jak na schodach przy araukarii, gdyż i tutaj nie odnalazłem domu i wspólnoty, tylko ciche miejsce na widowni przed sceną, na której obcy ludzie grali obce sztuki, ale to ciche miejsce też było coś warte: ani tłumów, ani krzyków, ani muzyki, tylko kilku spokojnych obywateli przy nienakrytych drewnianych stołach (żadnych marmurów, emaliowanych blach, pluszów czy mosiądzów), a przed każdym z gości trunek – dobre, mocne wino. Może ci nieliczni stali bywalcy, znani mi z widzenia, to prawdziwi filistrzy, którzy w domu, w swoich filisterskich mieszkaniach stawiali żałosne ołtarze głupawym bożkom zadowolenia – a może to samotnicy i wykolejeńcy, wilki stepowe i biedacy jak ja, którzy dumali przy kieliszku nad zbankrutowanymi ideałami? Tego nie wiedziałem. Każdego z nich przyciągała tu jakaś nostalgia, jakieś rozczarowanie, potrzeba jakiejś namiastki; żonaty szukał atmosfery kawalerskich czasów, stary urzędnik echa studenckich lat, wszyscy byli raczej milczący, chętnie popijali i podobnie jak ja woleli siedzieć przed butelką alzackiego wina niż przed damską kapelą. Tu rzuciłem kotwicę, tu można było przesiedzieć godzinę, a nawet dwie. Zaledwie łyknąłem wina, poczułem, że dziś jeszcze nic nie miałem w ustach prócz kawałka chleba na śniadanie.

Zadziwiające, co też człowiek potrafi przełknąć! Chyba z dziesięć minut czytałem gazetę, chłonąłem oczyma wypociny jakiegoś nieodpowiedzialnego człowieka, przeżuwającego w swych ustach słowa innych, by je następnie – zaprawione śliną, ale nie strawione – znów z siebie wydalić. Pochłonąłem tak całą długą szpaltę. Po czym zjadłem dobry kawał wątroby, wyciętej z ciała zarżniętego cielaka. Przedziwne! Najlepsze ze wszystkiego było alzackie wino. Nie lubię – przynajmniej na co dzień – odurzających, mocnych win, które wydatnie pobudzają i odznaczają się znanym, specyficznym smakiem. Najbardziej lubię całkiem młode, lekkie, skromne wina bez nazwy; można ich wypić dużo, mają dobry i przyjemny aromat wsi, ziemi, nieba i drzew. Kieliszek alzackiego wina i kawałek dobrego chleba to najlepszy posiłek. Zjadłem wszakże już jedną porcję wątroby, szczególny dla mnie przysmak, gdyż rzadko jadam mięso, a przede mną stał już drugi kieliszek wina. Dziwne było również i to, że w jakichś zielonych dolinach zdrowi, dzielni ludzie uprawiają winną latorośl i tłoczą wino, aby gdzieś tam w świecie, z dala od nich, kilku rozczarowanych, z cicha popijających mieszczuchów i bezradnych wilków stepowych mogło wysączyć z kielichów nieco odwagi i dobrego samopoczucia.

Co do mnie – niech to będzie i dziwne! Jest dobre, pomaga, poprawia humor. Na myśl o bzdurach w artykule parsknąłem spóźnionym, przynoszącym ulgę śmiechem i nagle przypomniałem sobie znowu zapomnianą, cichą, na trąbce wygraną melodię; uniosła się we mnie jak mała, lśniąca bańka mydlana, błysnęła, ukazując w kolorowym, zmniejszonym odbiciu cały świat, i rozprysnęła się łagodnie. Skoro było możliwe, że ta boska, mała melodyjka potajemnie zapuściła w mej duszy korzenie i pewnego dnia na nowo rozkwitała cudownym wielobarwnym kwiatem, czyż mogłem być całkowicie zgubiony? A jeśli nawet jestem zbłąkanym zwierzęciem, nierozumiejącym otaczającego świata, to przecież moje głupie życie ma jakiś sens, skoro coś we mnie udziela odpowiedzi, odbiera wołania z dalekich wyższych światów, gromadzi w moim mózgu tysiące obrazów:

Anielskie hufce Giotta z małego, błękitnego sklepienia kościółka w Padwie, a obok nich Hamlet kroczący z uwieńczoną Ofelią, piękne symbole wszelkiego smutku i wszelkiego nieporozumienia w świecie, a oto stoi w płonącym balonie żeglarz powietrzny Gianozzo i dmie w róg, Atylla Schmelzle trzyma w ręku swój nowy kapelusz, a Borobudur* piętrzy w powietrzu górę swych rzeźb. Gdyby nawet te wszystkie piękne postacie żyły również w tysiącach innych serc, to istnieje jeszcze dziesięć tysięcy innych, nieznanych obrazów i dźwięków, których ojczyzna, widzące oko i słyszące ucho żyją jedynie we mnie. Stary szpitalny mur pełen plam starej, zwietrzałej, szarej zieleni, mur, pod którego rysami i pęknięciami można się domyślić tysięcy fresków – kto mu odpowiedział, kto przyjął go do swej duszy, kto go kochał, kto odczuwał czar jego łagodnie zamierających barw? Stare księgi mnichów z delikatnie połyskującymi miniaturami i przez własny naród zapomniane książki niemieckich poetów sprzed stu i dwustu lat, wszystkie te zniszczone i zbutwiałe tomy, druki i rękopisy dawnych muzyków, owe sztywne, pożółkłe nuty, na których zastygły w tony zaklęte marzenia – kto wsłuchał się w ich mądre, szelmowskie i tęskne głosy, kto niósł w sercu ich ducha, ich czar przez inny, obcy im czas? Kto zachował w pamięci mały, uparty cyprys, stojący wysoko nad

---

* Buddyjska świątynia koło Jogyakarty na Jawie, pochodząca z VIII w. n.e., ozdobiona mnóstwem rzeźb i posągów.

wzgórzem Gubbio, złamany i rozdarty kamiennym zwałem, cyprys, który mimo to przetrwał i wypuścił nowy, mizerny pęd? Kto oddał sprawiedliwy hołd pracowitej właścicielce mieszkania na pierwszym piętrze i jej lśniącej czystością araukarii? Kto czytał nocą chmurne znaki przeciągających nad Renem mgieł? Wilk stepowy. I kto na gruzach swego życia szukał jego rozwiewającego się sensu, kto znosił to, co pozornie niedorzeczne, przeżywał to, co na pozór obłędne, i nawet w ostatnim szalonym chaosie żywił skrytą nadzieję na objawienie się i bliskość Boga?

Przytrzymałem kieliszek, który gospodyni chciała mi znów napełnić, i wstałem. Nie potrzebowałem już wina. Zabłysnął złoty ślad, odżyło wspomnienie wieczności, Mozarta, gwiazd. Mogłem znowu przez godzinę oddychać, żyć, istnieć, nie musiałem znosić cierpień ani lęku, ani wstydu. Kiedy wyszedłem na cichą już ulicę, dzwonił wokół latarń drobny kapuśniaczek, smagany zimnym wiatrem, i migotał szklanym blaskiem. A teraz dokąd? Gdybym w tej chwili miał moc czarodziejską, to życzyłbym sobie małej, ładnej salki w stylu Ludwika XVI, gdzie kilku dobrych muzyków zagrałoby mi dwa, trzy utwory Händla i Mozarta. Miałbym teraz do tego odpowiedni nastrój i rozkoszowałbym się chłodną, szlachetną muzyką, jak bogowie rozkoszują się nektarem. Ach, gdybym miał teraz jakiegoś przyjaciela, który gdzieś, na jakimś poddaszu, medytowałby przy świeczce i miał pod ręką skrzypce! Jakże chętnie wśliznąłbym się w jego nocną ciszę, wspiąłbym się delikatnie po krętych schodach, zaskoczyłbym go znienacka i spędzilibyśmy parę nieziemskich nocnych godzin na rozmowie i muzyce! Niegdyś, w minionych latach, często było mi dane zakosztować takiego szczęścia, ale z czasem i to oddaliło się ode mnie i oderwało, zwiędłe lata leżały między tym, co jest tutaj, a tym, co było tam.

Pełen wahania ruszyłem w stronę domu, wysoko podniosłem kołnierz palta i uderzyłem laską w mokry bruk. Choćbym nie wiem jak wolno odbywał tę drogę, przecież w końcu i tak znajdę się znowu w mojej mansardzie, w mojej małej, iluzorycznej ojczyźnie, której nie lubię, bez której jednak obyć się nie mogę, minęły bowiem dla mnie czasy, kiedy potrafiłem spędzić dżdżystą zimową noc, biegając pod gołym niebem. Ale, w imię Boże, nie chciałem dopuścić do tego, aby mi deszcz, artretyzm czy araukaria zepsuły dobry nastrój tego wieczoru, i chociaż nie mogłem mieć orkiestry kameralnej ani znaleźć samotnego przyjaciela ze skrzypcami, to owa piękna melodia grała w mej duszy i nucąc cicho z miarowym oddechem, mogłem ją sobie choć w przybliżeniu odtworzyć. W zamyśleniu szedłem dalej. Owszem, można się obyć bez muzyki kameralnej i bez przyjaciela i, rzecz śmieszna, dać się trawić bezsilnemu pragnieniu ciepła. Samotność jest niezależnością, życzyłem jej sobie i zdobyłem ją po długich latach. Jest zimna, o tak, ale jest też cicha, cudownie cicha i wielka, jak zimne, ciche przestworza, po których wirują gwiazdy.

Z jakiejś dansingowej sali, którą mijałem, buchnęła na mnie gorąco i brutalnie, jak odór surowego mięsa, hałaśliwa muzyka jazzowa. Przystanąłem na chwilkę; choć ten rodzaj muzyki był mi wstrętny, miał jednak zawsze dla mnie tajemniczy urok. Nie lubiłem jazzu, ale zdecydowanie wolałem go od dzisiejszej muzyki akademickiej, gdyż swoją radosną pierwotną dzikością trafiał głęboko również i w mój świat popędów i tchnął naiwną, uczciwą zmysłowością.

Stałem tam chwilę, węsząc, chłonąłem krwawą, krzykliwą muzykę, wietrzyłem gniewnie i pożądliwie atmosferę tych sal. Liryczna część tej muzyki była lepka, przesłodzona i ociekała sentymentalizmem, druga połowa była dzika, kapryśna i pełna mocy, a przecież obie części łączyły się ze sobą naiwnie i harmonijnie, tworząc jedną całość. Była to muzyka schyłkowa, podobną uprawiano chyba w Rzymie ostatnich cezarów. Oczywiście w porównaniu z Bachem, Mozartem i w ogóle z prawdziwą muzyką było to paskudztwo – ale paskudztwem jest cała nasza sztuka, cały nasz sposób myślenia, cała nasza pozorna kultura, jeśli ją porównamy z kulturą prawdziwą. A ta muzyka miała znamię wielkiej szczerości i coś murzyńskiego, godnego miłości i niezakłamanego, a także coś z wesołej dziecinnej fantazji. Miała coś z Murzyna i coś z Amerykanina, który nam, Europejczykom, wydaje się w swej sile chłopięco świeży i dziecinny. Czy Europa też stanie się taka? Czy ku temu zmierza? Czyżbyśmy, starzy znawcy i czciciele niegdysiejszej Europy, dawnej, prawdziwej muzyki, prawdziwej poezji minionych lat – byli tylko nikłą, głupią mniejszością skomplikowanych neurotyków, którzy jutro zostaną zapomniani i wyśmiani? Czyżby to, co nazywaliśmy „kulturą", duchem, duszą, pięknem i świętością, było od dawna martwym upiorem, tylko przez nas, nielicznych szaleńców, uważanym za coś, co jest prawdziwe i żywe? A może to wszystko nigdy prawdziwe i żywe nie było? Może to, w co my, szaleńcy, wkładaliśmy tyle trudu, zawsze było tylko złudzeniem?

Znalazłem się znów w starej dzielnicy miasta, mały kościółek stał w szarzyźnie zgaszony i nierealny. Nagle przypomniało mi się przeżycie z pamiętnego wieczoru, zagadkowe ostrołukowe drzwi, nad nimi zagadkowa tablica z szyderczo pląsającymi świetlnymi literami. Jak brzmiały te napisy? „Wstęp nie dla każdego". I: „Tylko dla obłąkanych". Badawczo spojrzałem w stronę starego muru z tajonym życzeniem, aby znów zaczął się czar, aby napis zaprosił mnie, obłąkanego, i aby mała furtka mnie wpuściła. Może tam było to, czego pragnąłem, może tam grano moją muzykę?

Spokojnie spoglądała na mnie ciemna kamienna ściana spowita w głęboki zmierzch, zamknięta, całkowicie pogrążona w swym śnie. I nigdzie drzwi, nigdzie ostrołuku, tylko ciemny, cichy mur bez otworu. Uśmiechając się, poszedłem dalej, przyjaźnie skinąwszy staremu murowi. „Śpij dobrze, murze, nie obudzę cię. Nadejdzie czas, kiedy cię zwalą albo oblepią swymi natrętnymi szyldami, ale teraz jeszcze tu jesteś, jeszcze jesteś piękny i cichy, i memu sercu bliski".

Z ciemnej ulicznej otchłani wyłonił się nagle przede mną i przestraszył mnie jakiś człowiek, samotny, spóźniony przechodzień o znużonym kroku, w czapce na głowie, ubrany w niebieską bluzę; oparł o ramię drąg z plakatem, na brzuchu zwisała mu umocowana na rzemieniu otwarta skrzynka, taka, jaką noszą kramarze na jarmarkach. Zmęczony szedł przede mną i nawet nie oglądał się na mnie, inaczej byłbym go pozdrowił i dał mu cygaro. W świetle najbliższej latarni usiłowałem przeczytać jego czerwony plakat na drągu, ale chwiał się tam i z powrotem i niczego nie mogłem rozszyfrować. Wtedy zawołałem go i poprosiłem, żeby mi go pokazał. Zatrzymał się, trochę wyprostował drąg i wtedy mogłem przeczytać tańczące, chwiejne litery:

Wieczorek anarchistyczny.
Teatr magiczny!
Wstęp nie dla każ...

– Właśnie pana szukałem! – krzyknąłem radośnie. – Co z pańskim wieczorkiem? Gdzie się odbywa? Kiedy?

Ale on już szedł dalej.

– Nie dla każdego – powiedział obojętnie sennym głosem i ruszył przed siebie. Miał wszystkiego dosyć, chciał iść do domu.

– Stój! – zawołałem, biegnąc za nim. – Co pan tam ma w tej skrzynce? Chcę od pana coś kupić!

Nie zatrzymując się, człowiek machinalnie sięgnął do skrzynki, wydobył jakąś małą książeczkę i podał mi ją. Pochwyciłem ją skwapliwie i schowałem. Gdy odpinałem płaszcz, chcąc wydostać pieniądze, nieznajomy skręcił w bok, wszedł w jakąś bramę, zamknął ją za sobą i przepadł. Z podwórza dochodził stuk jego ciężkich kroków, najpierw po kamiennym bruku, później po drewnianych schodach, a w końcu nie słyszałem już nic. Nagle i ja poczułem ogromne zmęczenie i wydało mi się, że jest już bardzo późno i że dobrze byłoby wrócić do domu. Przyspieszyłem kroku i niebawem tą śpiącą uliczką podmiejską dostałem się do mojej dzielnicy, położonej między wałami, gdzie w małych, schludnych domach czynszowych za skrawkami murawy i bluszczu mieszkają urzędnicy i drobni rentierzy. Mijając bluszcz, trawnik i małą jodełkę, dotarłem do bramy domu, trafiłem do zamka, znalazłem włącznik światła, prześliznąłem się obok oszklonych drzwi, politurowanych szaf, doniczek z zielenią i otworzyłem mój pokój, moją małą, iluzoryczną ojczyznę, gdzie czekał na mnie fotel i piec, kałamarz i pudełko z farbami, Novalis i Dostojewski, podobnie jak na innych prawdziwych ludzi wracających do domu czeka matka albo żona, dzieci, służące, psy i koty.

Gdy zdjąłem z siebie mokry płaszcz, wpadła mi znów w ręce mała książeczka. Wyciągnąłem ją; była to cienka, źle i na złym papierze wydrukowana broszurka jarmarczna, podobna do zeszytów, które miewają tytuły: *Człowiek urodzony w styczniu* albo *Jak w ciągu ośmiu dni odmłodnieć o dwadzieścia lat?*

Gdy tylko zaszyłem się w fotelu i nałożyłem okulary, ze zdumieniem i nagle budzącym się we mnie poczuciem doniosłości chwili przeczytałem na okładce tej jarmarcznej broszurki tytuł: *Traktat o wilku stepowym. Nie dla każdego.*

A treść tego pisma, które w rosnącym napięciu przeczytałem jednym tchem, była następująca:

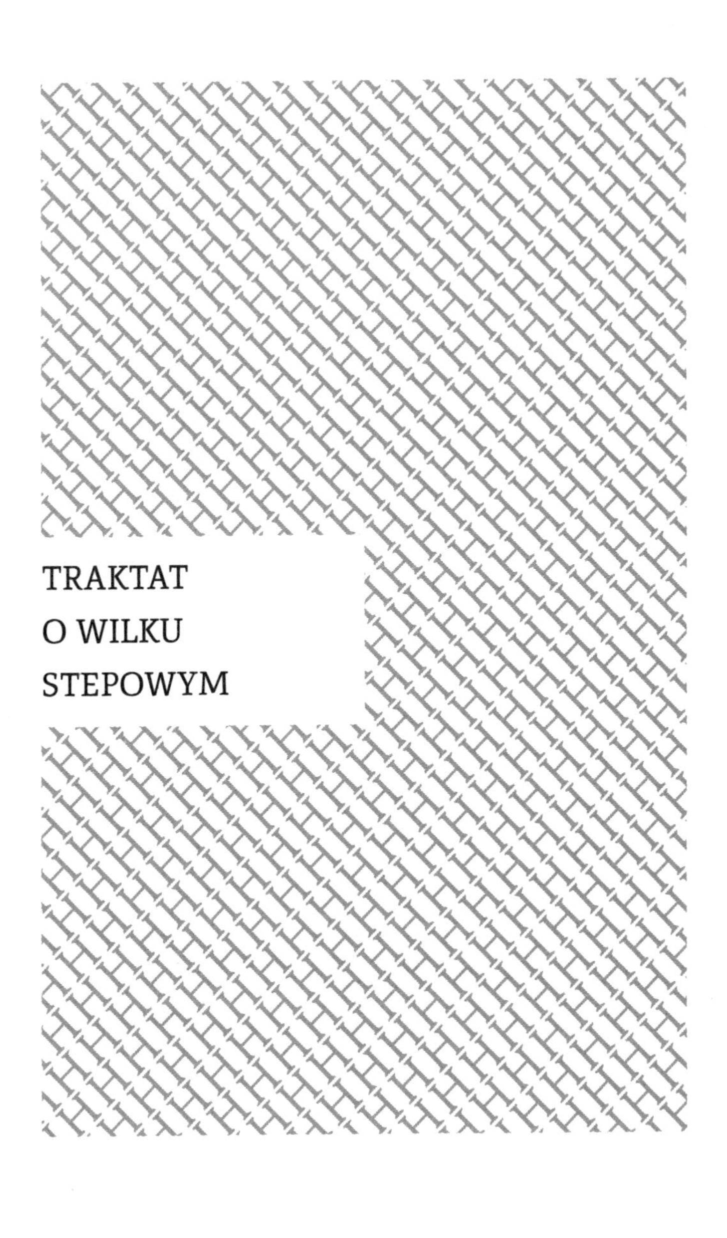

TRAKTAT O WILKU STEPOWYM

Tylko dla obłąkanych

Był sobie raz ktoś, imieniem Harry, zwany wilkiem stepowym. Chodził na dwóch nogach, nosił ubranie i był człowiekiem, ale naprawdę był to wilk stepowy. Nabył sporo wiedzy, jakiej mogą nabyć ludzie z dobrą głową, i był wcale mądrym człowiekiem. Nie nauczył się jednak zadowolenia z samego siebie i ze swojego życia. Tego nie potrafił, był człowiekiem niezadowolonym, a pochodziło to prawdopodobnie stąd, że w głębi serca zawsze wiedział (lub zdawało mu się, że wie), iż właściwie nie jest człowiekiem, lecz wilkiem ze stepu. Niechaj się mądrzy ludzie spierają o to, czy rzeczywiście był wilkiem, czy też kiedyś, może jeszcze przed urodzeniem, za pomocą czarów został przemieniony z wilka w człowieka; a może urodził się jako człowiek obdarzony duszą wilka stepowego i został przez nią owładnięty, lub wiara w to, że jest właściwie wilkiem, była u niego tylko urojeniem albo chorobą. Na przykład nie jest wykluczone, że ten człowiek był w dzieciństwie dziki, nieokiełznany i nieporządny, że jego wychowawcy usiłowali zabić w nim bestię i przez to właśnie wytworzyli w nim urojenie i przeświadczenie, iż w rzeczywistości jest właściwie bestią o cienkiej tylko powłoce wychowania i człowieczeństwa. Można by o tym długo i ciekawie rozprawiać, a nawet pisać całe tomy; ale wilkowi stepowemu nic by to nie pomogło, gdyż było mu obojętne, czy tkwił w nim wilk zaklęty czarami, wbity kijami, czy też był on tylko urojeniem jego duszy. Sąd innych o tym, a także jego własne mniemanie nie przedstawiały dla niego żadnej wartości, gdyż nie mogły przecież wypędzić z niego wilka.

Wilk stepowy miał zatem dwie natury, ludzką i wilczą, takie było jego przeznaczenie, i być może to przeznaczenie nie było ani takie szczególne, ani rzadkie. Podobno widywano już wielu ludzi, którzy mieli w sobie coś z psa lub z lisa, z ryby lub węża, a jednak fakt ten nie sprawiał im specjalnych kłopotów. W tych ludziach żyli właśnie obok siebie człowiek i lis, człowiek i ryba, i żadne nie sprawiało drugiemu przykrości, a nawet jedno drugiemu pomagało, i niejeden człowiek, który daleko zaszedł i któremu zazdroszczono, zawdzięcza swoje szczęście raczej tkwiącemu w nim lisowi lub małpie niż temu, co w nim ludzkie. Wiadomo o tym powszechnie. Z Harrym było jednak inaczej: w nim człowiek i wilk żyli obok siebie i wcale sobie nie pomagali, lecz nieustannie trwała między nimi śmiertelna nienawiść i jeden żył wyłącznie cierpieniem drugiego; a gdy w jednej krwi i jednej duszy żyje dwóch śmiertelnych wrogów, wówczas życie jest niedobre. No cóż, każdy ma swój los, a żaden los nie jest lekki.

Z naszym wilkiem stepowym sprawa miała się tak, że w swoim odczuciu żył bądź jak wilk, bądź jak człowiek, a bywa tak zazwyczaj u istot mieszanych; kiedy jednak był wilkiem, człowiek w nim stale warował, obserwował go, osądzał i ferował wyroki – w chwilach zaś, kiedy był człowiekiem, to samo czynił wilk. I tak jeśli Harry jako człowiek miał piękną myśl, żywił jakieś delikatne, szlachetne uczucie lub spełnił tak zwany dobry uczynek, wtedy wilk szczerzył w nim kły, śmiał się i pokazywał z krwawym szyderstwem, jak nie do twarzy wilkowi stepowemu z tym całym śmiesznym szlachetnym teatrem, wilkowi, który w głębi serca dobrze wie, co by mu przypadło do gustu, a mianowicie samotna gonitwa po stepach, od czasu do czasu chłeptanie krwi lub uganianie za wilczycą – i wtedy z punktu widzenia wilka każda czynność ludzka stawała się przeraźliwie śmieszna i żenująca, głupia i próżna. Ale zupełnie tak samo było, kiedy Harry czuł się i zachowywał jak wilk, kiedy szczerzył zęby i odczuwał nienawiść i śmiertelną wrogość do wszystkich ludzi i do ich zakłamanych i zwyrodniałych manier i obyczajów. Wtedy to leżała w nim na czatach cząstka człowiecza, śledziła wilka, nazywała go bydlęciem i bestią, psuła i zatruwała mu każdą radość czerpaną z prostej, wilczej, dzikiej natury.

Tak miała się rzecz z wilkiem stepowym i można sobie wyobrazić, że Harry nie miał życia przyjemnego ani szczęśliwego. Nie znaczy to jednak, że był szczególnie nieszczęśliwy (chociaż jemu, rzecz jasna, tak się zdawało, podobnie jak wszystkim ludziom, którzy uważają, iż przypadające im cierpienia są najcięższe). Nie należy tego mówić o żadnym człowieku. Również i taki człowiek, który nie ma w sobie wilka, nie musi być dzięki temu szczęśliwy. A z kolei najnieszczęśliwsze życie ma swoje słoneczne godziny i swoje ubożuchne kwiatki szczęśliwości, rozsiane wśród piasku i kamieni. Tak też było i z wilkiem stepowym. Był najczęściej bardzo nieszczęśliwy, temu nie można zaprzeczyć, i mógł także innych unieszczęśliwiać, mianowicie tych, których kochał, i tych, którzy jego kochali. Wszyscy bowiem, którzy go pokochali, widzieli w nim tylko jedną stronę. Niektórzy kochali go jako człowieka subtelnego, mądrego i ciekawego i byli potem przerażeni i rozczarowani, gdy nagle dostrzegali w nim wilka. A dostrzec go musieli, gdyż Harry, jak każda żywa istota, chciał być kochany cały i dlatego nie mógł ukrywać i zapierać się wilka w sobie właśnie przed tymi, na których miłości najbardziej mu zależało. Byli jednak i tacy, którzy kochali w nim właśnie wilka, to co było swobodne, dzikie, nieokiełznane, niebezpieczne i silne, i ci z kolei byli znów ogromnie rozczarowani i zawiedzeni, gdy nagle dziki, zły wilk okazywał się również człowiekiem, tęskniącym za dobrocią i delikatnością, pragnącym słuchać Mozarta, czytać wiersze i mieć ogólnoludzkie ideały. I właśnie ci ludzie byli najbardziej zawiedzeni i źli, i dlatego to wilk stepowy wnosił swoją własną dwoistość i rozdwojenie we wszystkie obce losy, z którymi się stykał.

Myliłby się jednak ten, kto by sądził, że zna wilka stepowego i że może sobie wyobrazić jego żałosne i rozdarte życie; daleko mu jeszcze do wiedzy o wszystkim. Nie wie, że (tak jak nie ma reguły bez wyjątku i tak jak poszczególny grzesznik w pewnych okolicznościach może być Bogu milszy niż dziewięćdziesięciu dziewięciu sprawiedliwych) u Harry'ego też bywały wyjątkowe i szczęśliwe przypadki, że niekiedy wilk, a niekiedy człowiek mógł w sposób czysty i niezakłócony oddychać w nim, myśleć i czuć, ba, że czasem, w bardzo rzadkich chwilach, obaj zawierali ze sobą przymierze, żyli we wzajemnej miłości, tak że nie tylko jeden czuwał, gdy inny śnił, lecz nawzajem się wspomagali i jeden podwajał siły drugiego. Zdawało się, że w życiu tego człowieka, jak wszędzie na świecie, wszystko, co zwyczajne, codzienne, poznane i regularne ma jedynie ten cel, by od czasu do czasu, w krótkiej jak mgnienie oka pauzie zostało przerwane i ustąpiło miejsca czemuś niezwykłemu, cudowi, łasce. Czy te krótkie, rzadkie godziny szczęścia wyrównywały i łagodziły zły los wilka stepowego, równoważąc wreszcie szczęście i cierpienie, czy może nawet to krótkie, ale mocne szczęście owych nielicznych godzin pochłaniało cały ból i dawało pewną nadwyżkę w obrachunku? – oto pytanie, nad którym niechaj się głowią ludzie niemający nic lepszego do roboty. Również i wilk często przemyśliwał nad tym i to były jego próżniacze i zmarnowane dni.

Do tego trzeba jeszcze coś dodać. Istnieje dość dużo ludzi tego typu co Harry, zwłaszcza wielu artystów należy do tego gatunku. Ludzie ci mają w sobie dwie dusze, dwie istoty, są w nich cechy boskie i szatańskie, krew matczyna i ojcowska, a zdolność do szczęścia i zdolność do cierpienia tkwi w nich w takiej samej wrogości i pogmatwaniu, sąsiedztwie i połączeniu, jak wilk i człowiek w Harrym. I ludzie ci, których życie jest bardzo niespokojne, przeżywają niekiedy w rzadkich chwilach uniesień tak silne i niewypowiedziane piękno, a fala ich chwilowego szczęścia wznosi się niekiedy tak wysoko i oślepiająco nad morze cierpienia, że owa krótka rozbłyskująca błogość, promieniując dokoła, ogarnia i oczarowuje również innych. Tak powstają nad morzem cierpienia, jako cenna, krótkotrwała fala szczęścia, wszystkie te dzieła sztuki, w których pojedynczy cierpiący człowiek wzniósł się na jedną chwilę tak wysoko ponad swój własny los, że jego szczęście błyszczy jak gwiazda i wszystkim, którzy je widzą, objawia się jako coś wiecznego, jako ich własny sen o szczęściu. Wszyscy ci ludzie, jakkolwiek będą się nazywać ich czyny i dzieła, właściwie nie mają w ogóle żadnego życia, to znaczy, ich życie nie jest bytem, nie ma kształtu, nie są oni bohaterami, artystami czy myślicielami w tym sensie, w jakim inni ludzie są sędziami, lekarzami, szewcami czy nauczycielami, lecz życie ich jest wiecznym, pełnym cierpienia ruchem i wrzeniem, jest nieszczęśliwe i boleśnie rozdarte, jest przerażające i bezsensowne, jeżeli nie zechcemy dostrzec sensu w tych właśnie rzadkich przeżyciach, czynach, myślach i dziełach, które rozbłyskują nad chaosem takiego istnienia. Wśród ludzi tego rodzaju powstała niebezpieczna i straszliwa myśl, że, być może, całe życie ludzkie jest tylko okrutną pomyłką, jakimś gwałtownym i niefortunnym, poronionym tworem pramatki, jakąś dziką i straszliwie chybioną próbą natury. Wśród nich jednak zrodziła się też inna myśl, że człowiek jest może nie tylko na pół rozumnym zwierzęciem, lecz i dzieckiem Bożym, przeznaczonym do nieśmiertelności.

Każdy gatunek ludzi ma swoje znamiona, swoje cechy, każdy ma właściwe sobie cnoty i występki, każdy ma swój śmiertelny grzech. Do cech wilka stepowego należało, że był człowiekiem wieczoru. Ranek był dla niego złą porą dnia, której się lękał i która nigdy nie przynosiła mu nic dobrego. Rankiem nigdy naprawdę nie cieszył się życiem, nigdy w godzinach przedpołudniowych nie uczynił niczego dobrego, nie miewał dobrych pomysłów, nie umiał ani sobie, ani innym sprawić przyjemności. Dopiero w ciągu popołudnia rozgrzewał się powoli i ożywiał, a pod wieczór, w swych dobrych dniach, stawał się płodny i czynny, niekiedy nawet żarliwy i radosny. Z tym wiązała się też jego potrzeba samotności i niezależności. Nigdy żaden człowiek nie odczuwał głębszej i bardziej namiętnej potrzeby niezależności niż on. W czasach młodości, kiedy był jeszcze biedny i z trudem zarabiał na chleb, wolał głodować i chodzić w podartym ubraniu, byleby za tę cenę uratować odrobinę niezależności. Nie sprzedał się nigdy dla pieniędzy i dobrobytu, nie sprzedał się nigdy kobietom czy możnym i po stokroć odrzucał i wykluczał to, co w oczach całego świata było dla niego korzyścią i szczęściem, by za tę cenę zachować wolność. Żadne wyobrażenie nie było mu bardziej nienawistne i przerażające niż to, że musiałby wykonywać zawód na przykład urzędnika, przestrzegać jakiegoś podziału dnia i roku, słuchać innych. Biuro, kancelaria, urząd — to były pojęcia znienawidzone przez niego tak jak śmierć, a najokropniejsze, co mogłoby mu się przydarzyć, to niewola w koszarach. Umiał unikać tych wszystkich możliwości, często za cenę wielkich ofiar. W tym tkwiła jego siła i cnota, w tym był nieugięty i nieprzekupny, w tym jego charakter był stały i prostolinijny. Tylko że z tą zaletą wiązała się znów najściślej jego bieda i jego los. Wiodło mu się tak, jak wiedzie się wszystkim: to, czego z najgłębszego popędu swej istoty najuparciej szukał i czego pragnął, stało się jego udziałem, ale w większej mierze niż to dla człowieka korzystne. Początkowo było jego marzeniem i szczęściem, później gorzką dolą. Człowiek władzy ginie od władzy, człowiek pieniędzy od pieniędzy, poddany od służenia, rozpustnik od rozpusty. Tak też i wilka stepowego zgubiła jego niezależność. Osiągnął swój cel, stawał się coraz bardziej niezależny, nikt mu nie rozkazywał, do nikogo nie musiał się stosować, sam swobodnie decydował o swym postępowaniu. Każdy bowiem silny człowiek niezawodnie osiąga to, czego każe mu szukać jego prawdziwy popęd. Ale pośrodku osiągniętej wolności Harry nagle spostrzegł, że jego wolność była śmiercią, że jest sam, że świat w jakiś niesamowity sposób pozostawia go w spokoju, że ludzie nic go już nie obchodzą, a nawet on sam siebie nie obchodzi, że się powoli dusi w tej coraz cieńszej atmosferze odosobnienia i samotności. Doszło bowiem do tego, że samotność i niezależność przestały być jego pragnieniem i celem, a stały się jego losem, na który został skazany, że czarodziejskie życzenie zostało spełnione i nie dało się już cofnąć, że nic już nie pomagało, gdy pełen tęsknoty i dobrej woli wyciągał ramiona i gotów był do zadzierzgnięcia jakiejś więzi i wspólnoty; zostawiono go teraz samego. Przy tym wcale nie był znienawidzony czy też ludziom niemiły, przeciwnie, miał bardzo wielu przyjaciół. Lubiło go wiele osób. Ale była to zawsze tylko sympatia i życzliwość, zapraszano go, obdarowywano, pisano do niego miłe listy, ale nikt się do niego nie zbliżył, nigdzie nie powstała więź, nikt nie był gotów ani zdolny do tego, by dzielić z nim jego życie. Otaczała go teraz cicha atmosfera samotnych, jakiś odpływ fali ludzkiej, nie był już zdolny do nawiązywania kontaktów, czemu ani wola, ani tęsknota już nic nie mogły zaradzić. Było to jedno z ważnych znamion jego życia.

Drugą cechą było to, że należał do samobójców. Tu trzeba wyjaśnić, że błędem jest nazywanie samobójcami tylko tych, którzy rzeczywiście odbierają sobie życie. Między nimi wielu jest takich, którzy w pewnym sensie stają się samobójcami tylko przez przypadek, a chęć targnięcia się na życie wcale nie musi tkwić w ich psychice. Wśród ludzi bez szczególnej osobowości, bez zdecydowanego charakteru, bez wstrząsów w życiorysie, wśród ludzi tuzinkowych i żyjących stadnie są tacy, którzy kończą samobójstwem, chociaż w całej swej strukturze i ukształtowaniu nie należą do typu samobójców, gdy tymczasem bardzo wielu, może nawet większość spośród tych, których z istoty należy zaliczyć do samobójców, nigdy nie usiłuje targnąć się na życie. „Samobójca" — a Harry nim był — niekoniecznie musi żyć w szczególnie bliskim kontakcie ze śmiercią, taki kontakt można mieć nie będąc samobójcą; ale właściwością samobójcy jest to, że swoje „ja" — obojętne, słusznie czy niesłusznie — odczuwa jako szczególnie niebezpieczny, niepewny i zagrożony element natury, że wydaje mu się, iż stale, w sposób niezwykły jest narażony i wystawiony na niebezpieczeństwo, tak jak gdyby stał na szczycie skały, gdzie słabe pchnięcie z zewnątrz lub drobna słabość od wewnątrz wystarczą, by strącić go w próżnię. Ten typ ludzi tym się wyróżnia w swym przeznaczeniu, że samobójstwo jest dla nich najbardziej prawdopodobnym rodzajem śmierci, przynajmniej w ich własnym mniemaniu. Przesłanką tych skłonności, ujawniających się zawsze już we wczesnej młodości i towarzyszących tym ludziom w ciągu całego życia, nie jest bynajmniej jakaś szczególnie słaba witalność, przeciwnie, wśród samobójców znajdują się natury wyjątkowo odporne, zaborcze i odważne. Ale podobnie jak bywają organizmy skłonne do gorączki przy najbłahszym schorzeniu, tak też bywają natury, zazwyczaj bardzo czułe i wrażliwe, które nazywamy „samobójcami", skłonne przy najmniejszym wstrząsie poddać się intensywnie wizji samobójstwa. Gdyby istniała nauka, która miałaby dość odwagi i poczucia odpowiedzialności, by zająć się człowiekiem, a nie tylko mechanizmami zjawisk życiowych, gdybyśmy mieli coś w rodzaju antropologii czy psychologii, to zjawiska te byłyby wszystkim znane.

To, co powiedzieliśmy o samobójcach, dotyczy oczywiście tylko powierzchni, jest psychologią, a więc częścią fizyki. Z metafizycznego punktu widzenia sprawa przedstawia się inaczej i o wiele jaśniej, gdyż przy takim spojrzeniu „samobójcy" jawią się nam jako obciążeni poczuciem winy za indywidualizację, jako owe dusze, które za cel życia uważają już nie doskonalenie się i kształtowanie samych siebie, lecz unicestwienie się, powrót do matki, do Boga, do wszechświata. Natury takie są w większości zupełnie niezdolne do popełnienia prawdziwego samobójstwa, ponieważ pojęły dogłębnie tkwiący w nim grzech. Dla nas są jednak samobójcami, gdyż w śmierci, a nie w życiu widzą wybawiciela, są gotowi usunąć się i poświęcić, zgasnąć i wrócić do początku.

Tak jak każda siła może stać się słabością (a w pewnych okolicznościach nawet m u s i się nią stać), tak i na odwrót, typowy samobójca może ze swej pozornej słabości uczynić siłę i oparcie, ba, czyni to nawet bardzo często. Do tych przypadków zalicza się również przypadek Harry'ego, wilka stepowego. Jak tysiące jemu podobnych uczynił on z wyobrażenia, że o każdej godzinie droga do śmierci stoi przed nim otworem, nie tylko młodzieńczo-melancholijną igraszkę fantazji, lecz zbudował sobie z tej właśnie myśli pocieszenie i oparcie. Wprawdzie każdy wstrząs, każdy ból, każda niepomyślna sytuacja życiowa natychmiast budziły w nim, jak we wszystkich ludziach jego pokroju, pragnienie ucieczki przez śmierć, stopniowo jednak stworzył sobie właśnie z tej skłonności filozofię, służącą życiu. Oswojenie się z myślą, że to zapasowe wyjście stale jest otwarte, dodawało mu siły, budziło w nim ciekawość wypróbowania cierpień i złych stanów, a gdy było z nim bardzo źle, mógł czasem ze zgryźliwą radością, z pewnego rodzaju zadowoleniem z niepowodzenia, pomyśleć: „A jednak jestem ciekawy, ile właściwie człowiek potrafi wytrzymać! Jeśli osiągnąłem już granicę wytrzymałości, to wystarczy mi tylko otworzyć drzwi i już mnie nie będzie". Jest wielu samobójców, u których takie właśnie myśli wyzwalają niezwykłe siły.

Z drugiej strony wszyscy samobójcy dobrze znają walkę z pokusą samobójstwa. Każdy w jakimś zakątku swojej duszy wie aż nadto dobrze, że samobójstwo jest wprawdzie wyjściem, ale przecież tylko jakimś wyjściem nędznym, nielegalnym, zapasowym, i że w zasadzie szlachetniej i piękniej jest dać się pokonać przez samo życie niż ginąć z własnej ręki. Ta świadomość, to złe sumienie, którego źródło jest takie samo, jak źródło nieczystego sumienia tak zwanych masturbantów, skłania większość „samobójców" do nieustannego zmagania z pokusą. Walczą tak, jak kleptoman walczy ze swoim nałogiem. Również i wilk stepowy znał dobrze tę walkę, walczył różną i coraz to inną bronią. W końcu, w wieku lat czterdziestu siedmiu, wpadł na pewien szczęśliwy i nie byle jaki pomysł, który często sprawiał mu radość. Pięćdziesięciolecie swoich urodzin ustalił jako dzień, w którym pozwoli sobie na samobójstwo. Tego dnia — tak sobie postanowił — będzie mógł swobodnie skorzystać lub nie skorzystać z zapasowego wyjścia, zależnie od nastroju dnia. A teraz niech się dzieje co chce, niechby nawet zachorował, zubożał, doznawał bólu i goryczy — wszystko jest ograniczone terminem, wszystko może trwać najwyżej tylko tych kilka lat, miesięcy, dni, których liczba z każdym dniem maleje. I rzeczywiście, o wiele łatwiej znosił teraz niejedno niepowodzenie, które dawniej dręczyłoby go dotkliwiej i dłużej, ba, może wstrząsnęłoby nim do głębi. Jeśli z jakiegokolwiek powodu było mu szczególnie źle, jeśli do opuszczenia, osamotnienia i zdziczenia jego życia dołączały się jeszcze nadzwyczajne dolegliwości lub straty, wtedy mógł tym cierpieniom powiedzieć: „Poczekajcie tylko, jeszcze dwa lata, wtedy ja będę waszym panem!" Po czym z lubością wyobrażał sobie, jak to rankiem w pięćdziesiątą rocznicę urodzin napływać będą listy i powinszowania, gdy tymczasem on, pewny swej brzytwy, żegnać się będzie z bólem i zamknie za sobą drzwi. Wtedy artretyzm w kościach, melancholia, ból głowy i żołądka nic mu już nie zrobią!

Należy jeszcze wyjaśnić szczególny fenomen wilka stepowego, zwłaszcza jego osobliwy stosunek do mieszczaństwa, sprowadzając te zjawiska do ich praw podstawowych. Weźmy jako punkt wyjścia właśnie jego stosunek do „burżuazji", gdyż problem ten sam się narzuca!

Wilk stepowy, zgodnie z własnymi zapatrywaniami, znajdował się całkowicie poza obrębem mieszczańskiego świata, nie miał bowiem ani życia rodzinnego, ani społecznej ambicji. Czuł się absolutnie odosobniony, czuł się bądź dziwakiem i chorobliwym pustelnikiem, bądź hipernormalnym indywidualistą o zadatkach genialności, wyższym ponad ciasne normy przeciętnego życia. Świadomie gardził burżujem i dumny był z tego, że sam nim nie jest. Mimo to pod wieloma względami żył najzupełniej po burżujsku, lokował pieniądze w banku, pomagał ubogim krewnym, ubierał się wprawdzie nonszalancko, ale przyzwoicie i nie wyzywająco, starał się żyć w zgodzie z policją, urzędem podatkowym i innymi władzami. Poza tym jakaś silna, utajona tęsknota stale ciągnęła go do mieszczańskiego światka, do cichych, statecznych domów rodzinnych ze schludnymi ogródkami, czysto utrzymanymi schodami i do owej skromnej atmosfery porządku i przyzwoitości. Chciał mieć swoje małe grzeszki i ekstrawagancje, czuć się kimś spoza mieszczaństwa, jak dziwak albo geniusz, lecz nigdy nie mieszkał i nie żył, by tak to określić, na peryferiach życia, gdzie mieszczańskość już nie istnieje. Nie czuł się swojsko ani w atmosferze potentatów czy ludzi wyjątkowych, ani wśród zbrodniarzy czy wyjętych spod prawa, lecz zawsze mieszkał w dzielnicy mieszczuchów, zajmując stale określone stanowisko wobec ich norm i atmosfery, choćby to było stanowisko sprzeciwu i buntu. Poza tym odebrał drobnomieszczańskie wychowanie i stąd też zachował całe mnóstwo pojęć i szablonów. Teoretycznie nie miał nic przeciw prostytucji, osobiście nie byłby jednak zdolny traktować prostytutki poważnie i szczerze uważać za równą sobie. Politycznych przestępców, wywrotowców lub ideologicznych zwodzicieli, których państwo i społeczeństwo piętnowało banicją, mógł kochać jak braci, ale ze złodziejem, włamywaczem i mordercą seksualnym nie wiedziałby, co począć, chyba że biadałby nad nimi w sposób typowo mieszczański.

Tak więc uznawał i potwierdzał stale jedną połową swej istoty i postępków to, co drugą połową zwalczał i negował. Wychowany w kulturalnym domu mieszczańskim, w ustalonych zasadach i obyczajach, zawsze częścią swej duszy związany był z normami świata mieszczańskiego i wtedy nawet, kiedy już od dawna wybił się ponad możliwości dostępne burżuazji i wyzwolił z mieszczańskich ideałów i wiary.

„Mieszczańskość" jako stale istniejący stan człowieczeństwa jest tylko próbą wyrównania i dążeniem do złotego środka między rozlicznymi skrajnościami i sprzecznościami przeciwstawnych ludzkich zachowań. Weźmy jakąkolwiek z tych przeciwstawnych postaw jako przykład, a więc świętego i rozpustnika, a nasza metafora stanie się od razu zrozumiała. Człowiek ma możność całkowitego oddania się sprawom duchowym, próbie zbliżenia się do Boga, do ideału, do tego, co święte. I na odwrót, ma też możność całkowitego oddania się popędom, pożądliwości zmysłów i skierowania wszystkich dążeń zdobyciu chwilowej rozkoszy. Jedna z tych dróg wiedzie ku świętości, ku męczeństwu ducha, ku oddaniu się Bogu. Druga wiedzie do rozpusty, do męczeńskiej niewoli popędów, do zatracenia się w zgniliźnie. Między tymi obiema drogami mieszczuch usiłuje żyć pośrodku. Nigdy siebie nie zatraci, nigdy nie odda się ani upojeniu zmysłów, ani ascezie, nigdy nie stanie się męczennikiem, nigdy nie zgodzi się na swoje unicestwienie. Przeciwnie, jego ideałem nie jest poświęcenie, lecz zachowanie swojego „ja", nie zmierza on bowiem ani do świętości, ani do jej przeciwieństwa, nie znosi skrajności, chce wprawdzie służyć Bogu, ale też i rozkoszy, chce wprawdzie być cnotliwy, ale też

i na ziemi mieć trochę dobrobytu i wygód. Krótko mówiąc, usiłuje zająć miejsce pośrodku między skrajnościami w umiarkowanej i zdrowej strefie, bez gwałtownych sztormów i burz, i to mu się też udaje, lecz za cenę intensywności życia i uczuć, jaką daje życie ukierunkowane na absolut i skrajność. Intensywnie żyć można tylko kosztem swego „ja". Mieszczuch niczego wyżej nie ceni nad swoje „ja" (oczywiście owo tylko z grubsza rozwinięte „ja"). Kosztem intensywności zyskuje stabilizację i pewność, zamiast opętania Bogiem – spokój sumienia, zamiast rozkoszy – zadowolenie, zamiast wolności – wygodę, zamiast śmiertelnego żaru – przyjemną temperaturkę. Dlatego też mieszczuch jest z natury istotą o słabej dynamice życiowej, tchórzliwą, lękającą się każdego ryzyka, łatwą do rządzenia. Z tego też powodu zastąpił władzę liczebną przewagą, gwałt – prawem, odpowiedzialność – głosowaniem.

Jest jasne, że te słabe i trwożliwe istoty, choćby nawet liczne, nie mogą się utrzymać, i ze względu na swe właściwości mogą odgrywać w świecie jedynie rolę stada jagniąt między swobodnie uganiającymi się wilkami. Mimo to widzimy, że w okresie rządów silnych natur mieszczanin natychmiast zostaje przyparty do muru, nigdy jednak nie ginie, a niekiedy nawet rządzi światem. Jak to się dzieje? Ani wielka liczebność jego stada, ani jego cnota, ani common sense, *ani organizacja nie są dość silne, aby uchronić go od zagłady. Jeśli czyjaś tężyzna życiowa jest już z góry tak bardzo osłabiona, nie utrzyma go przy życiu żadna medycyna świata. A mimo to mieszczaństwo żyje, jest silne i prosperuje. – Dlaczego?*

Odpowiedź brzmi: Dzięki wilkom stepowym. W istocie siła witalna mieszczaństwa nie zasadza się bynajmniej na właściwościach jego normalnych członków, lecz na cechach bardzo licznych outsiderów, których ze względu na mętność i elastyczność ideałów może do siebie włączyć. W sferze mieszczaństwa żyje stale wielu osobników silnych i dzikich. Nasz wilk stepowy, Harry, jest tu charakterystycznym przykładem. On, który jako osobowość rozwinął się daleko ponad miarę dostępną mieszczuchowi, on, który zna zarówno słodycz medytacji, jak i ponurą radość nienawiści do innych i do siebie samego, on, który pogardza prawem, cnotą i common sense, *jest przecież więźniem mieszczaństwa i nie może się od niego wyzwolić. Tak więc właściwą społeczność prawdziwego mieszczaństwa otaczają szerokie warstwy ludzi, tysiące istnień i inteligencji, z których każda wyrosła wprawdzie z mieszczaństwa i mogłaby być powołana do życia w absolucie, związana jest jednak wskutek infantylnych uczuć ze światem mieszczańskim i, zarażona słabością jego witalizmu, trwa jednak w jakiś sposób w tym mieszczaństwie, jest mu uległa, zobowiązana i usłużna. Do mieszczaństwa można zastosować odwrotność dewizy wielkich ludzi: Kto nie jest przeciw mnie, jest ze mną!*

Jeśli teraz zbadamy duszę wilka stepowego, to ukaże się on nam jako człowiek, który już ze względu na wysoki stopień zindywidualizowania nie jest przeznaczony na mieszczanina, każda bowiem wybujała indywidualność zwraca się przeciw swemu „ja" i skłania do jego unicestwienia. Widzimy, że ma on w sobie silne zadatki zarówno na świętego, jak i na rozpustnika, jednak z powodu jakiejś słabości czy opieszałości nie mógł zdobyć się na lot w wolne przestworza kosmosu i pozostaje w pętach, przykuty do ociężałej macierzystej konstelacji mieszczaństwa. Taka jest jego sytuacja w obszarze świata, taka jego niewola. Ogromna większość intelektualistów, większość ludzi sztuki należy do tego typu. Tylko najsilniejsi z nich przebijają atmosferę mieszczańskiej ziemi i dostają się do kosmosu, wszyscy inni albo rezygnują, albo idą na kompromis, gardzą mieszczaństwem, a mimo to należą do niego, umacniają je i uświetniają, a w końcu, zmuszeni, aprobują je, by móc jeszcze żyć. Te niezliczone egzystencje nie dorastają do rozmiarów postaci tragicznych, ale gnębi je nieszczęście i wielka niedola, w których piekle talenty ich trawi ogień, czyniąc je w końcu płodnymi. Nieliczni, którzy potrafią się wyzwolić, docierają do absolutu i giną w jakiś dziwny sposób, są to ci tragiczni. Jest ich niewielu. Przed innymi natomiast, tymi jeszcze związanymi, których talenty mieszczaństwo często nagradza wielkimi zaszczytami, stoi otworem trzecie królestwo, świat wyimaginowany, ale suwerenny: humor. Niespokojne wilki stepowe, stale dręczone cierpieniem, którym do osiągnięcia tragizmu, do przedarcia się w gwiezdny obszar brak odpowiedniej ku temu siły, które czują się powołane do absolutu, a mimo to nie potrafią w nim żyć: przed nimi – kiedy w cierpieniu ich duch staje się hartowny i elastyczny – otwiera się kompromisowe wyjście w sferę humoru. Humor w pewnym sensie pozostaje zawsze czymś mieszczańskim, choć prawdziwy mieszczuch nie potrafi go zrozumieć. W imaginacyjnej sferze humoru urzeczywistnia się zawiły, pełen sprzeczności ideał wszystkich wilków stepowych: tu można nie tylko zaaprobować jednocześnie świętego i rozpustnika, nagiąć ku sobie oba bieguny, ale nawet skłonić mieszczucha, aby to uznał. Opętanemu Bogiem nietrudno jest zaaprobować zbrodniarza i na odwrót, lecz dla nich obydwu, a także dla wszystkich innych istot krańcowych jest rzeczą niemożliwą zaaprobować jeszcze i ten neutralny, mdły środek, jakim jest mieszczaństwo. Jedynie humor, ten wspaniały wynalazek wszystkich zahamowanych w swym powołaniu do rzeczy najwyższych, tych niemal tragicznych, najbardziej uzdolnionych nieszczęśników, jedynie humor (być może najciekawsze i najgenialniejsze osiągnięcie ludzkości) spełnia tę niemożliwość, ogarnia i scala promieniami swych pryzmatów wszystkie dziedziny człowieczeństwa. Żyć w świecie, jak gdyby to nie był świat, szanować prawo, a przecież stać ponad nim, posiadać „jakby się nie posiadało", rezygnować, jak gdyby rezygnacji w ogóle nie było – wszystkie te ulubione i często formułowane postulaty wielkiej mądrości życiowej jedynie humor zdolny jest urzeczywistnić.

I gdyby wilkowi stepowemu, któremu nie brak ku temu zdolności i zadatków, w dusznym zamęcie jego piekła udało się ugotować, wypocić ten czarodziejski napój, wówczas byłby uratowany. Do tego jednak wiele mu jeszcze brakuje. Istnieje wszakże możliwość, nadzieja. Kto go kocha, kto mu współczuje, niechaj mu życzy takiego ratunku. Wprawdzie w takim przypadku utkwiłby już na zawsze w mieszczaństwie, ale jego cierpienia byłyby znośne, stałyby się płodne. Jego stosunek do mieszczańskiego świata, zarówno w miłości, jak i w nienawiści zatraciłby sentymentalizm, a jego związek z tym światem przestałby go ustawicznie dręczyć jako hańba.

Aby to osiągnąć lub może w końcu zaryzykować skok w dziedzinę wszechświata, musiałby wilk stepowy stanąć kiedyś z sobą oko w oko, musiałby spojrzeć w głąb chaosu własnej duszy i dojść do pełnej świadomości samego siebie. Jego problematyczna egzystencja odsłoniłaby mu się wówczas w całej swej niezmienności i odtąd ustawiczna ucieczka z piekła popędów do sentymentalno-filozoficznych pociech, a stąd znów do ślepego upajania się swą wilczą naturą, byłaby już dla niego niemożliwością. Człowiek i wilk byliby zmuszeni rozpoznawać się bez obłudnych masek uczuciowych, musieliby spojrzeć sobie prosto w oczy. Potem albo wybuchnęliby i rozeszli się raz na zawsze, tak że nie byłoby już w ogóle wilka stepowego, albo też zawarliby małżeństwo z rozsądku pod wschodzącym światłem humoru.

Możliwe, że pewnego dnia Harry stanie w obliczu tej ostatniej szansy. Możliwe, że pewnego dnia nauczy się poznawać siebie, bądź dzięki temu, że wpadnie mu do ręki jedno z naszych małych zwierciadełek, bądź dzięki temu, że spotka któregoś z nieśmiertelnych lub może w jednym z naszych magicznych teatrów znajdzie to, czego mu potrzeba do wyzwolenia swej zaniedbanej duszy. Czekają na niego tysiące takich możliwości, jego los nieodparcie przyciąga je ku sobie, wszyscy ci outsiderzy mieszczaństwa żyją w atmosferze tych magicznych możliwości. Wystarcza jedno „nic", by uderzył piorun.

O tym wszystkim wilk stepowy doskonale wiedział, nawet gdyby nigdy nie miał dostrzec zarysu swej wewnętrznej biografii. Domyśla się on swego miejsca w gmachu świata, przeczuwa i zna tych nieśmiertelnych, przeczuwa i lęka się możliwości spotkania samego siebie, wie o istnieniu owego zwierciadła, w które tak bardzo pragnąłby spojrzeć, chociaż się tego spojrzenia tak śmiertelnie obawia.

Na koniec naszego studium pozostaje jeszcze rozwiać ostatnią fikcję, zasadnicze złudzenie. Wszystkie „wyjaśnienia", wszelka psychologia, wszelkie próby zrozumienia wymagają środków pomocniczych, teorii i mitologii, kłamstw; a sumienny autor powinien na końcu rozprawy, w miarę możności, te kłamstwa sprostować. Kiedy mówię „w górze" lub „w dole" jest to twierdzenie, które już domaga się wyjaśnienia, gdyż pojęcia „w gó-

rze" i „w dole" istnieją tylko w myśli, tylko w abstrakcji. Sam świat nie zna żadnego „w górze" i „w dole".

A więc, krótko mówiąc, wilk stepowy jest też tylko fikcją. Jeśli Harry uważa sam siebie za człowieka-wilka i sądzi, że składa się z dwóch wrogich i przeciwnych sobie istot, to jest to jedynie upraszczająca mitologia. Harry wcale nie jest człowiekiem-wilkiem, a jeśli na pozór przyjęliśmy to kłamstwo, które on sam wymyślił i w które wierzy, i jeśli rzeczywiście usiłowaliśmy go zanalizować i zinterpretować jako istotę dwoistą, jako wilka stepowego, to — w nadziei na łatwiejsze zrozumienie — skorzystaliśmy z pewnej fikcji, którą spróbujemy teraz sprostować.

Podział na wilka i człowieka, na popędy i na ducha, przez który Harry usiłuje uczynić swój los bardziej zrozumiałym, jest ogromnym uproszczeniem, jest pogwałceniem rzeczywistości na korzyść pozornie słusznego, a w gruncie rzeczy błędnego wyjaśnienia sprzeczności, jakie ten człowiek w sobie znajduje i jakie wydają mu się źródłem jego wielkich cierpień. Harry odnajduje w sobie „człowieka", to znaczy świat myśli, uczuć, kultury, oswojonej i wysublimowanej natury, ale obok tego odnajduje też w sobie „wilka", to znaczy ponury świat popędów, dzikości, okrucieństwa i niewysublimowanej, surowej natury. Mimo tego pozornie jasnego podziału jego istoty na dwie wrogie sobie sfery przeżywał jednak od czasu do czasu stany, w których wilk i człowiek godzili się ze sobą na chwilę, na jakieś szczęśliwe mgnienie oka. Gdyby nawet Harry próbował w każdym momencie swego życia, w każdym czynie, w każdym odczuciu ustalić, jaki udział ma w tym człowiek, a jaki wilk, wpadłby natychmiast w potrzask i cała jego piękna wilcza teoria rozpadłaby się na szczątki. Żaden bowiem człowiek, ani najprymitywniejszy Murzyn, ani nawet idiota, nie jest tak rozbrajająco prosty, żeby istota jego dała się wytłumaczyć jedynie jako suma dwóch lub trzech zasadniczych elementów; a określenie człowieka tak zróżnicowanego jak Harry naiwnym podziałem na wilka i człowieka jest beznadziejną dziecinną próbą. Harry nie składa się z dwóch istot, lecz ze stu, z tysięcy. Jego życie balansuje (jak życie każdego człowieka) nie tylko między dwoma biegunami, na przykład między popędem a duchem albo między świętym a rozpustnikiem, ale między tysiącami, między niezliczonymi parami biegunów.

Nie powinno nas dziwić, że tak uczony i mądry człowiek jak Harry może siebie uważać za „wilka stepowego" i sądzić, że bogaty i skomplikowany kształt swego życia uda mu się wtłoczyć w tak marną, prostacką i prymitywną formułę. Człowiek nie jest nazbyt zdolny do myślenia w wielkim wymiarze, a nawet najbardziej uduchowiony i wykształcony patrzy stale na świat i na siebie – zwłaszcza na siebie – przez okulary bardzo naiwnych, uproszczonych i kłamliwych formuł! Gdyż, jak się zdaje, wszyscy ludzie mają wrodzoną i zniewalającą potrzebę wyobrażania sobie swojego „ja" jako jedności. Gdyby nawet to urojenie często ulegało ciężkim wstrząsom, to i tak zawsze odradza się na nowo. Sędzia, który siedzi naprzeciw mordercy, patrzy w jego oczy i przez chwilę słyszy mordercę, mówiącego jego własnym (sędziego) głosem, odnajdując w swojej duszy wszystkie jego wzruszenia, zdolności i możliwości, jest już w następnej chwili znów jednością, jest sędzią, z pośpiechem wraca w skorupę swego wyimaginowanego „ja", spełnia swój obowiązek i skazuje mordercę na śmierć. A jeśli w szczególnie uzdolnionych i subtelnie ukształtowanych duszach ludzkich zaświta przeczucie ich złożoności, jeśli one, jak każdy geniusz, przełamią urojenia swojej jedyności i poczują się wiązką złożoną z wielu jaźni, wystarczy, aby to ujawniły, a natychmiast zamknie je jedność, przywoła na pomoc naukę, stwierdzi schizofrenię i uchroni ludzkość przed wysłuchaniem od tych nieszczęśliwców głosu prawdy. Po co więc tracić tu słowa, po co mówić o rzeczach, o których wiedza u każdego myślącego człowieka jest oczywista, a o których jednak nie zwykło się mówić. Jeśli więc człowiek posunie się tak daleko, że wyimaginowaną jedność jaźni rozszerza do dwoistości, to jest już prawie geniuszem, a w każdym razie rzadkim i ciekawym wyjątkiem. W rzeczywistości żadne „ja", nawet najbardziej naiwne, nie jest jednością, lecz bardzo zróżnicowanym światem, małym gwiaździstym niebem, chaosem form, stopni i stanów, dziedzicznych obciążeń i możliwości. Każda jednostka dąży do uznania tego chaosu za jedność i mówi o swoim „ja", jak gdyby ono było zjawiskiem prostym, zdecydowanie ukształtowanym, jasno nakreślonym; ale jest to złudzenie, właściwe każdemu człowiekowi, nawet najdoskonalszemu, jest – jak się zdaje – pewną koniecznością, postulatem życia, tak jak oddychanie i jedzenie.

Złudzenie to polega na prostym przeniesieniu znaczenia. Jako ciało każdy człowiek jest jednością, jako dusza nigdy. Również w poezji, nawet najbardziej wyrafinowanej, operuje się stale, według przyjętego zwyczaju, na pozór pełnymi, jednolitymi osobowościami. W dotychczasowym pisarstwie fachowcy i znawcy najwyżej cenią dramat, i słusznie, gdyż daje on (lub dałby) najciekawszą możliwość przedstawienia jaźni jako wielości – gdyby nie przeczył temu ordynarny pozór, który ukazuje nam złudnie każdą poszczególną osobę dramatu jako jedność – ponieważ tkwi ona w niezaprzeczalnie unikalnym, jednostkowym i zamkniętym ciele. Toteż naiwna estetyka najwyżej ceni tak zwany dramat charakterów, w którym każda postać występuje jako jedność w sposób wyodrębniony i łatwy do rozpoznania. Dopiero z daleka i stopniowo świta w niektórych jednostkach przypuszczenie, że to wszystko jest może tanią powierzchowną estetyką, że błądzimy, gdy do naszych wielkich dramaturgów stosujemy wspaniałe, ale wcale nam nie wrodzone, tylko wmówione kanony piękna antyku: one to, wychodząc zawsze z pozycji widzialnego ciała, właściwie wynalazły fikcję owego „ja", fikcję osoby. W poematach dawnych Indii pojęcie to jest zupełnie nieznane, bohaterowie hinduskich eposów nie są osobami, lecz kłębowiskiem osób, szeregiem inkarnacji. Także w naszym współczesnym świecie istnieją utwory, w których pod osłoną gry osób i charakterów autor – zapewne nie całkiem świadomie – usiłuje przedstawić złożoność duszy. Kto chce to zrozumieć, musi spojrzeć na postacie takiego utworu nie jak na istoty jednostkowe, lecz jak na części, na strony, jak na różne aspekty wyższej jedności (choćby nawet duszy pisarza). Kto w ten sposób rozważa Fausta, dla tego Faust, Mefisto, Wagner i wszyscy inni staną się jednością, jakąś nadosobą, i dopiero w tej wyższej jedności, a nie w poszczególnych postaciach, zaznacza się coś z prawdziwej istoty duszy. Kiedy Faust wygłasza sławne wśród nauczycieli szkolnych, a ze zgrozą przez filistrów podziwiane zdanie: „Dwie dusze, ach, mieszkają w piersi mej!", zapomina o Mefiście i o mnóstwie innych dusz, które również ma w swej piersi. Także i nasz wilk stepowy wiemy, że ma w swym wnętrzu dwie dusze (wilka i człowieka), i uważa, że już z tego powodu bardzo mu ciężko na sercu. Jedno jest tylko serce i jedno ciało, ale mieszkają w nich nie dwie dusze, nie pięć, lecz niezliczona ich ilość; człowiek jest składającą się ze stu łusek cebulą, uplecioną z mnóstwa nitek tkaniną. Zrozumieli to i dokładnie o tym wiedzieli starożytni Azjaci, a w buddyjskiej jodze wynaleziono precyzyjną technikę demaskowania urojeń osobowości. Wesoła i różnoraka jest zabawa ludzkości: urojenie, które z takim trudem w ciągu tysiąca lat usiłowano w Indiach zdemaskować, jest tym samym urojeniem, które Zachód, z podobnym nakładem trudu, starał się wesprzeć i umocnić.

Jeśli spojrzymy na wilka stepowego z tego punktu widzenia, to zrozumiemy, dlaczego tak bardzo cierpi z powodu swej śmiesznej dwoistości. Uważa bowiem, podobnie jak Faust, że dwie dusze w jednej piersi to za wiele, że muszą one tę pierś rozsadzić. Przeciwnie jednak, jest ich o wiele za mało, i Harry straszliwie gwałci swoją biedną duszę, jeśli usiłuje rozpatrywać ją w tak prymitywnym obrazie. Chociaż Harry jest człowiekiem wykształconym, postępuje jak dzikus, który umie liczyć zaledwie do dwóch. Jedną swoją część nazywa człowiekiem, drugą wilkiem i uważa, że doszedł już do końca i że wyczerpał swój problem. W „człowieka" pakuje wszystko duchowe, wysublimowane i kulturalne, co może w sobie znaleźć, a w wilka wszystko, co jest popędem, co jest dzikie i chaotyczne. Ale w życiu nie wszystko dzieje się tak prosto, jak w naszych myślach, tak prymitywnie, jak w naszej biednej mowie idiotów, i Harry okłamuje się podwójnie, jeśli stosuje tę murzyńską wilczą metodę. Istnieje obawa, że Harry zalicza już do „człowieka" całe dziedziny swej duszy, którym do człowieka jeszcze daleko, a do wilka te części swej istoty, które dawno wilka przerosły.

Podobnie jak wszyscy ludzie, tak też i Harry sądził, że dobrze wie, kim jest człowiek, a przecież zupełnie tego nie wiedział, choć nierzadko to przeczuwał w snach i w innych, trudnych do skontrolowania stanach świadomości. Oby nie zapomniał tych przeczuć, oby przyswoił je sobie jak najlepiej! Człowiek nie jest wszak jakimś mocnym i trwałym kształtem (a było to ideałem antyku mimo przeciwnych pojęć ówczesnych mędrców), jest raczej próbą i stanem przejściowym, jest niczym innym, jak wąskim, niebezpiecznym mostem między naturą a duchem. Najgłębsze przeznaczenie popycha go ku duchowi, ku Bogu – najgorętsza tęsknota ciągnie go z powrotem ku naturze, ku matce: między obiema potęgami, drżąc lękliwie, balansuje jego życie. To, co ludzie w danej chwili rozumieją pod pojęciem „człowieka", jest zawsze tylko przejściową, mieszczańską konwencją. Pewne najbardziej prymitywne popędy zostają w tej konwencji wyeliminowane i zakazane, żąda się trochę świadomości, moralności i odzwierzęcenia, nie tylko zezwala się na odrobinę ducha, ale nawet się go wymaga. „Człowiek" tej konwencji jest, jak każdy ideał mieszczański, kompromisem, nieśmiałą, naiwnie chytrą próbą okpienia zarówno złej pramatki natury, jak niewygodnego praojca ducha i wykręcenia się z ich trudnych do spełnienia postulatów, by zamieszkać między nimi w nijakim środku. Dlatego mieszczuch godzi się i znosi to, co nazywa „osobowością", ale jednocześnie wydaje tę osobowość owemu molochowi „państwu" i ustawicznie podjudza jedną stronę przeciwko drugiej. Dlatego mieszczuch pali dzisiaj na stosie tego jako kacerza, tamtego wiesza jako zbrodniarza, a pojutrze stawia im pomniki.

Przeczucie, że „człowiek" nie jest czymś już stworzonym, lecz postulatem ducha, pewną daleką, zarazem utęsknioną, budzącą lęk możliwością i że drogę do niej odbywa się tylko małymi etapami, i to w straszliwych mękach i ekstazach, że odbywają ową drogę te właśnie rzadkie jednostki, którym dziś stawia się szafot, a jutro pomnik – przeczucie takie żyje również w wilku stepowym. Ale to, co – w przeciwieństwie do swego „wilka" – nazywa w sobie „człowiekiem", po większej części nie jest niczym innym jak właśnie owym miernym „człowiekiem" mieszczańskiej konwencji. Drogę do prawdziwego człowieka, drogę do nieśmiertelnych może Harry wprawdzie przeczuwać, nawet z wahaniem idzie nią niekiedy kawałeczek i płaci za to wielkim cierpieniem, bolesnym osamotnieniem. Ale, aby potwierdzić i dążyć do tego najwyższego postulatu, jakim jest prawdziwe, przez ducha poszukiwane „stawanie się człowiekiem", aby pójść jedyną wąską drogą do nieśmiertelności – przed tym jednak wzdraga się w głębi duszy. Czuje wyraźnie, że to prowadzi do jeszcze większych cierpień, do wygnania, do ostatecznej rezygnacji, może na szafot – a jeśli nawet u kresu tej drogi nęci nieśmiertelność, to w gruncie rzeczy nie zamierza znosić tych cierpień i umierać każdą z tych śmierci. Choć cel „stawania się człowiekiem" jest mu lepiej znany niż mieszczuchom, to jednak zamyka oczy i nie chce wiedzieć, że rozpaczliwe trzymanie się swego „ja", rozpaczliwe „niechcenie umierania" jest najdawniejszą drogą do wiecznej śmierci, gdy tymczasem gotowość umierania, zrzucania powłok, wieczne oddanie swego „ja" przemianie, prowadzi do nieśmiertelności. Jeśli spośród nieśmiertelnych uwielbia swych ulubieńców, na przykład Mozarta, to w końcu patrzy na niego przecież mieszczańskimi oczyma i jest skłonny, jak belfer, przypisywać doskonałość Mozarta jedynie jego wybitnym specjalnym uzdolnieniom, a nie wielkości jego poświęcenia i gotowości cierpienia, obojętności na ideały mieszczańskie i cierpliwego znoszenia ostatecznej samotności, która wokół cierpiącego, „stającego się człowiekiem", rozrzedza wszelką mieszczańską atmosferę w mroźny eter kosmiczny, stwarzając samotność getsemańskiego ogrodu.

Jakkolwiek by było, nasz wilk stepowy odkrył w sobie przynajmniej Faustowską dwoistość, doszedł też do przekonania, że w jedności jego ciała nie mieszka jedność duszy, lecz że w najlepszym razie znajduje się on na drodze, na dalekiej pielgrzymce ku ideałowi tej harmonii. Chciałby albo przezwyciężyć w sobie wilka i stać się całkowicie człowiekiem, albo zrezygnować z człowieka i przynajmniej jako wilk prowadzić życie jednolite, nierozdarte. Przypuszczalnie nigdy nie obserwował dokładnie prawdziwego wilka, gdyż wówczas zauważyłby, że i zwierzęta nie mają jednolitej duszy, że także i u nich pod najpiękniejszym, sprężystym kształtem ciała mieszka różnorodność dążeń i stanów, że wilk też ma w sobie otchłanie, że wilk także cierpi. Nie, hasło „powrotu do natury" zawsze sprowadza człowieka na pełne cierpień i beznadziejne manowce. Harry już nigdy nie może stać się w pełni wilkiem, a gdyby się nim stał, to przekonałby się, że i wilk nie jest czymś prostym i pierwotnym, lecz że jest czymś złożonym i skomplikowanym. Również i wilk ma dwie, a nawet więcej niż dwie dusze w swej wilczej piersi i kto pragnie być wilkiem, popełnia ten sam błąd niepamięci co człowiek, który śpiewa: „O gdybym jeszcze mógł być dzieckiem!" Taki sympatyczny, ale i sentymentalny człowiek, który śpiewa piosenkę o szczęśliwym dziecku i chciałby również wrócić do natury, do niewinności, do początków, zupełnie zapomniał, że dzieci wcale nie są szczęśliwe, że mają wiele konfliktów, wiele rozterek i wszelakich cierpień.

W ogóle żadna droga nie prowadzi z powrotem ani do wilka, ani do dziecka. Na początku rzeczy nie ma niewinności ani prostoty; wszystko, co stworzone, a nawet pozornie najprostsze, jest już pełne winy, jest już rozdwojone, jest wrzucone w brudny nurt stawania się i nigdy już nie może płynąć przeciw prądowi. Droga do niewinności, do stanu sprzed stworzenia, do Boga, nie prowadzi wstecz, lecz naprzód, nie do wilka czy dziecka, lecz coraz dalej w głąb winy, coraz głębiej w stawanie się człowiekiem. Także samobójstwo, drogi wilku, nie posłuży ci do niczego, pójdziesz dłuższą i uciążliwszą drogą stawania się człowiekiem i jeszcze często będziesz musiał swoją dwoistość zwielokrotnić, twoje skomplikowanie jeszcze bardziej skomplikować. Zamiast zacieśniać swój świat, zamiast upraszczać swoją duszę, będziesz musiał do twej boleśnie rozszerzonej duszy przyjmować coraz więcej światła, w końcu cały świat, aby może kiedyś dojść do kresu, do spokoju. Tą drogą szedł Budda, tą drogą szedł każdy wielki człowiek, jeden świadomie, drugi nieświadomie, i tak daleko, jak mu się szczęściło w tym ryzykownym przedsięwzięciu. Każde narodziny oznaczają oddzielenie się od wszechświata, oznaczają odgraniczenie, odosobnienie się od Boga, oznaczają bolesne stawanie się na nowo. Powrót do wszechświata, zaniechanie bolesnej indywidualizacji, stawanie się Bogiem znaczą: tak rozszerzyć swą duszę, aby znów mogła ogarnąć wszechświat.

Nie mówi się tu o człowieku, jakiego zna szkoła, ekonomia, statystyka, o człowieku, jakich miliony przemierzają ulice, i o którym można nie więcej powiedzieć niż o piasku nad morzem czy o kroplach rozpryskujących się fal: nie chodzi o parę milionów więcej czy mniej, są materiałem, niczym więcej. Mówimy tu o człowieku w znaczeniu wyższym, o kresie długiej wędrówki stawania się człowiekiem, o królewskim człowieku, o nieśmiertelnych. Geniusz nie jest zjawiskiem tak rzadkim, jak nam się często wydaje, ale oczywiście i nie tak częstym, jak sądzą historie literatury i historia świata, nie mówiąc o prasie. Wilk stepowy, Harry, miał — jak się wydaje — dość geniuszu, aby spróbować ryzyka stawania się człowiekiem, zamiast przy każdej trudności wymawiać się płaczliwie swoim głupim stepowym wilkiem.

Fakt, że ludzie o takich możliwościach posługują się wilkami stepowymi i okrzykami: „ach, dwie dusze", jest równie zadziwiający i smutny jak to, że tak często żywią ową tchórzliwą miłość do mieszczaństwa. Człowiek, który jest zdolny pojąć Buddę, człowiek, który ma wyobrażenie o niebiosach i otchłaniach człowieczeństwa, nie powinien żyć w świecie, w którym panują common sense, *demokracja i burżuazyjne wykształcenie. Żyje w nim tylko z tchórzostwa, a gdy wymiary tego świata zaczynają go uciskać, gdy szczupła mieszczańska izba staje się dlań za ciasna, wówczas kładzie to na karb „wilka" i nie chce przyznać, że czasami wilk jest najlepszą jego cząstką. Wszystko, co w nim dzikie, nazywa wilkiem i odczuwa to jako coś złego, niebezpiecznego, jako strach na burżuja – ale on, który mniema, że jest artystą i posiada wyczulone zmysły, nie potrafi dostrzec, że oprócz wilka żyje w nim jeszcze coś więcej. Że nie wszystko, co gryzie, jest wilkiem, że tam mieszkają jeszcze lis, smok, tygrys, małpa i rajski ptak. I że cały ten świat, cały ten rajski ogród wdzięcznych i znanych, dużych i małych, mocnych i delikatnych kształtów przytłacza i więzi bajka o wilku, podobnie jak prawdziwego człowieka przytłacza w nim i więzi człowiek pozorny, mieszczuch.*

Wyobraźmy sobie ogród z setkami odmian drzew, z tysiącami odmian kwiatów, z setkami rozmaitych owoców i ziół. Jeśli ogrodnik nie będzie znał innego rozróżnienia botanicznego niż „rośliny jadalne" i „chwast", wówczas nie będzie wiedział, co począć z dziewięcioma dziesiątymi swego ogrodu, powyrywa najcudowniejsze kwiaty, wyrąbie najszlachetniejsze drzewa lub znienawidzi je i będzie patrzył na nie krzywym okiem. Tak postępuje wilk stepowy z tysiącem kwiatów w swej duszy. Co nie podpada pod rubryki „człowiek" albo „wilk", tego on w ogóle nie dostrzega. A czegóż to nie zalicza do „człowieka"! Wszystko, co tchórzliwe, małpie, głupie i małostkowe, jeśli nie jest akurat wilcze, zalicza do „człowieka", podobnie jak wszystko, co silne i szlachetne przypisuje wilkowi tylko z tej racji, że jeszcze nie zdołał tego opanować.

Żegnamy się z Harrym, niech dalej idzie sam swoją drogą. Gdyby już był u nieśmiertelnych, gdyby już był tam, dokąd zda się zmierzać jego ciernista droga, z jakim zdziwieniem przyglądałby się temu błądzeniu, temu dzikiemu, niezdecydowanemu zygzakowi swej wędrówki, i jak zachęcająco, strofująco, współczująco i kpiąco uśmiechnąłby się do stepowego wilka!

Kiedy skończyłem czytanie, wpadło mi na myśl, że kiedyś, przed paru tygodniami, napisałem w nocy trochę dziwaczny wiersz, który również traktował o wilku stepowym. Szukałem utworu w stosach papierzysk, w moim zapchanym po brzegi biurku, znalazłem go i przeczytałem:

Ja, wilk stepowy, gnam bez końca,
Świat pod całunem śniegu legł,
I nigdzie sarny ni zająca,
A nawet kruk z gałęzi zbiegł.
W sarenkach jestem zakochany,
Ach, gdybym chociaż jedną miał,
Wziąłbym ją w zęby, wziąłbym w łapy,
I przy niej się rozkosznie grzał.

Ach, jaki byłbym dla niej czuły,
W jej uda kłami bym się wpił,
Jej krew chłeptałbym aż do syta,
A z żalu bym po nocach wył.
Wystarczyłby mi nawet zając,
Kawałek grzbietu, jeden skok;
Czyż wszystko mnie już opuściło,
Co rozwesela życia mrok?
Siwieje mi już włos ogona,
I bystrość oka przyćmił czas,
Przed laty zmarła moja żona,
Więc gnam za sarną w ciemny las.
O sarnach marzę i zającach,
Pragnienie gaszę lodu krą,
Zimowy wiatr po nocach pląsa,
Zanoszę diabłu duszę mą.

Miałem więc w ręku dwa swoje portrety, jeden autoportret w rymach częstochowskich, smutny i lękliwy jak ja, drugi chłodny, nakreślony przez kogoś postronnego, z pozorami wielkiego obiektywizmu, widziany od wewnątrz i z góry, sporządzony przez kogoś, kto wiedział o mnie więcej, a przecież i mniej niż ja sam. I oba te obrazy razem wzięte, mój melancholijnie bełkotliwy wiersz i mądre studium nieznanej ręki, zabolały mnie, obydwa były słuszne, obydwa rysowały bez upiększeń moją beznadziejną egzystencję, obydwa ujawniały niewyraźnie mój nieznośny i kruchy stan. Ten wilk stepowy musiał umrzeć, musiał własną ręką położyć kres swemu znienawidzonemu istnieniu – lub też musiałby, przetopiony w śmiertelnym ogniu podjętej na nowo introspekcji, zmienić się, zedrzeć maskę i od nowa kształtować swoje „ja". Ach, ten proces nie był dla mnie ani nowy, ani obcy, znałem go, przeżywałem go już wiele razy, zawsze w okresach skrajnej rozpaczy. Za każdym razem w tym niezmiernie bolesnym przeżyciu rozsypywało się w drzazgi moje aktualne „ja", za każdym razem wstrząsały nim i niszczyły je moce otchłani, za każdym razem zdradzała mnie i ginęła przy tym strzeżona i szczególnie mi droga cząstka mego życia. Najpierw straciłem moje dobre mieszczańskie imię wraz z moim majątkiem i musiałem nauczyć się rezygnacji z szacunku tych, którzy dotąd zdejmowali przede mną kapelusz. Drugim razem, w ciągu jednej nocy, rozpadło się moje życie rodzinne; moja żona dostała obłędu i wygnała mnie z domu i wygód; miłość i zaufanie zmieniły się nagle w nienawiść i śmiertelną walkę, sąsiedzi patrzyli na mnie ze współczuciem i pogardą. Wówczas zaczęło się moje osamotnienie. I znowu, po ciężkich, gorzkich walkach, kiedy w surowej samotności i uciążliwej dyscyplinie zbudowałem sobie nowe, ascetyczno-duchowe ideały i znów osiągnąłem pewnego rodzaju ciszę i stabilizację życia, oddany abstrakcyjnym ćwiczeniom myślowym i ściśle przestrzeganej medytacji – ten kształt życia rozpadł się i nagle stracił swój szlachetny wyższy sens; podczas szalonych, wyczerpujących podróży coś gnało mnie znów przez świat, piętrzyły się przede mną nowe cierpienia i nowe winy. I za każdym razem zrywanie maski, zawalanie się ideału poprzedzała owa okrutna pustka i cisza, owo śmiertelne spętanie, osamotnienie i utrata wszelkiej więzi, owo puste, ponure piekło obojętności i rozpaczy, przez jakie ponownie musiałem się przedzierać.

Z każdego takiego wstrząsu życiowego w końcu coś zyskiwałem, temu nie mogę zaprzeczyć, a więc trochę wolności ducha, głębi, samotności, niezrozumienia, oziębłości. Z mieszczańskiego punktu widzenia życie moje było od każdego takiego wstrząsu do następnego ciągłym spadaniem, coraz większym oddalaniem się od tego, co normalne, dozwolone, zdrowe. W ciągu tych lat straciłem zawód, rodzinę, dom, stanąłem poza wszelkimi grupami społecznymi, samotny, przez nikogo nie kochany, przez wielu podejrzewany, w ustawicznym gorzkim konflikcie z opinią publiczną i moralnością, i chociaż wciąż jeszcze żyłem w mieszczańskich ramach, to jednak z moim sposobem odczuwania byłem pośrodku tego świata; a jeżeli ojczyzna, rodzina, państwo straciły dla mnie wartość i nic mnie już nie obchodziły, pyszałkowatość nauki, cechów, sztuki budziły we mnie wstręt; moje poglądy, mój smak, mój sposób myślenia, którym niegdyś olśniewałem jako człowiek zdolny i lubiany, były teraz zaniedbane, zdziczałe i dla ludzi podejrzane. Jeżeli nawet w tych wszystkich moich bolesnych przemianach zyskałem coś niewidzialnego i nieuchwytnego – musiałem za to drogo zapłacić i raz po raz życie moje stawało się twardsze, cięższe, samotniejsze i bardziej zagrożone. Zaiste nie miałem żadnego powodu życzyć sobie dalszego ciągu tej drogi, która wiodła mnie w coraz rzadszą atmosferę, podobnie jak ów dym z jesiennej pieśni Nietzschego.

Ach tak, znam te przeżycia, znam aż za dobrze te przemiany, które los przeznacza swym najbardziej wrażliwym dzieciom troski. Znam je, jak ambitny, lecz pechowy myśliwy zna etapy polowania, jak stary giełdziarz etapy spekulacji, zysku, niepewności, chwiejności, bankructwa. Czyż naprawdę miałbym to jeszcze raz przeżywać? Całą tę męczarnię, całą tę obłąkaną biedę, wszystkie te wejrzenia w małość i bezwartościowość własnego „ja", całą tę okropną trwogę przed klęską, cały ten lęk śmierci? Czyż nie byłoby mądrzej i prościej ustrzec się powtórzenia tylu cierpień i uciec? Z pewnością, byłoby mądrzej i prościej. Choćby to wszystko, co w książeczce o wilku stepowym powiedziano na temat „samobójcy", miało się tak czy inaczej, nikt nie może mi zabronić przyjemności oszczędzenia sobie za pomocą gazu, brzytwy czy rewolweru powtórki tego procesu, którego gorzką bolesność nazbyt często i głęboko musiałem przeżywać. Nie, do licha, nie istnieje w świecie żadna moc, która mogłaby żądać ode mnie, bym raz jeszcze spotkał się sam na sam z jej potwornymi okropnościami i raz jeszcze przeszedł nowe kształtowanie, nową inkarnację, której celem i kresem nie byłyby przecież spokój i cisza, lecz wciąż nowe samounicestwienie, wciąż nowe samokształtowanie! Niechby nawet samobójstwo było głupie, tchórzliwe i podłe, niechby było niesławnym i haniebnym wyjściem zapasowym – każde, nawet najbardziej hańbiące wyjście z tego młyna cierpień jest gorąco pożądane, tu już nie ma teatru szlachetności i heroizmu, tu postawiono mnie przed prostym wyborem między małym przelotnym bólem a palącym, niekończącym się, trudnym do wyobrażenia cierpieniem. Zbyt często bywałem w moim ciężkim, zwariowanym życiu szlachetnym Don Kichotem i przedkładałem honor nad przyjemność, bohaterstwo nad rozum. Dość tego, koniec z tym.

Przez szyby wsączał się już ołowiany, przeklęty ranek zimowego, dżdżystego dnia, kiedy wreszcie położyłem się spać. Do łóżka zabrałem ze sobą postanowienie. Lecz w chwili zasypiania, nieznacznie, na ostatniej granicy świadomości, błysnął przede mną na moment ów przedziwny fragment z książeczki o wilku stepowym, w którym jest mowa o „nieśmiertelnych", a z tym wiązało się nawiedzające mnie wspomnienie, że niekiedy, a nawet całkiem niedawno, czułem się dostatecznie bliski nieśmiertelnym, by w jednym jedynym takcie starej muzyki wysmakować całą ich chłodną, jasną, surowo uśmiechającą się mądrość. Wspomnienie to wyłoniło się nagle, zabłysło i zgasło, a na czoło moje położył się ciężki jak ołów sen.

Obudziwszy się koło południa, odnalazłem w sobie niebawem wyjaśnioną sytuację; na nocnym stoliku leżała książeczka i mój wiersz, przyjaźnie i chłodno spoglądało na mnie, z zamętu ostatnich chwil sytuacji życiowej, moje postanowienie, które w ciągu nocy, we śnie, uwypukliło się i umocniło. Pośpiech nie był konieczny, moja decyzja śmierci nie była chwilowym kaprysem. Była dojrzałym twardym owocem, który powoli wzrastał i nabierał wagi, łagodnie kołysał się na wietrze losu, byłem przekonany, że następny podmuch z pewnością go strąci.

Miałem w mojej podróżnej apteczce znakomity środek przeciwbólowy, jakiś szczególnie silny preparat opiumowy, na którego zażycie pozwalałem sobie bardzo rzadko i odmawiałem go sobie całymi miesiącami; brałem ten silnie oszałamiający środek, kiedy nękały mnie fizyczne bóle nie do zniesienia. Do samobójstwa jednak środek ten niestety się nie nadawał, wypróbowałem go już przed wieloma laty. Wówczas, a był to okres, kiedy znów ogarnęła mnie rozpacz, połknąłem sporą dawkę tego specyfiku, która wystarczyłaby do uśmiercenia sześciu ludzi, mnie jednak nie zabiła. Zasnąłem wprawdzie i leżałem przez kilka godzin bez przytomności, potem jednak, ku memu straszliwemu rozczarowaniu, zbudziły mnie gwałtowne skurcze żołądka, zwymiotowałem całą truciznę, nie odzyskawszy pełnej przytomności, i znów zasnąłem, by następnego dnia w południe powrócić całkowicie do koszmarnej trzeźwości, z wypalonym, pustym mózgiem i prawie całkowicie zamroczoną pamięcią. Poza pewnym okresem bezsenności i dokuczliwych bólów żołądkowych, trucizna nie pozostawiła żadnych śladów.

Ten więc środek nie wchodził w rachubę. Ale mojemu postanowieniu nadałem teraz następujący kształt: jeśliby znów miało dojść do tego, że musiałbym sięgnąć po ten środek nasenny, niech mi wolno będzie zamiast krótkotrwałego wyzwolenia zastosować ostateczność, czyli śmierć, i to śmierć pewną, niezawodną, od kuli lub brzytwy. W ten sposób sytuacja była wyjaśniona – gdyż czekać do dnia moich pięćdziesiątych urodzin, zgodnie z dowcipnym zaleceniem książeczki o wilku stepowym, wydawało mi się jednak za długo, do tego czasu brakowało jeszcze dwóch lat. Gdyby to miało nastąpić za rok albo za miesiąc, albo nawet już jutro – furtka była otwarta.

Nie mogę powiedzieć, żeby ta „decyzja" w dużym stopniu zmieniła moje życie. Uczyniła mnie trochę obojętniejszym na dolegliwości, trochę bardziej beztroskim w używaniu opium i wina, trochę ciekawszym granicy ludzkiej wytrzymałości, to wszystko. Mocniej natomiast działały inne przeżycia z tego wieczoru. Traktat o wilku stepowym czytałem jeszcze nie raz, bądź z oddaniem i wdzięcznością, jak gdybym wiedział, że jakiś niewidzialny mag mądrze kieruje moim przeznaczeniem, bądź z szyderstwem i pogardą wobec trzeźwości traktatu, który zdawał się zupełnie nie rozumieć specyficznego nastroju i napięcia mojego życia. To, co tu napisano o wilkach stepowych i samobójcach, jest może całkiem dobre i mądre, dotyczyło gatunku, typu, było pomysłową abstrakcją; natomiast moja osoba, moja mnie tylko właściwa dusza, mój własny, jednostkowy los nie da się chyba złowić w tak grubą sieć.

Lecz bardziej niż wszystko inne zajmowała mnie owa halucynacja czy wizja na murze kościelnym, owo wiele obiecujące obwieszczenie pląsającego, świetlnego pisma, które pokrywało się z aluzjami traktatu. Wiele mi tam obiecywano, głosy tego obcego świata ogromnie podnieciły moją ciekawość, często rozmyślałem nad tym pogrążony w zadumie przez wiele godzin. I coraz dobitniej przemawiało do mnie ostrzeżenie tych napisów: „Nie dla każdego!" i „Tylko dla obłąkanych!" Musiałem więc być obłąkany i daleko odsunąć się od „każdego", jeśliby owe głosy miały mnie dosięgnąć, a owe światy do mnie przemówić. Mój Boże, czyż nie byłem już od dawna dostatecznie oddalony od życia „każdego", od bytu i sposobu myślenia normalnych ludzi, czyż nie byłem od dawna dostatecznie wyizolowany i obłąkany? A jednak w głębi duszy doskonale rozumiałem to wołanie, to wezwanie do obłędu, do odrzucenia rozumu, hamulców i burżujstwa, do poddania się falom pozbawionego prawideł świata duszy i fantazji.

Pewnego dnia, kiedy znów nadaremnie przeszukiwałem ulice i place, szukając człowieka z transparentem, i parę razy uważnie przeszedłem obok muru z niewidzialną bramą, spotkałem na przedmieściu Świętego Marcina kondukt pogrzebowy. Przyglądając się twarzom żałobników, drepczących za karawanem, myślałem: Gdzie w tym mieście, gdzie na tym świecie żyje człowiek, którego śmierć byłaby dla mnie stratą? I gdzie jest człowiek, dla którego moja śmierć miałaby jakieś znaczenie? Istnieje wprawdzie moja kochanka, Erika, no tak; ale od dawna żyjemy w bardzo luźnym związku, widujemy się rzadko bez kłótni, a chwilowo nie znam nawet miejsca jej pobytu. Przychodziła do mnie od czasu do czasu albo ja jeździłem do niej, a ponieważ oboje jesteśmy ludźmi samotnymi i trudnymi, o pokrewnych duszach i chorobach duszy, więc mimo wszystko utrzymała się między nami jakaś więź. Ale czy nie odetchnęłaby może i nie odczuła ulgi na wiadomość o mojej śmierci? Tego nie wiedziałem, nie wiedziałem też nic o trwałości moich własnych uczuć. Trzeba żyć w tym, co normalne i możliwe, aby móc coś wiedzieć o takich sprawach.

Tymczasem, idąc za chwilowym kaprysem, przyłączyłem się do pogrzebu i podążyłem za żałobnikami na cmentarz, nowoczesny, cementowy i patentowy, z krematorium i wszystkimi możliwymi szykanami. Naszego nieboszczyka jednak nie spalono, lecz jego trumnę wyładowano przy skromnym, ziemnym dole; przyglądałem się hienom cmentarnym, pracownikom zakładu pogrzebowego i księdzu, przy wypełnianiu funkcji, którym tak dalece starali się nadać pozory uroczystości i żałoby, że, przemęczeni gorliwością włożoną w ten teatr, zakłopotani i zakłamani, popadli w śmieszność; widziałem, jak spływał po nich czarny, zawodowy uniform, jak się starali wprawić żałobne grono w odpowiedni nastrój i zmusić je do ugięcia kolan przed majestatem śmierci. Był to jednak trud daremny, nikt nie płakał, zdawało się, że zmarły nikomu nie był potrzebny. Nikogo też nie udało się nakłonić do pobożnego nastroju, a gdy ksiądz raz po raz zwracał się do zebranych ze słowami „drodzy bracia w Chrystusie", milczące twarze tych handlowców, kupców i piekarzy oraz ich żon spoglądały z wymuszoną powagą w ziemię, zakłopotane i zakłamane, wyrażające jedno tylko życzenie, żeby ta niemiła ceremonia skończyła się jak najprędzej. No i skończyła się, dwaj najpierwsi z „braci w Chrystusie" uścisnęli rękę mówcy, otarli o najbliższy brzeg trawnika wilgotną glinę z butów, glinę, w którą złożyli swego zmarłego, twarze stały się od razu zwyczajne i ludzkie, a jedna z nich nagle wydała mi się znajoma – był to zdaje się ten człowiek, który niósł plakat i wcisnął mi do ręki książeczkę.

W chwili kiedy wydało mi się, że go poznaję, odwrócił się, schylił i majstrował coś przy czarnych spodniach, które pedantycznie zawijał nad butami, po czym szybko uciekł, ściskając pod pachą parasol. Pobiegłem za nim, dopędziłem go, skinąłem mu głową, ale zdawał się mnie nie poznawać.

– Czy dziś wieczorem nie będzie imprezy? – zapytałem, próbując mrugnąć do niego porozumiewawczo, jak to czynią między sobą wtajemniczeni. Ale dawno minęły czasy, kiedy byłem biegły w tego rodzaju mimicznych ćwiczeniach; przy moim trybie życia omal już mówić zapomniałem; sam czułem, że robię tylko głupi grymas.

– Impreza? – mruknął człowiek i spojrzał mi obco w twarz. – Człowieku, idź pan do „Czarnego Orła", jeśli masz pan takie zachcianki.

Rzeczywiście, nie byłem już pewny, czy to on. Rozczarowany szedłem dalej, nie wiedziałem dokąd, nie istniały dla mnie żadne cele, żadne dążenia, żadne obowiązki. Życie miało obrzydliwie gorzki smak, czułem, jak narastający od dawna wstręt osiąga swój szczyt, jak życie mnie wyłącza i odrzuca. Wściekły biegłem przez szare miasto, zdawało mi się, że wszystko czuć wilgotną ziemią i pogrzebem. Nie, nad moim grobem nie będzie wolno stanąć żadnemu z tych zwiastunów śmierci w sutannie z sentymentalnym, braterskim ględzeniem! Ach, gdzie bym tylko spojrzał, dokąd tylko skierowałbym myśl, nigdzie nie czekała na mnie radość, nikt mnie nie przywoływał, nic mnie nie nęciło, wszystko czuć było zgniłym zużyciem, zgniłym, połowicznym zadowoleniem, wszystko było stare, zwiędłe, szare, rozlazłe, wyczerpane do dna. Mój Boże, jakże to było możliwe? Jak mogło się to stać ze mną, uskrzydlonym młodzieńcem, poetą, przyjacielem muz, obieżyświatem, żarliwym idealistą? Jak mogło mnie nawiedzić, skradając się powoli, to porażenie, ta nienawiść do siebie i wszystkich, to zahamowanie wszelkich uczuć, to głębokie, złe zniechęcenie, to obrzydłe piekło pustki serca i rozpaczy?

Przechodząc koło biblioteki, spotkałem młodego profesora; dawniej prowadziłem z nim od czasu do czasu rozmowy, a podczas mojego ostatniego pobytu w tym mieście przed paru laty nawet kilkakrotnie odwiedziłem go w jego mieszkaniu, by pogadać o wschodnich mitologiach, dziedzinie, którą się wówczas żywo interesowałem. Uczony szedł mi naprzeciw, sztywny i trochę krótkowzroczny, poznał mnie dopiero w chwili, gdy zamierzałem go minąć. Zwrócił się do mnie z wielką serdecznością, a ja, w moim żałosnym nastroju byłem mu za to prawie wdzięczny. Uradował się i ożywił, przypominał mi szczegóły naszych dawniejszych rozmów, zapewniał, że wiele zawdzięcza moim impulsom i że często o mnie myślał; od tego czasu rzadko prowadził z kolegami tak pobudzające i płodne dyskusje. Zapytał, od kiedy przebywam w mieście (skłamałem, że od kilku dni) i dlaczego nie odwiedziłem go dotychczas? Spojrzałem w mądrą, dobrą twarz tego grzecznego człowieka, uznałem tę scenę właściwie za śmieszną, ale mimo to rozkoszowałem się jak zgłodniały pies okruchami ciepła, łykiem sympatii, kęsem uznania. Wzruszony wilk stepowy, Harry, szczerzył zęby, do wyschniętej paszczy napływała mu ślina, sentymentalizm, wbrew jego woli, zginał mu kark. Wykręcałem się więc gorliwie, że jestem tu tylko przejazdem, w celach naukowych, i że poza tym niezbyt dobrze się czuję, inaczej byłbym go oczywiście kiedyś odwiedził. A gdy zapraszał mnie serdecznie, żebym jeszcze dzisiejszy wieczór spędził u niego, przyjąłem z wdzięcznością zaproszenie, prosiłem, by pozdrowił żonę, przy czym od mówienia i uśmiechania się bolały mnie policzki, które odwykły już od tego rodzaju wysiłku. I podczas gdy ja, Harry Haller, stałem tu na ulicy, zaskoczony i obsypany pochlebstwami, uprzejmy i pełen zapału, uśmiechając się do tej krótkowzrocznej, poczciwej fizjonomii grzecznego człowieka, ów drugi Harry stał obok i uśmiechał się szyderczo, szczerzył zęby i myślał, jakim to ja jestem dziwnym, pomylonym i zabłąkanym bratem, skoro jeszcze przed dwiema minutami z wściekłością szczerzyłem kły przeciw temu całemu przeklętemu światu, a teraz na pierwsze wezwanie, na pierwsze spokojne pozdrowienie jakiegoś szacownego poczciwca, wzruszony i nadgorliwy, mówię „tak" i „amen" i tarzam się jak prosię w rozkoszy z powodu odrobiny życzliwości, szacunku i uprzejmości. Tak więc naprzeciw grzecznego profesora stało dwóch Harrych, dwie wyjątkowo antypatyczne figury, wyszydzali się wzajemnie, obserwowali się nawzajem, pluli na siebie i — jak zawsze w takich sytuacjach — zadawali sobie pytania: czy to po prostu ludzka głupota i słabość, powszechne ludzkie przeznaczenie, czy też ten sentymentalny egoizm, brak charakteru, niechlujstwo i dwulicowość uczuć jest tylko specyficzną cechą wilka stepowego. Jeśli to bezeceństwo jest ogólnoludzkie, wówczas moja pogarda dla świata może się na nie rzucić ze wzmożoną siłą; jeśli natomiast jest tylko moją osobistą słabością, to stwarza okazję do orgii pogardy dla samego siebie.

Wobec kłótni obu Harrych profesor popadł prawie w niepamięć; nagle stał mi się znów natrętny i pilno mi było pozbyć się go. Długo patrzyłem za nim, jak odchodził ogołoconą z liści aleją, dobrodusznym i trochę śmiesznym kroczkiem idealisty, człowieka wierzącego. W mojej duszy toczyła się gwałtowna walka i podczas gdy zmagałem się z podstępnie drążącym mnie artretyzmem, machinalnie kurczyłem i prostowałem sztywne palce, musiałem przyznać, że dałem się otumanić, że wpakowałem sobie na kark zaproszenie na kolację o wpół do ósmej wieczorem wraz z obowiązkiem uprzejmości, naukowej gadaniny i obserwacji cudzego szczęścia rodzinnego. Wróciłem do domu zły, zmieszałem koniak z wodą, popiłem tym tabletki przeciwartretyczne, położyłem się na tapczanie i próbowałem czytać. Gdy wreszcie zdołałem się nieco wciągnąć w *Podróż Zofii z Kłajpedy do Saksonii*, urocze stare powieścidło z osiemnastego wieku, przypomniałem sobie nagle zaproszenie, nieogolony zarost i konieczność przebrania się. Bóg jeden wie, po co sobie tego piwa nawarzyłem! No, Harry, wstawaj, odłóż książkę, namydlij się, podrap sobie podbródek do krwi, ubierz się i ciesz się ludźmi! Kiedy się namydliłem, przyszedł mi na myśl ohydny gliniasty dół na cmentarzu do którego dziś spuszczono na sznurach nieznajomego, i wykrzywione twarze znudzonych „braci w Chrystusie", i jakoś nawet nie mogłem się z tego śmiać. Tam, myślałem, kończyło się wszystko, przy owym wstrętnym glinianym dole, przy głupich, zakłopotanych słowach kaznodziei, w obecności głupich, zakłopotanych min zebranych żałobników, w obliczu beznadziejnego widoku wszystkich tych krzyży i tablic z blachy i marmuru, w otoczeniu tych wszystkich sztucznych kwiatów z drutu i szkła, tam był kres nie tylko nieznajomego, tam będzie nie tylko jutro czy pojutrze również i mój kres, kiedy mnie zagrzebią, zakopią w błoto wśród zakłopotania i zakłamania uczestników, nie, tak kończyło się wszystko, wszelkie nasze dążenie, cała nasza kultura, wiara, cała nasza radość i chęć do życia, która jest tak bardzo chora i którą wkrótce też tam pogrzebią. Cmentarzem jest świat naszej kultury, tu Chrystus i Sokrates, Mozart i Haydn, Dante i Goethe byli już tylko ślepymi imionami na rdzewiejących blaszanych tablicach, otoczonymi przez zakłopotanych i zakłamanych żałobników, którzy dużo daliby za to, żeby móc jeszcze wierzyć w te blaszane tablice, niegdyś dla nich święte, którzy wiele daliby za to, żeby móc powiedzieć chociaż uczciwe, poważne słowo smutku i żałoby na temat tego zaginionego świata, i którym w zamian za to wszystko nie pozostało nic prócz wystawania nad czyimś grobem z zakłopotanym grymasem uśmiechu. Wściekły rozdrapałem sobie znów na brodzie wiecznie to samo miejsce i przez chwilę tamowałem krew, musiałem jednak mimo to raz jeszcze zmienić świeżo włożony kołnierzyk i absolutnie nie wiedziałem, po co to wszystko robię, gdyż nie miałem najmniejszej ochoty iść z tą wizytą. Ale jakaś cząstka Harry'ego znów grała komedię, nazywała profesora sympatycznym chłopem, tęskniła za odrobiną człowieczego zapachu, za pogawędką i towarzystwem, przypomniała sobie ładną żonę profesora, uznawała myśl o wieczorze u miłych gospodarzy w gruncie rzeczy za wcale obiecującą i pomogła mi przykleić angielski plaster na brodzie, ubrać się i zawiązać przyzwoity krawat, a w końcu łagodnie odwiodła mnie od przemożnej chęci pozostania w domu. Równocześnie myślałem: tak jak się teraz ubieram i wychodzę, odwiedzam profesora i wymieniam z nim mniej lub bardziej fałszywe grzeczności, przy tym czynię wszystko to bez właściwej chęci, tak postępuje, żyje i działa większość ludzi, dzień w dzień, godzina za godziną, z musu, wcale tego nie chcąc, składają wizyty, prowadzą rozmowy, odsiadują godziny w urzędach i biurach, wszystko z musu, mechanicznie, wbrew woli, choć równie dobrze mogłyby to wykonać lub tego nie wykonać maszyny; i ta wiecznie funkcjonująca mechanika nie pozwala im uprawiać, podobnie jak ja to czynię, krytyki własnego życia, poznawać i odczuwać jego głupoty i płytkości, jego szpetnie wykrzywionej problematyczności, jego beznadziejnego smutku i pustki. O tak, i ci ludzie mają po stokroć rację, że tak żyją, że rozgrywają swoje gierki, że uganiają się za swoimi rzekomo ważnymi sprawami, zamiast bronić się przed przygnębiającą mechaniką i rozpaczliwie spoglądać w próżnię, tak jak czynię to ja – człowiek wykolejony. Jeśli na tych kartkach niekiedy daję wyraz swej pogardzie wobec ludzi albo ich wyszydzam, to nie należy sądzić, że chciałbym ich obarczyć winą, oskarżyć i innych uczynić odpowiedzialnymi za moją osobistą biedę. Natomiast, skoro już zaszedłem tak daleko i stoję na krawędzi życia, gdzie pogrąża się ono w bezdenną ciemność, postępuję niesłusznie i kłamię, jeśli usiłuję łudzić siebie i innych, że i dla mnie jeszcze toczy się owa mechanika, że i ja należę jeszcze do tego powabnego, dziecinnego świata wiecznej zabawy.

Toteż i wieczór był odpowiednio osobliwy. Przed domem znajomego zatrzymałem się na chwilę i spojrzałem w górę na okna. A więc to tutaj mieszka ten człowiek, pomyślałem, i przez całe lata wykonuje swoją pracę, czyta i komentuje teksty, szuka powiązań między małoazjatyckimi i hinduskimi mitologiami i jest przy tym zadowolony, gdyż wierzy w wartość swej pracy, wierzy w naukę, której służy, wierzy w wartość czystej wiedzy, w celowość gromadzenia jej, wierzy bowiem w postęp, w rozwój. Nie brał udziału w wojnie, nie przeżył wywołanego przez Einsteina wstrząsu, który zachwiał dotychczasowymi podstawami myślenia (uważał, że to obchodzi tylko matematyków), nie widzi, że dokoła niego szykuje się druga wojna, uważa Żydów i komunistów za godnych nienawiści, jest dobrym, bezmyślnym, zadowolonym, biorącym siebie serio dzieckiem, któremu można pozazdrościć. Zdobyłem się na odwagę i wszedłem do mieszkania, przyjęła mnie służąca w białym fartuszku; wiedziony jakimś przeczuciem dokładnie zapamiętałem miejsce, gdzie zawiesiła mój płaszcz i kapelusz; zaprowadzono mnie do ciepłego, jasnego pokoju i poproszono, bym zaczekał, i zamiast odmawiać pacierze lub przespać się trochę, uległem chwilowej pokusie i wziąłem do ręki pierwszy z brzegu przedmiot, jaki mi się nawinął. Był to mały obrazek w ramkach, stojący na okrągłym stole w pozycji pochyłej dzięki sztywnej kartonowej podpórce. Był to sztych przedstawiający poetę Goethego jako wspaniale ufryzowanego starca o zdecydowanym, mocnym charakterze i pięknie wymodelowanym obliczu, w którym nie brakowało ani sławnego płomiennego oka, ani owego rysu z lekka po dworsku upiększonej samotności i tragizmu, co artysta uwydatnił ze szczególną pieczołowitością. Udało mu się nadać temu demonicznemu starcowi, bez szkody dla jego głębi, nieco profesorski czy aktorski rys opanowania i zacności, a wszystko razem ukształtować w wizerunek prawdziwego, pięknego, starszego pana, który może być ozdobą każdego mieszczańskiego domu. Przypuszczalnie obraz ten nie był gorszy od wszystkich innych tego rodzaju obrazów, od wykonanych przez pilnych rzemieślników słodkich Zbawicieli, apostołów, herosów, bohaterów ducha i mężów stanu, i być może obraz ten podziałał na mnie tak podniecająco jedynie dzięki pewnej wirtuozerii artysty; jakkolwiek by było, kokieteryjny i pełen zadowolenia z siebie konterfekt starego Goethego był dla mnie – i tak już dostatecznie rozdrażnionego i podminowanego – zaraz na wstępie fatalnym dysonansem i dowodem, że nie jestem na właściwym miejscu. Tutaj czuli się u siebie pięknie stylizowani dawni mistrzowie i narodowe wielkości, a nie wilki stepowe.

Gdyby teraz wszedł pan domu, pewnie udałoby mi się, pod możliwymi do przyjęcia pozorami, zawrócić.

Zjawiła się jednak jego żona, poddałem się więc losowi, choć przeczuwałem coś niedobrego. Przywitaliśmy się, po czym w ślad za pierwszym dysonansem nastąpiły dalsze. Pani domu winszowała mi dobrego wyglądu, gdy tymczasem wiedziałem aż nadto dobrze, jak bardzo się postarzałem w ciągu lat, dzielących nas od ostatniego widzenia; już przy uścisku dłoni ból w zartretyzowanych palcach fatalnie mi o tym przypomniał. Zapytała potem, jak się miewa moja urocza żona, na co musiałem odpowiedzieć, że żona mnie opuściła i że jesteśmy rozwiedzeni. Odetchnęliśmy z ulgą, kiedy wszedł profesor. On także przywitał mnie serdecznie, a niezręczność i komizm sytuacji znalazły niebawem najwspanialszy wyraz, jaki tylko można sobie wyobrazić. Profesor trzymał w ręku gazetę, którą prenumerował, organ militarystów i partii podżegaczy wojennych, a po przywitaniu się ze mną wskazał na pismo i oświadczył, że jest tu mowa o moim imienniku, publicyście Hallerze, który musi być jakimś podejrzanym typem, pozbawionym uczuć patriotycznych warchołem, wyśmiewa bowiem cesarza i opowiada się po stronie opinii utrzymującej, że jego własna ojczyzna nie mniej jest winna wybuchowi wojny niż kraje nieprzyjacielskie. Cóż to musi być za kreatura! No, ale temu łajdakowi wygarnęli, redakcja ostro rozprawiła się z tym szkodnikiem i postawiła go pod pręgierz. Kiedy jednak zauważył, że ten temat mnie nie interesuje, przeszliśmy do innych spraw; oboje ani przez chwilę nie pomyśleli, że ten potwór mógłby siedzieć naprzeciw nich, jednak tak było, bo tym potworem byłem ja. No, ale po co robić szum wokół siebie i niepokoić ludzi? Zaśmiałem się w duchu, ale straciłem już nadzieję, że tego wieczoru spotka mnie coś przyjemnego. Moment ten przypominam sobie dokładnie. W chwili bowiem, kiedy profesor mówił o zdrajcy ojczyzny Hallerze, zagęściło się we mnie uczucie depresji i rozpaczy, które od owej sceny pogrzebowej gromadziło się i ciągle potęgowało aż do wstrętnego ucisku, do fizycznie odczuwalnego bólu, do duszącego, pełnego lęku poczucia doniosłości owej chwili. Czułem, że coś na mnie czyhało, jakieś niebezpieczeństwo skradało się za moimi plecami. Na szczęście powiadomiono nas, że podano do stołu. Przeszliśmy do jadalni, ja zaś, siląc się ciągle, by powiedzieć coś zupełnie błahego lub o coś błahego zapytać, jadłem więcej niż zazwyczaj i z każdą chwilą czułem się coraz gorzej. Mój Boże, myślałem nieustannie, dlaczego my się tak wysilamy? Widziałem wyraźnie, że i moi gospodarze wcale nie czuli się dobrze, i że ożywienie przychodziło im z trudem, bądź dlatego że działałem tak paraliżująco, bądź też w domu nastąpiło jakieś nieporozumienie. Pytali mnie ciągle o sprawy, na które nie mogłem dać szczerej odpowiedzi, niebawem mocno zaplątałem się w kłamstwach i walczyłem z obrzydzeniem przy każdym słowie, w końcu, by zmienić temat, zacząłem opowiadać o pogrzebie, którego byłem dziś świadkiem. Ale nie trafiłem we właściwy ton, moje próby humoru działały przygnębiająco, oddalaliśmy się coraz bardziej od siebie, we mnie śmiał się wilk stepowy, szczerząc kły, a przy deserze byliśmy dość milczący.

Przeszliśmy do drugiego pokoju na kawę i likier w nadziei, że może to nas trochę pokrzepi. Niestety, tu znów rzucił mi się w oczy książę poetów, choć odstawiono go na komodę. Nie mogłem się od niego uwolnić, i mimo że słyszałem w sobie ostrzegawcze głosy, wziąłem znów portret do ręki i zacząłem się z nim rozprawiać. Byłem jakby opętany uczuciem, że sytuacja jest nie do zniesienia, że teraz uda mi się albo rozgrzać moich gospodarzy, porwać ich i nastroić na mój ton, albo doprowadzić do wybuchu.

– Miejmy nadzieję – powiedziałem – że Goethe w rzeczywistości tak nie wyglądał! Ta próżność i szlachetna poza, ta godność, z jaką kokietował czcigodne grono obecnych, i ten świat wdzięcznego sentymentalizmu pod pozorami męskości. Można mu zapewne wiele zarzucić, również i ja mam często coś do zarzucenia temu staremu pyszałkowi, ale przedstawiać go w taki sposób, nie, to naprawdę nie do przyjęcia.

Pani domu nalała nam kawy z wyrazem głębokiego cierpienia, po czym szybko opuściła pokój, a mąż wyjaśnił mi, na pół zakłopotany, na pół z wyrzutem, że ten portret Goethego należy do jego żony, która lubi go szczególnie. – A gdyby nawet pan obiektywnie miał rację, co zresztą kwestionuję, nie powinien był pan wyrażać się tak drastycznie.

– Ma pan słuszność – przyznałem. – Jest to niestety mój zwyczaj i moja wada, że zawsze decyduję się na określenie najbardziej skrajne, co zresztą czynił i Goethe w swoich dobrych chwilach. Ten słodki, mieszczańsko-salonowy Goethe nie użyłby nigdy, rzecz jasna, drastycznego, choć trafnego i bezpośredniego wyrazu. Bardzo pana i pańską żonę przepraszam... Proszę jej powiedzieć, że jestem schizofrenikiem. A zarazem proszę, aby mi wolno było się pożegnać.

Speszony pan domu podniósł wprawdzie jeszcze jakiś sprzeciw, znów zaczął mówić o tym, jak piękne i pobudzające były nasze dawne rozmowy, że moje hipotezy dotyczące Mitry i Kriszny zrobiły na nim wówczas głębokie wrażenie, że miał nadzieję również dziś... i tak dalej. Podziękowałem, mówiąc, że są to bardzo miłe słowa, że jednak niestety moje zainteresowanie Kryszną, a także chęć do naukowych dysput całkowicie minęły, że go dziś wielokrotnie okłamałem, bo na przykład nie przebywam w tym mieście od kilku dni, lecz od wielu miesięcy, żyję jednak zupełnie sam i nie nadaję się już do bywania w dobrych domach, gdyż po pierwsze, jestem stale w bardzo złym humorze i nęka mnie artretyzm, a po drugie, przeważnie jestem nietrzeźwy. Wreszcie, by już niczego nie ukrywać i przynajmniej nie odchodzić stąd jako kłamca, muszę czcigodnemu panu profesorowi oświadczyć, że mnie dziś dotkliwie obraził. Podziela bowiem niemądre i tępe stanowisko reakcyjnego pisma w stosunku do poglądów Hallera, stanowisko godne jakiegoś emerytowanego oficera, a nie uczonego. Tym bowiem „warchołem" i pozbawionym uczuć patriotycznych łajdakiem Hallerem jestem właśnie ja. I lepiej działoby się w naszym kraju i w świecie, gdyby przynajmniej tych kilku zdolnych do myślenia ludzi opowiedziało się za rozsądkiem i pokojem, zamiast ślepo i zaciekle przeć do nowej wojny. A teraz żegnam.

Podniosłem się, pożegnałem Goethego i profesora, porwałem moje rzeczy z wieszaka i uciekłem. Głośno wył w mojej duszy złośliwie uradowany wilk, potężny dramat rozgrywał się między obydwoma Harrymi. Uprzytomniłem sobie bowiem, że ten niemiły wieczór miał dla mnie daleko większe znaczenie niż dla oburzonego profesora; dla niego był rozczarowaniem i drobną przykrością, natomiast dla mnie był ostateczną porażką i ucieczką, był moim pożegnaniem z mieszczańskim, moralnym i uczonym światem, był pełnym zwycięstwem wilka stepowego. Żegnałem się jak zbieg i pokonany, była to deklaracja bankructwa wobec siebie samego, pożegnanie beznadziejne i niewesołe. Żegnałem się z moim dawnym światem i ojczyzną, z mieszczaństwem, obyczajem, uczonością tak samo, jak człowiek cierpiący na wrzód żołądka żegna się z wieprzową pieczenią. Wściekły biegłem pod latarniami, wściekły i śmiertelnie smutny. Jakiż to był beznadziejny, zawstydzający, zły dzień, od rana do wieczora, od cmentarza aż do sceny z profesorem! Po co? Dlaczego? Czy jest sens zwalać sobie na głowę jeszcze więcej takich dni i łykać jeszcze więcej takich zup? Nie! I wobec tego dziś w nocy położę kres tej komedii. Idź do domu, Harry, i poderżnij sobie gardło! Dość długo z tym zwlekałeś.

Przebiegałem ulice gnany swoją biedą. Rzecz jasna, postąpiłem głupio i niegrzecznie, opluwając tym poczciwym ludziom ozdobę ich salonu, ale nie mogłem, po prostu nie mogłem inaczej, nie mogłem dłużej znieść tego obłaskawionego, zakłamanego, grzecznego życia. A że, jak się zdawało, nie mogłem też dłużej znieść samotności, ponieważ i moje własne towarzystwo stało mi się niewypowiedzianie nienawistne i wstrętne, ponieważ bezsilnie miotałem się w pustce mego piekła, dusząc się, jakież więc pozostawało wyjście? Nie było żadnego. Ojcze, matko, o dalekie święte ognie mej młodości, o wy, tysiączne radości, prace i cele mojego życia! Nic mi nie pozostało z tego wszystkiego, nawet skrucha, tylko wstręt i ból. Zdawało mi się, że nigdy dotąd sam przymus życia nie bolał mnie tak dotkliwie, jak w tej godzinie.

Wypocząłem chwilę w obskurnej knajpie podmiejskiej, napiłem się wody i koniaku, pobiegłem znów dalej poganiany przez diabła, stromymi krzywymi uliczkami Starego Miasta, w górę i w dół, przez aleje na plac dworcowy. Wyjechać!, myślałem, wszedłem na dworzec, wpatrywałem się w rozwieszone na ścianach rozkłady jazdy, wypiłem trochę wina, próbowałem się opanować. Coraz bliżej, coraz wyraźniej widziałem upiora, którego się bałem. Był nim mój powrót do domu, powrót do mego pokoju, przymus milczenia wobec rozpaczy! Tego nie uniknę, nawet gdybym wiele godzin biegał po mieście, nie uniknę powrotu do mych drzwi, do stołu z książkami, do tapczanu z zawieszoną nad nim fotografią mojej kochanki, nie uniknę chwili, gdy trzeba będzie naostrzyć brzytwę i poderżnąć sobie gardło. Coraz wyraźniej miałem ten obraz przed oczyma i coraz wyraźniej, z obłędnie bijącym sercem, czułem najgorszy ze wszystkich strach przed śmiercią! O tak, straszliwie bałem się śmierci. Chociaż nie widziałem innego wyjścia, chociaż piętrzyły się wokół mnie wstręt, ból i rozpacz, chociaż nic mnie nie nęciło i nic nie było w stanie sprawić mi przyjemności czy wzbudzić we mnie nadziei, to jednak straszliwie bałem się unicestwienia, tego ostatniego momentu, tego zimnego, rozdzierającego ciosu we własne ciało!

Nie widziałem żadnej drogi ucieczki przed tym koszmarem. Gdyby nawet w walce między rozpaczą a tchórzostwem zwyciężyło dzisiaj tchórzostwo, to jutro i każdego dnia na nowo stanie przede mną rozpacz, do tego spotęgowana pogardą dla samego siebie. Tak długo będę brał nóż do ręki i znów go odrzucał, aż w końcu przecież kiedyś się to stanie. Wobec tego lepiej już dziś! Rozsądnie dodawałem sobie otuchy, jak zalęknionemu dziecku, ale dziecko nie słuchało, uciekało, chciało żyć. Rozdygotany, gnałem dalej przez miasto, szerokim łukiem okrążając moje mieszkanie, mając stale na myśli powrót do domu i ciągle go odwlekając. Tu i ówdzie zahaczałem o jakąś knajpę na kieliszek lub dwa, po czym gnało mnie dalej, w szerokim łuku wokół celu, wokół brzytwy, wokół śmierci. Śmiertelnie znużony siadałem od czasu do czasu na ławce, na brzegu studni, na kamieniu, słuchałem bicia własnego serca, ocierałem pot z czoła, biegłem znów dalej pełen śmiertelnego strachu i palącej tęsknoty za życiem.

Późną nocą, na odległym i mało znanym przedmieściu, zaciągnęło mnie coś do gospody, za której oknami rozbrzmiewała głośna muzyka taneczna. Wchodząc, odczytałem nad drzwiami stary szyld: „Pod Czarnym Orłem". Wewnątrz odbywała się swobodna nocna zabawa, panował hałaśliwy zgiełk ludzki, pełno było dymu, winnych oparów i wrzasku, w tylnej zaś sali tańczono, tam szalała muzyka. Zatrzymałem się w pierwszym pomieszczeniu, gdzie zbierali się prości, po części skromnie ubrani ludzie, gdy w tyle, w sali dansingowej, można było dostrzec również eleganckie postacie. Popychany przez tłum, znalazłem się przy stoliku obok bufetu, ładna blada dziewczyna siedziała tam na ławce przy ścianie, w lekkiej, głęboko wyciętej wieczorowej sukience, ze zwiędłym kwiatem we włosach. Widząc, że się zbliżam, dziewczyna spojrzała na mnie z uwagą i przyjaźnie, po czym uśmiechając się, posunęła się trochę na bok, by mi zrobić miejsce.

– Czy można? – zapytałem i usiadłem obok niej.

– Oczywiście, że możesz – powiedziała. – A kim ty właściwie jesteś?

– Dziękuję – powiedziałem – nie mogę absolutnie iść do domu, nie mogę, chcę tu zostać, przy pani, jeśli pani pozwoli. Nie, nie mogę iść do domu.

Skinęła głową, jak gdyby mnie rozumiała, a podczas tego jej ruchu obserwowałem loczek, który z czoła spadał jej koło ucha; spostrzegłem też, że zwiędły kwiat był kamelią. Z drugiej sali grzmiała muzyka, przy bufecie kelnerki spiesznie wykrzykiwały zamówienia.

– No to zostań tutaj – powiedziała tonem, który sprawił mi ulgę. – Dlaczego nie możesz iść do domu?

– Nie mogę, w domu na mnie coś czeka... nie, nie mogę, to zbyt straszne.

– No to niech sobie czeka, a ty zostań tutaj. Pozwól, przetrę ci okulary, przecież nic nie widzisz. Dobrze, daj chusteczkę. Czego się napijemy? Burgunda?

Przetarła mi okulary; teraz dopiero zobaczyłem ją dokładnie – bladą, wyrazistą twarz, usta uszminkowane krwistą czerwienią, jasne, szare oczy, gładkie, chłodne czoło i krótki, mocno skręcony loczek nad uchem. Poczciwie i trochę kpiąco zajęła się moją osobą, zamówiła wino, trąciła się ze mną kieliszkiem, przy czym zerknęła w dół na moje buty.

– O mój Boże, gdzieżeś ty był, wyglądasz tak, jakbyś piechotą przyszedł z Paryża. Przecież tak się nie przychodzi na zabawę.

Powiedziałem tak i nie, śmiałem się trochę, pozwoliłem jej mówić, podobała mi się bardzo, co mnie zdziwiło, gdyż jak dotąd unikałem młodych dziewcząt i patrzyłem na nie raczej z nieufnością. Ale ta była dla mnie w tej chwili taka, jakiej potrzebowałem – i odtąd zawsze już była taka. Oszczędzała mnie, gdy mi to było potrzebne, kpiła ze mnie, gdy zachodziła potrzeba. Zamówiła kanapkę i kazała mi jeść. Nalała mi wina i kazała mi pić, ale nie za szybko. Potem pochwaliła mnie za posłuszeństwo.

– Jesteś zuch – mówiła zachęcająco – nie sprawiasz trudności, załóżmy się, że już wiele czasu minęło od chwili, kiedy po raz ostatni musiałeś kogoś słuchać.

– Tak, wygrała pani zakład. Skąd pani o tym wie?

– To nie sztuka. Posłuszeństwo jest jak jedzenie i picie... Kto od niego odwykł, temu przychodzi z łatwością. Chętnie mnie słuchasz, prawda?

– Bardzo chętnie. Pani wie wszystko.

– Z tobą nie ma kłopotu, przyjacielu. Może potrafiłabym ci nawet powiedzieć, co czeka na ciebie w domu i czego się tak boisz. Ale ty sam wiesz to najlepiej, więc nie musimy o tym mówić, prawda? Głupia sprawa! Albo się ktoś wiesza, no to się wiesza, z pewnością ma po temu powód. Albo ktoś jeszcze żyje, to niech się troszczy o swoje życie. Nic prostszego.

– Ach – zawołałem – gdyby to było takie proste! Dość natroszczyłem się o moje życie i nic z tego nie wyszło. Powiesić się to może trudne, nie wiem. Ale żyć jest o wiele trudniej! Bóg jeden wie, jak trudno!

– Zobaczysz, że jest dziecinnie łatwo. Zrobiliśmy już pierwszy krok, przetarliśmy okulary, zjadłeś i wypiłeś. Teraz pójdziemy oczyścić twoje spodnie i buty, wymagają tego. A potem zatańczysz ze mną shimmy.

– Widzi pani – zawołałem skwapliwie – że jednak miałem rację! Nic nie jest dla mnie bardziej przykre, niż nie móc spełnić jakiegoś pani życzenia. Ale tego spełnić nie mogę. Nie umiem tańczyć shimmy ani walca, ani polki czy też jak tam się te wszystkie tańce nazywają, nigdy w życiu nie uczyłem się tańczyć. Więc widzi pani teraz, że nie wszystko jest takie proste, jak się pani wydaje.

Piękna dziewczyna uśmiechnęła się krwistoczerwonymi ustami i potrząsnęła rezolutną, chłopięco uczesaną główką. Kiedy na nią patrzyłem, zdawało mi się, że podobna jest do Róży Kreisler, pierwszej dziewczyny, w której zakochałem się niegdyś jako chłopiec, ale tamta była smagła i ciemnowłosa. Nie, nie wiedziałem, kogo mi przypomina ta obca dziewczyna, wiedziałem tylko, że kogoś z bardzo wczesnej młodości, z chłopięcych lat.

– Powoli – zawołała – powoli! A więc nie umiesz tańczyć? W ogóle nie umiesz? Ani nawet one-stepa? A jednocześnie twierdzisz, że Bóg wie, ile trudu zadałeś sobie z życiem! Blagowałeś, mój chłopcze, w twoim wieku już się tego nie robi. Jak możesz mówić, że natrudziłeś się życiem, skoro nawet tańczyć nie chcesz?

– Bo nie umiem! Nigdy się tego nie uczyłem. – Śmiała się.

– Ale czytać i pisać się uczyłeś, prawda, i rachować, a prawdopodobnie także łaciny i francuskiego, i innych takich rzeczy! Założę się, że z dziesięć albo dwanaście lat przesiedziałeś w szkole, a jeszcze potem gdzieś studiowałeś, może nawet masz tytuł doktora i umiesz po chińsku albo po hiszpańsku. No, mam rację? Ale tej odrobiny czasu i pieniędzy na parę lekcji tańca nie znalazłeś! Wiadomo!

– To moi rodzice kazali mi się uczyć łaciny, greki i Bóg wie czego jeszcze – usprawiedliwiałem się. – Ale tańczyć mnie nie nauczyli; to u nas nie było w zwyczaju, rodzice sami nigdy nie tańczyli.

Spojrzała na mnie chłodno, pełna pogardy, a z jej twarzy przemówiło znowu coś, co przypomniało mi wczesną młodość.

– Ach tak, więc twoi rodzice są winni! A czy pytałeś ich również, czy wolno ci dziś wieczorem pójść do „Czarnego Orła"? Pytałeś się? Mówisz, że już dawno umarli. No, to trudno! Jeśli za młodu byłeś aż tak posłuszny, że nie chciałeś się uczyć tańczyć... Niech i tak będzie! Choć nie wierzę, żebyś wtedy był takim wzorem posłuszeństwa. Ale później... co robiłeś przez wszystkie następne lata?

— Ach — wyznałem — sam już nie pamiętam. Studiowałem, uprawiałem muzykę, czytałem i pisałem książki, podróżowałem...

— Masz dziwne poglądy na życie! Zawsze robiłeś rzeczy trudne i skomplikowane, a tych prostych wcale się nie uczyłeś? Nie było czasu? Ochoty? Niech i tak będzie, Bogu dzięki, nie jestem twoją matką. Ale zachowywać się potem tak, jakbyś życie poznał do dna i niczego szczególnego w nim nie znalazł, to nie jest w porządku!

— Niech się pani nie gniewa — prosiłem. — Ja wiem, że jestem zwariowany.

— E, daj spokój z tą twoją melodią! Wcale nie jesteś zwariowany, profesorze, jesteś nawet, jak na mój gust, o wiele za mało zwariowany. Mam wrażenie, że jesteś w jakiś głupi sposób mądry, akurat jak profesor. Proszę, zjedz jeszcze jedną kanapkę. Potem będziesz opowiadał dalej.

Postarała się o jeszcze jedną tartinkę, posoliła ją, posmarowała trochę musztardą, odkroiła kawałek dla siebie i kazała mi jeść. Jadłem. Uczyniłbym wszystko, co by mi kazała zrobić, z wyjątkiem tańca. Było mi tak bardzo przyjemnie być komuś posłusznym, siedzieć przy kimś, kto mnie wypytywał, kto mi rozkazywał i mnie łajał.

Gdyby profesor albo jego żona przed paroma godzinami postąpili ze mną w podobny sposób, oszczędziliby mi wiele. Ale nie, dobrze się stało, inaczej dużo bym stracił!

– Jak ty właściwie masz na imię? – spytała nagle.

– Harry.

– Harry? To imię chłopięce! No i jesteś chłopcem, Harry, mimo tych kilku siwych pasemek we włosach. Jesteś małym chłopcem i powinieneś mieć kogoś, kto by o ciebie dbał. O tańcach nic już nie powiem. Ale jakąż ty masz fryzurę! Czy nie masz żony albo kochanki?

– Nie mam już żony, jesteśmy rozwiedzeni. Kochankę mam, ale nie mieszka tutaj, widuję ją rzadko i nie bardzo się zgadzamy.

Gwizdnęła cicho przez zęby.

– Widocznie jesteś trudnym jegomościem, jeśli żadna nie może przy tobie wytrzymać. Ale teraz powiedz: co szczególnego zdarzyło się dziś wieczorem, że jak widmo biegałeś po świecie? Miałeś awanturę? Przegrałeś pieniądze?

Trudno mi było odpowiedzieć.

– Widzi pani – zacząłem – to była właściwie drobnostka. Zaproszono mnie do pewnego profesora... ale ja sam nie jestem profesorem... i właściwie nie powinienem był tam pójść, nie jestem przyzwyczajony do siedzenia u ludzi i do gawędzenia, oduczyłem się tego. Już wchodząc do tego domu, miałem uczucie, że to się źle skończy... A kiedy wieszałem na kołku kapelusz, od razu przyszło mi na myśl, że może niedługo będę go znów potrzebował. No i u tego profesora stał na stole taki głupi obrazek, który mnie zdenerwował...

– Cóż to za obrazek? Dlaczego cię zdenerwował? – przerwała mi.

– Obrazek przedstawiał Goethego... wie pani, poetę Goethego. Ale na portrecie nie wyglądał tak, jak w rzeczywistości... Właściwie w ogóle nie wiadomo dokładnie, jak wyglądał, nie żyje od stu lat. Ale pewien współczesny malarz ufryzował Goethego tak, jak sobie go wyobrażał, i ten portret denerwował mnie i budził we mnie wstręt... nie wiem, czy pani to rozumie?

– Nie obawiaj się, rozumiem to doskonale. Co dalej?

– Już dawniej nie zawsze zgadzałem się z profesorem; jest on, jak prawie wszyscy profesorowie, wielkim patriotą i w czasie wojny dzielnie pomagał w okłamywaniu narodu... oczywiście w najlepszej wierze. Ja natomiast jestem przeciwnikiem wojny. No, ale wszystko jedno. Jedźmy dalej. Właściwie wcale nie musiałem patrzeć na ten wizerunek.

– Oczywiście, że nie.

– Ale po pierwsze, było mi przykro ze względu na Goethego, który jest mi naprawdę bardzo drogi, a potem było tak, że pomyślałem... to jest myślałem albo czułem mniej więcej tak: siedzę tu u ludzi, których uważam za równych sobie i którzy – jak sądziłem – kochają Goethego podobnie jak i ja, mają o nim podobne wyobrażenie jak ja, a tymczasem stoi u nich ten niesmaczny, zafałszowany, przesłodzony portret, a oni uważają, że jest wspaniały; nie spostrzegają wcale, że duch tego portretu jest dokładnym przeciwieństwem ducha Goethego. Uważają ten obraz za nadzwyczajny, niech sobie nawet tak uważają... Ale w tejże chwili straciłem do tych ludzi całe zaufanie, całą dla nich przyjaźń i całe uczucie powinowactwa i wspólnoty. Zresztą przyjaźń i tak nie była wielka. Zezłościłem się wtedy i posmutniałem, widziałem, że jestem zupełnie sam i że nikt mnie nie rozumie. Pojmuje to pani?

– Harry, to nie trudno pojąć. Oczywiście. A potem? Cisnąłeś im tym obrazkiem w głowę?

– Nie, nawymyślałem im i uciekłem, chciałem wrócić do domu, ale...

– Ale tam nie było mamy, która pocieszyłaby głupiego chłopaczka i wyłajała. No cóż, Harry, żal mi ciebie, jesteś dzieciakiem, jakich mało.

Zapewne, musiałem to przyznać. Podała mi kieliszek wina. Rzeczywiście była dla mnie jak matka. Jednocześnie widziałem jednak chwilami, jaka jest piękna i młoda.

— A więc — zaczęła znów — Goethe umarł przed stu laty, a Harry bardzo go lubi i stwarza sobie cudowne wyobrażenie o tym, jak on mógł wyglądać, i Harry ma do tego prawo, prawda? Ale malarz, który też zachwyca się Goethem i stwarza sobie jego obraz, nie ma do tego prawa i profesor też nie, i w ogóle nikt, gdyż Harry'emu to nie odpowiada, on tego nie znosi, więc wymyśla i ucieka! Gdyby Harry był rozsądny, śmiałby się po prostu z malarza i z profesora. Gdyby był obłąkany, cisnąłby im Goethego w twarz. A że jest tylko małym chłopcem, więc biegnie do domu i chce się wieszać... Chyba dobrze zrozumiałam twoją historię, Harry. To zabawna historia. Śmieszy mnie. Stop, nie pij tak prędko! Burgunda pije się powoli, inaczej za bardzo rozgrzewa. Ale tobie, mój mały, trzeba wszystko powiedzieć.

Jej spojrzenie było surowe i strofujące, jak spojrzenie sześćdziesięcioletniej guwernantki.

— Proszę, proszę — powiedziałem zadowolony — niech mi pani mówi wszystko.

— Co mam ci powiedzieć?

— Wszystko, co pani może.

— Dobrze, powiem ci wszystko. Od godziny słyszysz, że mówię do ciebie ty, a ty ciągle mówisz do mnie pani. Zawsze łacina i greka, zawsze jak najwięcej komplikacji! Jeżeli jakaś dziewczyna mówi do ciebie ty i jeżeli ci nie jest niemiła, powinien byś też do niej mówić ty. No, to już się czegoś douczyłeś. A po drugie: od pół godziny wiem, że masz na imię Harry. Wiem, bo cię o to zapytałam. Ale ty nie chcesz wiedzieć, jak ja mam na imię.

– Ależ tak, bardzo chcę wiedzieć.

– Za późno, mój drogi! Jeśli się kiedyś znów spotkamy, będziesz mógł zapytać. Dziś ci już tego nie powiem. A teraz chcę tańczyć.

Ponieważ zrobiła taki ruch, jak gdyby chciała wstać, prysnął nagle mój nastrój, ogarnął mnie lęk, że odejdzie i zostawi mnie samego, a wtedy wszystko znów będzie tak, jak przedtem. I podobnie jak zagłuszony chwilowo ból zęba nagle znów powraca i piecze jak ogień, w jednej chwili wróciły do mnie strach i groza. O Boże, czyż mógłbym zapomnieć, co mnie czeka? Czyżby się coś zmieniło?

– Stój – zawołałem błagalnie – niech pani... nie odchodź! Oczywiście, że możesz tańczyć, ile zechcesz, ale nie każ mi czekać za długo, wracaj!

Stała, śmiejąc się. Wyobrażałem sobie, że w pozycji stojącej jest wyższa, była smukła, ale nie wysoka.

Znów przypominała mi kogoś... ale kogo? Nie mogłem odgadnąć.

– Wrócisz?

– Wrócę, ale to może potrwać dobrą chwilę, pół godziny, a może i godzinę. Powiem ci coś: zamknij oczy i prześpij się trochę; dobrze ci to zrobi.

Przepuściłem ją i poszła; spódniczką musnęła moje kolana, już idąc, spojrzała w okrągłe maleńkie lusterko kieszonkowe, uniosła brwi, przetarła sobie podbródek miniaturowym puszkiem i zniknęła w sali tanecznej. Rozejrzałem się dokoła: obce twarze, palący mężczyźni, rozlane piwo na marmurowym stole, wszędzie krzyk i zgiełk, obok muzyka taneczna. Mam spać, powiedziała. Ach, moje dziecko, czy ty masz pojęcie o moim śnie, płochliwszym od łasicy! Spać w tym rozgardiaszu, siedząc przy stole, wśród brzęku kufli? Łyknąłem wina, wyciągnąłem z kieszeni cygaro, poszukałem zapałek, ale wcale nie miałem ochoty palić, położyłem więc cygaro przed sobą na stole. „Zamknij oczy", powiedziała mi. Bóg raczy wiedzieć, skąd ta dziewczyna ma taki niski, dobry, macierzyński głos. Przyjemnie było słuchać takiego głosu, doświadczyłem tego na sobie. Posłusznie zamknąłem oczy, oparłem głowę o ścianę, słyszałem szalejące wokół mnie setki gwałtownych dźwięków, uśmiechałem się na myśl o spaniu w tym miejscu, postanowiłem podejść do drzwi i rzucić okiem na salę taneczną – musiałem przecież zobaczyć, jak tańczy moja piękna dziewczyna – poruszyłem nogami przed krzesłem i dopiero teraz poczułem, jak śmiertelnie jestem zmęczony po tym wielogodzinnym błądzeniu, i nie ruszyłem się z miejsca. Po chwili już spałem, posłuszny matczynemu rozkazowi, spałem chciwie, pełen wdzięczności i śniłem jaśniej i piękniej niż kiedykolwiek.

Śniło mi się, że siedzę i czekam w staroświeckim przedpokoju. Najpierw wiedziałem tylko tyle, że jestem zameldowany gdzieś u ekscelencji, potem przypomniałem sobie, że to przecież pan von Goethe ma mnie przyjąć. Niestety, byłem tutaj w charakterze niezupełnie prywatnym, lecz jako korespondent pisma, co mi bardzo nie odpowiadało, i nie mogłem pojąć, jaki diabeł wpędził mnie w taką sytuację. Poza tym niepokoił mnie skorpion, który przed chwilą był jeszcze widoczny i usiłował wspiąć się po mojej nodze. Otrząsnąłem się wprawdzie i broniłem przed tym małym, czarnym, pełzającym stworzeniem, nie wiedziałem jednak, gdzie ono teraz tkwi, i nie miałem odwagi sięgnąć gdziekolwiek.

Nie byłem również pewny, czy przez pomyłkę nie zameldowano mnie, zamiast u Goethego, u Matthsona, którego jednak we śnie pomyliłem z Bürgerem, gdyż jemu przypisywałem wiersze do Molly. Zresztą spotkanie z Molly byłoby bardzo po mojej myśli, wyobrażałem sobie, że jest cudowna, miękka, muzykalna, „wieczorowa". Ach, gdybym nie siedział tu na zlecenie tej przeklętej redakcji! Moja niechęć wzmagała się coraz bardziej i przenosiła się powoli również na Goethego, w odniesieniu do którego miałem nagle najróżniejsze zastrzeżenia i zarzuty. Ładna to będzie audiencja! Natomiast skorpion, choć niebezpieczny i prawdopodobnie ukryty w mojej bezpośredniej bliskości, może nie był taki groźny; zdawało mi się, że może równie dobrze oznaczać coś przyjaznego, a nawet mieć coś wspólnego z Molly, może jest czymś w rodzaju jej wysłannika lub jej zwierzęcia heraldycznego, pięknego, niebezpiecznego godła kobiecości i grzechu. Czy to zwierzę nie mogłoby się nazywać na przykład Vulpius? Ale w tejże chwili służący otworzył drzwi, podniosłem się i wszedłem do sali.

Stał tutaj stary Goethe, bardzo sztywny, i oczywiście miał okazałą gwiazdę orderową na swej piersi klasyka. Wciąż jeszcze zdawał się panować, wciąż przyjmować audiencje, wciąż jeszcze kontrolować świat z wyżyn swego weimarskiego muzeum. Zaledwie mnie zauważył, kiwnął głową jak stary kruk i odezwał się uroczyście:

– No cóż, wy młodzi ludzie, zdaje się, nie bardzo zgadzacie się z nami i naszymi dążeniami?

– Słusznie – powiedziałem na wskroś zmrożony jego ministerialnym spojrzeniem. – My młodzi ludzie w istocie nie zgadzamy się z panem, mistrzu. Jest pan dla nas zbyt uroczysty, ekscelencjo, zbyt próżny i pyszałkowaty, a za mało szczery. To chyba najistotniejsze: za mało szczery.

Mały, stary człowieczek wysunął nieco ku przodowi swoją surową głowę i podczas gdy jego twarde, urzędowo zaciśnięte usta rozluźniły się w lekkim uśmieszku i cudownie ożyły, zabiło mi nagle serce, gdyż przypomniałem sobie wiersz *Dämmerung senkte sich von oben*, i że jest to ten człowiek i te usta, z których wyszły słowa tego wiersza. Właściwie byłem w tej chwili już całkowicie rozbrojony i pokonany, a najchętniej ukląkłbym przed nim. Ale trzymałem się dzielnie i usłyszałem z jego uśmiechniętych ust następujące pytania: – A więc zarzucacie mi nieszczerość? A cóż to za słowa! Czy nie zechciałby pan wyrazić się jaśniej?

Owszem, chciałem tego, nawet bardzo.

– Panie von Goethe, poznał pan dokładnie i wyczuł – podobnie jak wszystkie wielkie umysły – problematyczność i beznadziejność ludzkiego życia: wspaniałość chwili i jej nędzne przekwitanie, niemożność okupienia pięknej wzniosłości uczucia inaczej jak więzieniem codzienności, trwającym w wiecznej, śmiertelnej walce z równie palącą i równie świętą miłością do utraconej niewinności natury, poznał pan to całe straszliwe błądzenie w pustce i w niepewności, to skazanie na przemijanie, stałą połowiczność, wieczne próbowanie i dyletantyzm – słowem, całą beznadziejność, dziwaczność i palącą rozpacz ludzkiego bytu. To wszystko nie było panu obce, nawet tu i ówdzie przyznawał się pan do tego, a przecież całym swoim życiem dawał pan świadectwo czemuś wręcz przeciwnemu, głosił pan wiarę i optymizm, łudził pan siebie i innych trwałością i sensownością naszych duchowych wysiłków. Wyznawców głębi i głosy zrozpaczonej prawdy odrzucał pan i tłumił, zarówno w sobie, jak u Kleista i u Beethovena. Dziesiątki lat postępował pan tak, jak gdyby gromadzenie wiedzy i zbiorów, pisanie i kolekcjonowanie listów, i cała pańska starcza egzystencja w Weimarze były istotnie drogą do uwiecznienia chwili, którą pan mógł przecież tylko zmumifikować, drogą do uduchowienia natury, którą pan mógł przecież tylko wystylizować na maskę. Oto nieszczerość, którą panu zarzucamy.

Stary radca tajny spojrzał mi w zamyśleniu w oczy, jego usta jeszcze ciągle się uśmiechały.

Potem ku memu zdumieniu zapytał: – W takim razie nie znosi pan *Czarodziejskiego fletu* Mozarta?

I zanim zdążyłem zaprotestować, ciągnął dalej: – *Czarodziejski flet* przedstawia życie jako wspaniałą pieśń, wielbi nasze przemijające przecież uczucia jako coś wiecznego i boskiego, nie przyklaskuje ani panu Kleistowi, ani panu Beethovenowi, lecz głosi optymizm i wiarę.

– Wiem! – wołałem z wściekłością. – Nie wiadomo, jakim cudem wpadł pan akurat na *Czarodziejski flet*, który jest dla mnie czymś najdroższym w świecie! Ale Mozart nie doczekał osiemdziesięciu dwu lat i nigdy w swym osobistym życiu nie miał pretensji do trwania, do ładu, do napuszonej godności jak pan! Nigdy się nie pysznił! Śpiewał swe boskie melodie i umarł młodo, biedny i niedoceniony.

Traciłem oddech. Tysiące spraw należało ująć teraz w kilku słowach. Pot wystąpił mi na czoło.

Ale Goethe powiedział bardzo uprzejmie: – Że przeżyłem osiemdziesiąt dwa lata, jest, być może, rzeczywiście nie do wybaczenia. Lecz miałem z tego znacznie mniej przyjemności, niż się panu wydaje. Ma pan rację: zawsze przepełniało mnie wielkie pragnienie trwania, zawsze lękałem się śmierci i zwalczałem ją. Sądzę, że walka ze śmiercią, że absolutna i uparta chęć życia jest popędem, dzięki któremu działali i żyli wszyscy wybitni ludzie. Że w końcu musi się jednak umrzeć, tego, mój młody przyjacielu, moimi osiemdziesięcioma dwoma latami dowiodłem równie przekonywająco, jak gdybym umarł jako uczniak. Jeśliby to mogło mnie usprawiedliwić, to chciałbym dodać, że w mojej naturze było wiele z dziecka, wiele ciekawości, chęci do zabawy i wiele zamiłowania do marnotrawienia czasu. Przyznaję, że trwało to nieco długo, zanim zrozumiałem, że kiedyś zabawa musi się skończyć.

Mówiąc to, uśmiechnął się przebiegle, wręcz po szelmowsku. Jego postać stała się większa, zniknęła sztywna postawa i kurczowa godność na obliczu. Powietrze wokół nas wypełniło się teraz mnóstwem melodii, mnóstwem pieśni Goethego, słyszałem wyraźnie *Veilchen* Mozarta i *Füllest wieder Busch und Tal* Schuberta. A twarz Goethego była teraz różowa i młoda; śmiał się i był podobny bądź do Mozarta, bądź do Schuberta, jak brat, a gwiazda na jego piersi składała się z samych polnych kwiatów; z jej środka wykwitał wesoło i bujnie żółty pierwiosnek.

Niezupełnie mi odpowiadało, że ten stary człowiek chciał w tak żartobliwy sposób wymigać się od moich pytań i oskarżeń, więc spojrzałem na niego z wyrzutem. Wtedy pochylił się naprzód, przyłożył swoje zupełnie już zdziecinniałe usta do mego ucha i szepnął cichutko: – Mój chłopcze, bierzesz starego Goethego nazbyt poważnie. Starych ludzi, którzy już umarli, nie należy brać poważnie, gdyż wyrządza się im krzywdę. My, nieśmiertelni, nie lubimy poważnego traktowania, lubimy żart. Powaga, mój chłopcze, jest sprawą czasu; powstaje ona – tyle chcę ci zdradzić – z przeceniania czasu. Również i ja przeceniałem niegdyś wartość czasu, dlatego chciałem dożyć stu lat. W wieczności, widzisz, czas nie istnieje; wieczność jest mgnieniem oka, w sam raz długim na żart.

Rzeczywiście, nie można już było z tym człowiekiem zamienić poważnego słowa, podrygiwał w górę i w dół, zadowolony i giętki, przy czym pierwiosnek w gwieździe bądź strzelał w górę jak rakieta, bądź malał i nikł. Kiedy tak się popisywał tanecznymi krokami i figurami, pomyślałem sobie, że ten człowiek przynajmniej nie zaniedbał nauki tańca. Tańczył wspaniale. Wtem przypomniał mi się znów skorpion albo raczej Molly, więc zawołałem do Goethego:

— Proszę pana, czy nie ma tu Molly?

Goethe roześmiał się głośno. Podszedł do stołu, wysunął szufladę, wyjął stamtąd kosztowną skórzaną czy aksamitną szkatułkę, otworzył ją i podsunął mi przed oczy. Leżała w niej, na ciemnym pluszu, mała, kształtna, połyskująca, miniaturowa nóżka kobieca, nóżka zachwycająca, w kolanie zgięta, ze skierowaną w dół stopą, ostro zakończoną delikatnymi paluszkami.

Wyciągnąłem rękę, chcąc wziąć sobie tę małą nóżkę, w której od razu się zakochałem, ale kiedy sięgnąłem po nią dwoma palcami, zabawka jakby drgnęła i zaczęła się poruszać, nagle zrodziło się we mnie podejrzenie, że to może skorpion. Goethe zdawał się to rozumieć, a nawet jakby świadomie pragnąć mego głębokiego zakłopotania, tej dotkliwej rozterki pożądania i lęku. Podsunął mi uroczego skorpionika tuż pod nos, widział, że go pragnę i że się przed nim wzdragam; zdawało się, że staremu wydze sprawia to wielką przyjemność. Podczas gdy się tak ze mną droczył tym wdzięcznym, niebezpiecznym przedmiotem, stał się znów zupełnie starym, prastarym, tysiącletnim człowiekiem o śnieżnosiwych włosach, a jego zwiędła, zgrzybiała twarz śmiała się cicho i bezgłośnie, śmiała się mocno do swego wnętrza z jakimś otchłannym, starczym humorem.

Gdy się zbudziłem, zapomniałem o śnie, przypomniał mi się dopiero później. Spałem chyba z godzinę przy stoliku restauracyjnym, wśród muzyki i hałasu; nie przypuszczałem nigdy, że to możliwe. Moja urocza dziewczyna stała przede mną, trzymając rękę na moim ramieniu.

– Daj mi dwie albo trzy marki – powiedziała. – Zjadłam tam coś niecoś.

Dałem jej moją portmonetkę, odeszła z nią i wróciła niebawem.

– Teraz mogę jeszcze chwilkę posiedzieć z tobą, potem muszę mów odejść, umówiłam się z kimś.

Przeraziłem się. – Z kim? – zapytałem pospiesznie.

– Z jednym panem, mój mały. Zaprosił mnie do baru „Odeon".

– A ja myślałem, że nie zostawisz mnie samego.

– No, to trzeba było mnie zaprosić wcześniej. Ktoś cię ubiegł. Ale dzięki temu zaoszczędzisz dużo pieniędzy. Czy znasz ten lokal „Odeon"? Po północy... tylko szampan. Fotele klubowe, orkiestra murzyńska, szyk!

Tego nie przewidziałem.

– Ach – prosiłem – pozwól, że ja cię zaproszę: uważałem to za rzecz oczywistą, zaprzyjaźniliśmy się przecież. Pozwól się zaprosić, dokąd tylko zechcesz, proszę cię.

– To ładnie z twojej strony. Ale widzisz, słowo jest słowem, przyjęłam zaproszenie i pójdę tam. Nie trudź się już! Chodź, wypij kropelkę, mamy w butelce jeszcze trochę wina. Wypijesz je, a potem grzecznie pójdziesz do domu i będziesz spał. Przyrzeknij mi to.

– Nie, do domu iść nie mogę.

– Ach, z tymi twoimi historiami! Czy jeszcze nie uporałeś się z twoim Goethem? – W tej chwili znów przypomniałem sobie sen. – Ale jeśli naprawdę nie możesz iść do domu, to zostań tutaj, tu są pokoje gościnne. Czy mam ci zamówić taki pokój?

Byłem z tego zadowolony i zapytałem, kiedy znów będę ją mógł zobaczyć. Gdzie mieszka? Nie powiedziała mi tego. Muszę tylko trochę poszukać, to ją znajdę.

– Czy mogę cię zaprosić?

– Dokąd?

– Dokąd chcesz i kiedy chcesz.

– Dobrze. We wtorek na kolację „U Franciszkanów", na pierwszym piętrze. Do widzenia!

Podała mi rękę i dopiero teraz zwróciłem na nią uwagę, na rękę, która harmonizowała z jej głosem, piękną i krągłą, mądrą i dobrotliwą. Dziewczyna śmiała się szyderczo, kiedy całowałem jej rękę.

W ostatniej chwili obróciła się w moją stronę i dodała:

– Chcę ci jeszcze coś powiedzieć w sprawie Goethego. Widzisz, tak jak ci się to przydarzyło z Goethem, że nie mogłeś znieść jego portretu, tak i mnie przydarza się to czasem ze świętymi.

– Ze świętymi? Taka jesteś pobożna?

– Nie, niestety, nie jestem pobożna, ale niegdyś byłam i kiedyś znów będę. Dziś nie ma czasu na pobożność.

– Czasu? Czy na to trzeba czasu?

– O tak. Na pobożność trzeba czasu, trzeba nawet czegoś więcej: zależności od czasu! Nie możesz być na serio pobożnym, a równocześnie żyć w rzeczywistości i do tego traktować ją poważnie: czas, pieniądze, bar „Odeon" i całą resztę.

– Rozumiem. Ale jak to jest z tymi świętymi?

– Ano tak, są święci, którzy są mi szczególnie mili: święty Stefan, święty Franciszek i inni. Widzę czasem ich obrazy, a także obrazy Zbawiciela i Matki Boskiej, takie zakłamane, zafałszowane, naiwne i tak samo nie mogę ich ścierpieć, jak ty owego portretu Goethego. Kiedy patrzę na takiego słodkiego, naiwnego Zbawiciela albo świętego Franciszka i widzę, że inni uważają te wizerunki za piękne i budujące, odczuwam to jako zniewagę prawdziwego Zbawiciela i myślę: ach, po co On żył i tak straszliwie cierpiał, jeśli ludziom wystarcza taki naiwny Jego wizerunek! Ale mimo to wiem, że i *mój* obraz Zbawiciela lub świętego Franciszka jest tylko wizerunkiem człowieka i nie dorównuje prawzorowi, że i Zbawicielowi wydałby się mój wewnętrzny Jego wizerunek tak naiwny i niewspółmierny, jak mnie wydają się niewspółmierne owe słodkie konterfekty. Nie mówię ci tego, aby przyznać słuszność twojemu oburzeniu i złości z powodu portretu Goethego, nie, nie masz racji. Mówię ci to tylko dlatego, by udowodnić, że mogę cię zrozumieć. Wy, uczeni i artyści, macie głowy pełne różnych osobliwych spraw, ale jesteście ludźmi jak inni, a my, inni, także mamy swoje marzenia i igraszki wyobraźni. Zauważyłam mianowicie, mój uczony panie, że byłeś nieco zakłopotany, kiedy miałeś mi opowiedzieć swoją historię z Goethem... Musiałeś się wysilać, żeby takiej prostej dziewczynie uprzystępnić swoje ideały. Więc chciałam cię przekonać, że nie potrzebujesz się tak wysilać. Nie obawiaj się, już ja cię zrozumiem. No, ale dość już tego. Pora na spanie.

Odeszła, a mnie tymczasem stary służący zaprowadził na drugie piętro, przedtem jednak zapytał o mój bagaż, a gdy się dowiedział, że nie mam żadnego, musiałem to, co nazwał „noclegowym", zapłacić z góry. Potem zaprowadził mnie przez starą, ciemną klatkę schodową do jakiegoś pokoju i zostawił samego. Stało tam proste łóżko drewniane, bardzo krótkie i twarde, na ścianie wisiała szabla i kolorowa litografia przedstawiająca Garibaldiego oraz zwiędły wianek z jakiejś uroczystości związkowej. Byłbym dużo dał za nocną koszulę. Ale była przynajmniej woda i mały ręcznik, mogłem się więc umyć, po czym położyłem się w ubraniu na łóżku, zostawiłem światło i miałem czas na rozmyślanie. A więc z Goethem byłem teraz w porządku. Wspaniale, że przyszedł do mnie we śnie! I ta cudowna dziewczyna – ach, gdybym znał jej imię! Nagle zjawił się człowiek, żywy człowiek, który rozbił mętny szklany klosz mej martwoty i wyciągnął do mnie dobrą, piękną, ciepłą rękę! Nagle pojawiły się znów rzeczy, które zaczęły mnie obchodzić, o których mogłem myśleć z radością, z troską, z napięciem! Nagle otwarły się drzwi, przez które wchodziło do mnie życie! Może znów będę mógł żyć, może będę mógł znów stać się człowiekiem. Moja dusza, śpiąca w chłodzie i prawie zamarznięta, znowu oddychała i sennie trzepotała małymi, słabymi skrzydełkami. Goethe był u mnie. Jakaś dziewczyna kazała mi jeść, pić i spać, okazała mi życzliwość, wyśmiała mnie, nazwała mnie małym, głupim chłopcem. I ona, ta cudowna przyjaciółka, opowiadała mi również o świętych i pokazała, że w moich najdziwaczniejszych ekstrawagancjach bynajmniej nie jestem osamotnionym, niezrozumianym czy też chorobliwym wyjątkiem, że mam rodzeństwo, że mnie rozumieją. Czy zobaczę ją znowu? Tak, z pewnością, można było na niej polegać, „słowo jest słowem".

I już spałem, spałem cztery czy pięć godzin. Było po dziesiątej, kiedy się obudziłem w pomiętym ubraniu, rozbity, zmęczony, ze wspomnieniem czegoś obrzydliwego, co przydarzyło się w przeddzień, ale żywy, pełen nadziei, pełen dobrych myśli. Wracając do domu, nie odczuwałem żadnego z tych lęków, które wczoraj mogły towarzyszyć powrotowi.

Na schodach, powyżej araukarii, spotkałem „ciotkę", moją gospodynię, którą widywałem rzadko, ale której miłe usposobienie bardzo mi odpowiadało. Spotkanie krępowało mnie trochę, byłem bądź co bądź zaniedbany i po nieprzespanej nocy, nie uczesany i nie ogolony. Ukłoniłem się i chciałem ją minąć. Zazwyczaj respektowała moją potrzebę izolacji i dyskrecji, ale dzisiaj widać rzeczywiście rozdarła się jakaś zasłona, zerwała się jakaś bariera między mną a otaczającym mnie światem – „ciotka" stanęła i się roześmiała.

– Hulał pan gdzieś, panie Haller, przecież dziś w nocy w ogóle nie był pan w łóżku. Musi pan być porządnie zmęczony.

– Tak – odpowiedziałem i również musiałem się roześmiać – dzisiejsza noc była dość wesoła, a ponieważ nie chciałem zakłócać stylu pani domu, przespałem się w hotelu. Mam wielki szacunek dla spokoju i zacności tego domu. Czasem wydaje mi się, że jestem w nim jak obce ciało.

– Niech pan nie drwi, pani Haller!

– O, ja drwię tylko z samego siebie.

– Właśnie tego nie powinien pan robić. Nie powinien pan czuć się w moim domu jak „obce ciało". Powinien pan żyć, jak się panu podoba, i robić to, na co pan ma ochotę. Miewałam już nadzwyczaj zgodnych lokatorów, klejnoty cnót, ale żaden nie był spokojniejszy od pana i żaden nie sprawiał nam mniej kłopotu niż pan. A teraz, czy nie napiłby się pan herbaty?

Nie oponowałem. Podała mi herbatę w salonie z pięknymi portretami, meblami dziadków, gawędziliśmy przez chwilę, miła starsza pani – nie zadając właściwie pytań – dowiedziała się różnych szczegółów z mojego życia i moich myśli i przysłuchiwała mi się z mieszaniną szacunku i macierzyńskiej pobłażliwości, jaką mądre kobiety okazują wobec dziwactw mężczyzn. Była też mowa o jej siostrzeńcu, pokazała mi w sąsiednim pokoju jego najnowszą pracę, wykonaną po godzinach biurowych: aparat radiowy. Pilny młody człowiek ślęczał tam wieczorami i zmajstrował taką maszynę, porwany ideą komunikacji bez drutu, klęcząc pobożnie, z uwielbieniem przed bogiem techniki, któremu po tysiącleciach udało się odkryć i bardzo niedoskonale przedstawić to, o czym każdy myśliciel od dawna wiedział i z czego rozsądniej korzystał. Mówiliśmy o tym, ponieważ ciotka skłania się nieco ku pobożności i rozmowy na tematy religijne są jej miłe. Powiedziałem, że wszechobecność wszystkich sił i czynów była bardzo dobrze znana starożytnym Hindusom i że technika tylko małą część tej wiedzy uprzystępniła powszechnej świadomości dzięki temu, że konstruowała dla fal głosowych aparaty nadawcze i odbiorcze, na razie jednak przeraźliwie niedoskonałe. Ale najważniejszej rzeczy, owej starej prawdy o nierealności czasu, technika do tej pory nie dostrzegła, w końcu jednak i to zostanie oczywiście „odkryte" i dostanie się w ręce przedsiębiorczych inżynierów. Może już wkrótce odkryje się, że nie tylko współczesne, aktualne obrazy i zdarzenia krążą wokół nas, tak że muzykę z Paryża czy Berlina możemy usłyszeć we Frankfurcie albo w Zurychu, lecz że wszystko, cokolwiek i kiedykolwiek się zdarzyło, również jest zarejestrowane i obecne, i że pewnego dnia, za pomocą drutu lub bez drutu, z zakłóceniami lub bez ubocznych przeszkadzających zgrzytów, usłyszymy króla Salomona lub Waltera von der Vogelweide. Zobaczymy, że to wszystko, podobnie jak dzisiaj początki radia, posłuży ludziom do ucieczki od siebie samych i wytkniętego sobie celu i do otaczania się coraz gęstszą siecią rozrywek i bezużytecznej krzątaniny. Ale o tych wszystkich znanych mi na wylot sprawach nie mówiłem zwykłym tonem rozgoryczenia i pogardy dla epoki i techniki, lecz żartobliwie i kpiąco, a ciotka uśmiechała się; siedzieliśmy razem z godzinę, piliśmy herbatę i było nam ze sobą dobrze.

Piękną, dziwną dziewczynę z „Czarnego Orła" zaprosiłem na wtorkowy wieczór i wiele trudu kosztowało mnie zabijanie czasu do tego momentu. A gdy nareszcie nadszedł wtorek, ważność tej obcej dziewczyny stała się dla mnie przerażająco jasna. Myślałem tylko o niej, wszystkiego od niej oczekiwałem, byłem gotów poświęcić jej wszystko i wszystko złożyć u jej stóp, choć zupełnie nie byłem w niej zakochany. Ale wystarczyło, że wyobraziłem sobie, iż nie zechce przyjść lub zapomni o naszym spotkaniu, aby przekonać się, co by się ze mną działo;

wtedy świat stałby się znów pusty, dnie byłyby szare i bezwartościowe, otoczyłaby mnie znowu przeraźliwa cisza i martwota i nie byłoby innego wyjścia z tego milczącego piekła, jak – brzytwa. A brzytwa w ciągu tych kilku dni wcale nie stała mi się przyjemniejsza, nie straciła nic ze swej okropności. To właśnie było najohydniejsze: odczuwałem głęboki, duszący strach przed ciosem we własne gardło, bałem się umierania z tą samą dziką, upartą, broniącą się i opierającą siłą, jak gdybym był najzdrowszym człowiekiem, a moje życie było rajem. Uświadamiałem sobie mój stan z pełną, bezwzględną wyrazistością i doszedłem do przekonania, że nieznośne napięcie między niemożnością życia a niemożnością umierania było tym, co nieznajomą, uroczą tancereczkę z „Czarnego Orła" uczyniło dla mnie tak ważną. Była małym okienkiem, maleńkim jasnym otworem w mojej ciemnej jaskini strachu. Była wybawieniem, drogą na wolność. Ona musi nauczyć mnie żyć albo umierać, ona musi swoją mocną, kształtną dłonią dotknąć mego zdrętwiałego serca, ażeby pod dotknięciem życie albo rozkwitło, albo zmieniło się w popiół. Skąd czerpała siły, skąd płynęła ta magia, z jakich tajemniczych powodów stała się dla mnie tak ważna, nad tym nie mogłem się zastanawiać, było mi to zresztą obojętne; nie zależało mi na tym, żeby to wiedzieć. Nie zależało mi już absolutnie na żadnej wiedzy, na rozumieniu spraw, tym właśnie byłem przesycony, na tym właśnie zasadzała się moja najbardziej dotkliwa i najbardziej szydercza męka i hańba, że tak dokładnie widziałem mój stan i że tak wyraźnie uświadamiałem go sobie. Widziałem przed sobą tego potwora, to bydlę – wilka stepowego – jak muchę w sieci i przyglądałem się, jak jego przeznaczenie zmierzało do rozstrzygnięcia, jak zaplątany i bezbronny wisiał w sieci i niby pająk gotował się do ciosu, a dłoń niosąca ratunek zdawała się być również w pobliżu. Mógłbym na temat związków i przyczyn mego cierpienia, choroby mojej duszy, mego zaczarowania i neurozy, powiedzieć mnóstwo mądrych i wnikliwych rzeczy, mechanika tego wszystkiego była dla mnie przejrzysta. Ale nie brak mi było ani wiedzy, ani zrozumienia, i nie za tym tak rozpaczliwie tęskniłem, lecz za przeżyciem, rozstrzygnięciem, uderzeniem i skokiem.

Choć w ciągu tych paru dni czekania ani przez chwilę nie wątpiłem, że moja przyjaciółka dotrzyma słowa, jednak ostatniego dnia byłem bardzo zdenerwowany i niepewny; jeszcze nigdy w życiu nie czekałem żadnego dnia z taką niecierpliwością. A gdy napięcie i niecierpliwość stawały się prawie nie do zniesienia, to jednak były zarazem cudownie błogie: niewyobrażalnie piękne i nowe było to uczucie dla mnie, otrzeźwionego, gdyż od dłuższego czasu na nic już nie czekałem, na nic się nie cieszyłem – cudownie było przez cały ten dzień biegać z niepokojem, tęsknotą i gorączkowym oczekiwaniem, układać sobie z góry spotkanie, rozmowy, przeżycia tego wieczoru, golić się i ubierać na tę okazję, wkładać ze szczególną starannością świeżą koszulę, nowy krawat i nowe sznurowadła. Niech ta mądra i tajemnicza dziewczyna będzie sobie, kim chce, wszystko jedno, jakim sposobem związała się ze mną, było mi to obojętne; zjawiła się, zdarzył się cud, że jeszcze znalazłem człowieka i nowe zainteresowanie życiem! Ważne było tylko to, że sprawa posuwa się naprzód, że poddawałem się temu urokowi, że szedłem za tą gwiazdą.

Niezapomniana chwila, gdy ją znów zobaczyłem! Siedziałem w starej, przytulnej restauracyjce, przy małym stoliku, który niepotrzebnie zawczasu zamówiłem telefonicznie, studiowałem spis potraw i postawiłem w wysokiej szklance dwie piękne orchidee, które kupiłem dla mojej przyjaciółki. Musiałem na nią dość długo czekać, byłem jednak pewny, że przyjdzie, i nie denerwowałem się już.

Wreszcie nadeszła, zatrzymała się przed szatnią i przywitała mnie jedynie uważnym, trochę badawczym spojrzeniem swych jasnoszarych oczu. Nieufnie kontrolowałem, jak zachowuje się wobec niej kelner. Nie, Bogu dzięki, żadnej poufałości, żadnego braku dystansu, był nienagannie uprzejmy. A jednak znali się, mówiła do niego Emil.

Kiedy wręczałem jej orchidee, była uradowana i się śmiała.

– To ładnie z twojej strony, Harry. Chciałeś dać mi prezent i nie wiedziałeś, co wybrać, prawda, nie byłeś pewny, jak dalece jesteś uprawniony do obdarowywania mnie, czy się nie obrażę, i wobec tego kupiłeś orchidee, to tylko kwiaty, ale za to bardzo drogie. Pięknie dziękuję. Zresztą powiem ci od razu: nie chcę od ciebie podarunków. Żyję z mężczyzn, od ciebie jednak nie chcę pieniędzy. Ale jak ty się zmieniłeś! Nie do poznania! Ostatnio wyglądałeś tak, jak ktoś akurat odcięty ze stryczka, a teraz znów jesteś już prawie człowiekiem. Powiedz, czy wypełniłeś mój rozkaz?

– Jaki rozkaz?

– Tak prędko zapominasz? Pytam, czy umiesz już tańczyć fokstrota? Powiedziałeś mi, że nie pragniesz niczego więcej, jak otrzymywać ode mnie rozkazy, i że nic nie jest ci milsze, jak być mi posłusznym. Czy przypominasz sobie?

– Oczywiście, i tak już pozostanie! Mówiłem serio!

– A jednak jeszcze nie nauczyłeś się tańczyć?

– Czy można się tego nauczyć tak szybko, w ciągu zaledwie paru dni?

– Naturalnie. Fokstrota możesz się nauczyć w godzinę, bostona w dwie. Nauka tanga trwa dłużej, ale to nie jest ci potrzebne.

– Chciałbym wreszcie poznać twoje imię!

Przez chwilę patrzyła na mnie w milczeniu.

– Może będziesz mógł je odgadnąć. Byłoby mi bardzo miło, gdybyś je odgadł. Teraz uważaj i przyjrzyj mi się dobrze! Czy nie zauważyłeś, że mam czasem chłopięcą twarz? Na przykład teraz?

Rzeczywiście, przyglądając się dokładnie twarzy dziewczyny, musiałem jej przyznać rację, miała twarz chłopca. Po chwili namysłu ta twarz stała się dla mnie wymowna i przypominała mi mój własny wiek chłopięcy i mojego ówczesnego przyjaciela, który miał na imię Herman. Przez chwilę dziewczyna zdawała się całkiem przemieniona w tego Hermana.

– Gdybyś była chłopcem – powiedziałem zdumiony – musiałabyś mieć na imię Herman.

– Kto wie, może jestem chłopcem i tylko się przebrałam – odpowiedziała żartobliwie.

– Czy masz na imię Hermina?

Skinęła głową, uradowana moim domysłem. Właśnie podano zupę, zaczęliśmy jeść, cieszyła się jak dziecko. Ze wszystkiego, co mi się w niej najbardziej podobało i co mnie oczarowało, najładniejsze i najosobliwsze było to, że umiała nagle z najgłębszej powagi przechodzić do najbardziej niefrasobliwej wesołości i na odwrót, a przy tym wcale się nie zmieniała i nie szpeciła grymasami, była taka jak pojętne dziecko. Teraz była przez chwilę wesoła, droczyła się ze mną na temat fokstrota, trącała mnie nawet pantofelkami, z zapałem chwaliła jedzenie, zauważyła, że zadałem sobie wiele trudu z ubraniem, jednak miała jeszcze wiele do zarzucenia mojej powierzchowności.

Tymczasem wtrąciłem: – Jak to zrobiłaś, że nagle wyglądałaś jak chłopiec i że mogłem odgadnąć twoje imię?

– O, to wszystko zrobiłeś sam. Czy nie pojmujesz tego, mój uczony panie, że dlatego ci się podobam i dlatego jestem dla ciebie ważna, bo przedstawiam coś w rodzaju zwierciadła, bo w moim wnętrzu jest coś, co daje ci odpowiedź i co ciebie rozumie? Właściwie wszyscy ludzie powinni być dla siebie takimi zwierciadłami i wzajemnie sobie służyć odpowiedzią i oddźwiękiem, ale tacy dziwacy jak ty są właściwie cudaczni, łatwo wpadają w omamienie i już niczego nie umieją dojrzeć i odczytać w oczach innych ludzi, bo to ich już nic nie obchodzi. A gdy taki dziwak znajdzie jakąś twarz, która naprawdę spojrzy na niego, w której wyczuje coś jakby odpowiedź i powinowactwo, wówczas – rzecz jasna – cieszy się.

– Ty wszystko wiesz, Hermino! – zawołałem zdumiony. – Jest właśnie tak, jak mówisz. A przecież jesteś zupełnie inna niż ja! Ty przecież jesteś moim przeciwieństwem; masz wszystko, czego mi brak.

– Tak ci się zdaje – odpowiedziała lakonicznie – i to dobrze.

A teraz na jej twarz, która w istocie była dla mnie jakby czarodziejskim zwierciadłem, spłynęła ciężka chmura powagi, nagle całe oblicze wyrażało tylko powagę, bezdenny tragizm pustych oczu maski. Powoli, słowo za słowem, jakby dobywając je z siebie wbrew woli, mówiła:

– Nie zapomnij, co mi powiedziałeś! Powiedziałeś, że mam ci rozkazywać i że słuchanie moich rozkazów będzie twoją radością. Nie zapominaj o tym. Musisz wiedzieć, mój mały Harry, czym ja ci służę; że moja twarz daje ci odpowiedź i że jest we mnie coś, co ci sprzyja i wzbudza twoje zaufanie... tak samo dzieje się i ze mną. Kiedy ostatnio wchodziłeś do „Czarnego Orła" taki zmęczony i nieobecny i prawie już nie z tego świata, poczułam zaraz: ten będzie mi posłuszny, ten człowiek tęskni za kimś, kto by mu rozkazywał! I będę to czyniła, dlatego zaczepiłam cię i dlatego zostaliśmy przyjaciółmi.

Mówiła z wielką powagą i z takim przejęciem, pod przemożną presją swego duchowego stanu, że niezupełnie ją rozumiałem; starałem się ją uspokoić i skierować jej myśli na inny temat. Odtrąciła mój zamiar jednym poruszeniem brwi, spojrzała na mnie zniewalająco i ciągnęła dalej zupełnie zimnym głosem: – Musisz dotrzymać słowa, chłopcze, przypominam ci to, inaczej pożałujesz. Otrzymasz ode mnie dużo rozkazów i będziesz im posłuszny, ładne, przyjemne rozkazy, miło ci będzie je wykonać. A na koniec, Harry, spełnisz również moje ostatnie polecenie.

– Spełnię je – powiedziałem nieomal bezwolnie. – A jakie będzie to ostatnie polecenie dla mnie? – Ale już je przeczuwałem, Bóg tylko wie, dlaczego.

Drgnęła, jakby ją przebiegł lekki dreszcz, i z wolna zdawała się budzić z zadumy. Nie odrywała ode mnie oczu. Nagle jeszcze bardziej sposępniała.

– Byłoby mądrzej z mojej strony, gdybym ci tego nie mówiła, ale nie chcę być mądra, Harry, nie tym razem. Chcę czegoś zupełnie innego. Uważaj, posłuchaj! Usłyszysz i znów zapomnisz, będziesz się z tego śmiał i będziesz nad tym płakał. Uważaj, mały! Chcę – zagrać z tobą o życie i śmierć, braciszku, i chcę ci odkryć moje karty, jeszcze zanim zaczniemy grać.

Jakże piękna, jak nieziemska była jej twarz, gdy to mówiła! Jej oczy zasnuwał chłodny, jasny i wszechwiedzący smutek, zdawało się, że te oczy wycierpiały już wszelki możliwy ból i godziły się z nim. Usta poruszały się z trudem, jakby skrępowane, mniej więcej tak, jak się mówi, gdy od mrozu zdrętwieje twarz; ale między wargami, przez kąciki ust, z drżeniem rzadko widocznego koniuszka języka płynęła, w przeciwieństwie do spojrzenia i głosu, sama słodycz rozkołysanej zmysłowości, gorąca żądza rozkoszy. Na spokojne, gładkie czoło spadał krótki loczek, stamtąd, z tego kącika czoła z loczkiem, wypływała od czasu do czasu, jak żywe tchnienie, owa fala chłopięcości, fala hermafrodytycznej magii. Przysłuchiwałem się jej z lękiem, a jednak jakby odurzony, jakby tylko na wpół obecny.

— Lubisz mnie — ciągnęła dalej — z powodu, o którym ci już mówiłam: przełamałam twoją samotność, przychwyciłam cię tuż przed wrotami piekła i znów obudziłam. Ale chcę więcej od ciebie, o wiele więcej. Chcę cię w sobie rozkochać. Nie, nie sprzeciwiaj się, pozwól mi mówić! Bardzo mnie lubisz, czuję to, jesteś mi wdzięczny, ale zakochany we mnie nie jesteś. Chcę sprawić, żebyś nim był, to należy do mojego zawodu, żyję przecież z tego, że umiem uwodzić mężczyzn. Ale posłuchaj uważnie, nie dlatego to robię, że właśnie ciebie uważam za tak niezwykle uroczego. Nie jestem w tobie zakochana, Harry, ani ty we mnie. Ale potrzebuję ciebie, tak jak ty mnie potrzebujesz. Potrzebujesz mnie teraz, w tej chwili, bo jesteś zrozpaczony i trzeba ci pchnięcia, które wtrąciłoby cię do wody i przywróciło ci życie. Potrzebujesz mnie, żeby nauczyć się tańczyć, śmiać i żyć. Ja natomiast potrzebuję ciebie, nie dzisiaj, później, do czegoś również niezmiernie ważnego i pięknego. Kiedy już będziesz we mnie zakochany, dam ci mój ostatni rozkaz. I ty go spełnisz, a to będzie dobre dla ciebie i dla mnie.

Uniosła nieco w szklance jedną z brunatnofioletowych orchidei o zielonych żyłkach, na chwilę pochyliła nad nią twarz i wpatrywała się w kwiat.

– Nie przyjdzie ci to łatwo, ale zrobisz to. Wykonasz mój rozkaz i zabijesz mnie. O to chodzi. O nic więcej nie pytaj.

Patrząc jeszcze wciąż na orchideę, umilkła, jej twarz odprężyła się, wyłaniała się spod ucisku i napięcia jak rozkwitający pąk, a na ustach pojawił się nieoczekiwanie czarujący uśmiech, podczas gdy oczy jeszcze przez chwilę były nieruchomo utkwione w próżni. Potem potrząsnęła głową z małym, chłopięcym loczkiem, łyknęła wody, spostrzegła nagle, że siedzimy przy kolacji i rzuciła się na potrawy z wielkim apetytem.

Słyszałem wyraźnie każde słowo jej makabrycznego przemówienia, odgadłem nawet „ostatni rozkaz", zanim go wypowiedziała, a nawet nie byłem już przerażony zwrotem „ty mnie zabijesz". Wszystko, co mówiła, brzmiało dla mnie przekonywająco i fatalistycznie, przyjąłem to do wiadomości i nie broniłem się przed tym, a jednak mimo koszmarnej powagi jej słów nie wydawało mi się to w pełni oczywiste i poważne. Część mojej duszy wchłaniała jej słowa i wierzyła im, druga część potakiwała pobłażliwie i przyjmowała do wiadomości fakt, że oto i ona, ta mądra, zdrowa i odpowiedzialna Hermina, ma swoje fantazje i stany depresji. Gdy tylko padło ostatnie słowo, całą tę scenę pokryła warstwa nierealności i daremności.

Nie mogłem jednak, tak jak to czyniła Hermina, wrócić z lekkością linoskoczka do świata prawdopodobieństwa i realizmu.

– A więc mam cię kiedyś zabić? – zapytałem, snując w myślach senne widziadła, gdy tymczasem Hermina znów się śmiała i z zapałem zabierała do krajania drobiu.

– Oczywiście – potwierdziła od niechcenia – ale dość o tym, teraz czas na jedzenie. Harry, bądź tak dobry i każ mi podać jeszcze trochę sałaty! Nie masz apetytu? Myślę, że musisz się uczyć wszystkiego, co u innych ludzi jest samo przez się zrozumiałe, nawet przyjemności jedzenia. No popatrz, dzieciaku, to jest kacze udko, a kiedy oddzielamy jasne, białe mięsko od kości, to mamy ucztę, a człowiek musi przy tym odczuwać w sercu tyle ochoty, zaciekawienia i wdzięczności, ile czuje zakochany, który po raz pierwszy pomaga swojej dziewczynie zdjąć żakiet. Zrozumiałeś? Nie? Gapa z ciebie! Poczekaj, dam ci kawałek tego ślicznego kaczego udka, przekonasz się! No proszę, otwórz usta!... Och, ależ potwór z ciebie! Boże drogi, zezujesz teraz w stronę innych ludzi, żeby sprawdzić, czy widzą, że daję ci kęs z mojego widelca! Nie martw się, ty marnotrawny synu, nie zrobię ci wstydu, ale jeśli na jakąś przyjemność potrzebujesz aprobaty innych, to rzeczywiście jest mi cię żal.

Coraz bardziej nierealna stawała się poprzednia scena, coraz bardziej było nieprawdopodobne, że te oczy jeszcze przed chwilą wpatrywały się we mnie tak poważnie i przerażająco. Pod tym względem Hermina była jak samo życie: była zawsze tylko chwilą, zawsze nieobliczalną. Teraz jadła; kacze udko i sałatę, tort i likier traktowała serio, wszystko stawało się przedmiotem radości i osądu, rozmowy i fantazji. Po uprzątnięciu talerza zaczynał się nowy rozdział. Ta kobieta, która przejrzała mnie na wylot, która, jak się zdaje, o życiu wiedziała więcej niż wszyscy mędrcy, z taką maestrią uprawiała dziecinadę i kunszt życia chwilą, że bez zastrzeżeń stałem się jej uczniem. Niech sobie to będzie wyższą mądrością albo najprostszą naiwnością: ale kto tak umie żyć bieżącą chwilą i kto tak przyjaźnie i troskliwie potrafi doceniać każdy przydrożny kwiatek, każdy – choćby najdrobniejszy –

zabawny moment, temu życie już nic złego zrobić nie może. Lecz czyżby to radosne dziecko o dobrym apetycie i smakoszostwie miało być równocześnie marzycielką i histeryczką, która pragnie śmierci, czy też trzeźwą kalkulatorką, która świadomie i z zimną krwią zamierza rozkochać mnie w sobie i uczynić ze mnie swego niewolnika? To chyba niemożliwe. Nie, Hermina była po prostu tak całkowicie oddana bieżącej chwili, że ulegała zarówno każdemu wesołemu pomysłowi, jak i przelotnemu, ponuremu dreszczowi z dalekich głębin duszy i pozwalała im się wyżyć.

Hermina, którą dziś widziałem po raz drugi, wiedziała o mnie wszystko, zdawało mi się niemożliwością ukrycie przed nią czegokolwiek. Możliwe, że mego duchowego życia nie zdołałaby zrozumieć w zupełności, może też nie byłaby w stanie dorównać mi w moim stosunku do muzyki, do Goethego, Novalisa czy Baudelaire'a, ale i to pozostaje pod znakiem zapytania, prawdopodobnie i to nie sprawiłoby jej trudności. A gdyby nawet – cóż mi pozostawało jeszcze z mego „duchowego życia"? Czyż nie leżało wszystko w gruzach, czy nie straciło swego sensu? Ale że te inne, moje najbardziej osobiste problemy i sprawy, ona wszystkie zrozumie, o tym nie wątpiłem. Wkrótce pomówię z nią o wilku stepowym, o traktacie, o wszystkim, wszystkim, co dotąd istniało wyłącznie dla mnie, o czym nigdy z nikim nie zamieniłem słowa. Nie mogłem oprzeć się temu, by zaraz nie zacząć opowiadać.

– Hermino – powiedziałem – niedawno przytrafiło mi się coś dziwnego. Jakiś nieznajomy dał mi małą drukowaną książeczkę, coś w rodzaju jarmarcznej broszurki, a w niej opisana była dokładnie cała moja historia i wszystko, co mnie dotyczy. Powiedz, czy to nie zadziwiające?

– Jaki tytuł ma ta książeczka? – zapytała od niechcenia.

– *Traktat o wilku stepowym.*

– O, wilk stepowy, to świetne! A wilkiem stepowym jesteś ty? Czy tak?

– Tak, jestem nim. I to takim, który w połowie jest człowiekiem, a w połowie wilkiem, albo sobie to wmawia.

Nie odpowiedziała. Spoglądała mi w oczy z badawczą uwagą, spojrzała na moje ręce i na chwilę znów zakradła się w jej spojrzenie i wyraz twarzy poprzednia głęboka powaga i ponura namiętność sprzed chwili. Zdawało mi się, że odgadłem jej myśli, mianowicie czy jestem dostatecznie wilkiem, by móc spełnić jej „ostatni rozkaz".

– To oczywiście twoje urojenie – powiedziała, wracając do wesołego nastroju – albo, jeśli wolisz, poezja. Ale coś w tym jest. Dziś nie jesteś wilkiem, ale wtedy, kiedy wszedłeś do sali, jakbyś spadł z księżyca, byłeś trochę bestią i to właśnie mi się podobało.

Nagle przemknęło jej coś przez myśl, przerwała i powiedziała jakby speszona: – Głupio brzmi takie słowo jak „bestia" albo „drapieżnik"! Nie powinno się tak mówić o zwierzętach. Są często straszne, ale przecież o wiele prawdziwsze niż ludzie.

– Co znaczy „prawdziwsze"? Jak to rozumiesz?

– Więc przyjrzyj się jakiemukolwiek zwierzęciu, kotu, psu, ptakowi albo nawet jednemu z tych pięknych, dużych zwierząt w ogrodzie zoologicznym, pumie lub żyrafie! Zobaczysz, że one wszystkie są prawdziwe, że żadne nie jest zakłopotane, każde wie, co ma robić i jak się zachować. Nie chcą imponować. Żadnej komedii. Są takie, jakie są, jak kamienie i kwiaty albo jak gwiazdy na niebie. Rozumiesz?

Rozumiałem.

– Zwierzęta są przeważnie smutne – ciągnęła – i jeżeli człowiek jest bardzo smutny, ale nie dlatego, że boli go ząb lub że stracił pieniądze, lecz dlatego, że raz, przez jedną godzinę czuje, czym to wszystko jest, czym jest całe życie, i jeśli jest wtedy prawdziwie smutny, to upodabnia się trochę do zwierzęcia... wygląda wtedy żałośnie, ale prawdziwiej i piękniej niż zwykle. Tak to jest i tak wyglądałeś, wilku stepowy, kiedy cię zobaczyłam po raz pierwszy.

– A co myślisz, Hermino, o tej książeczce, w której mnie opisano?

– Wiesz co, nie chce mi się ciągle myśleć. Pomówimy o tym innym razem. Możesz mi ją przecież kiedyś dać do przeczytania. Albo nie, jeśli znów kiedyś znajdę czas na czytanie, to dasz mi jedną z książek, które ty napisałeś.

Poprosiła o kawę i przez chwilę zdawało się, że jest nieobecna i roztargniona, potem nagle rozpromieniła się, gdyż prawdopodobnie w rozmyślaniach doszła do jakiegoś wniosku.

– Świetnie! – zawołała wesoło. – Już wiem!

– Co takiego?

– Problem fokstrota, cały czas o tym myślałam. Powiedz: czy masz pokój, w którym moglibyśmy od czasu do czasu godzinę potańczyć? Może być mały, to nie szkodzi, byle tylko pod tobą nie mieszkał ktoś, kto zaraz przybiegnie na górę i narobi gwałtu, że się na niego sufit wali. No to dobrze, bardzo dobrze! Będziesz się mógł tańca uczyć w domu.

– Owszem – odparłem nieśmiało – tym lepiej. Ale myślałem, że do tego trzeba też muzyki.

– Oczywiście, że trzeba. Posłuchaj, muzykę sobie kupisz, to kosztuje najwyżej tyle, ile kurs tańca u nauczycielki. Wydatku na nauczycielkę zaoszczędzisz sobie, ja się w nią zabawię. W ten sposób będziemy mieli muzykę tak często, jak tego zapragniemy, a w dodatku zostanie nam gramofon.

– Gramofon?

– Jasne. Kupisz taki mały aparacik i do niego parę płyt tanecznych...

– Wspaniale – zawołałem – a jeśli naprawdę uda ci się nauczyć mnie tańca, to gramofon dostaniesz jako honorarium. Zgoda?

Powiedziałem to bardzo dobitnie, ale bez przekonania. Nie mogłem sobie wyobrazić w mojej małej pracowni, wypełnionej książkami, takiego dla mnie zdecydowanie antypatycznego sprzętu, a miałem także wiele zastrzeżeń wobec samego tańca. Myślałem, że kiedyś przy okazji można by spróbować, choć byłem przekonany, że jestem na to o wiele za stary i za sztywny i że już nigdy nie nauczę się tańczyć. Ale tak raz po raz, to było dla mnie za szybko i za gwałtownie, czułem, że wszystko we mnie, co jako stary, wybredny znawca muzyki miałem do zarzucenia gramofonowi, jazzowi i modnym orkiestrom tanecznym, burzy się przeciwko temu. Żeby teraz w moim pokoju, obok Novalisa i Jean Paula, w mojej świątyni dumania i w moim schronieniu, rozbrzmiewały amerykańskie szlagiery, a ja żebym przy tym tańczył, to właściwie było więcej, niżby ktokolwiek mógł ode mnie wymagać. Ale nie żądał tego przecież „ktoś", żądała tego Hermina, a ona miała prawo rozkazywać. Ja zaś byłem posłuszny. Rzecz jasna, że byłem posłuszny.

Spotkaliśmy się nazajutrz po południu w kawiarni. Kiedy przyszedłem, Hermina już tam siedziała, piła herbatę i uśmiechając się, pokazała mi gazetę, w której odkryła moje nazwisko. Była to jedna z reakcyjnych gadzinówek krajowych, w której od czasu do czasu pojawiały się napastliwe paszkwile pod moim adresem. Byłem podczas wojny antymilitarystą, po wojnie, przy różnych okazjach, nawoływałem do pokoju, cierpliwości, humanitaryzmu i samokrytyki, a także broniłem się przed z dnia na dzień ostrzejszymi, głupszymi i dzikszymi nacjonalistycznymi napaściami. I znów ukazała się taka napaść, źle napisana, w połowie spreparowana przez redaktora, w połowie skompilowana z wielu podobnych elaboratów ideowo pokrewnej prasy. Wiadomo, że nikt tak kiepsko nie pisze jak obrońcy starzejących się ideologii, nikt nie uprawia swego rzemiosła z mniejszą schludnością i starannością niż oni. Hermina przeczytała artykuł i dowiedziała się z niego, że Harry Haller jest szkodnikiem i osobnikiem wyzutym z uczuć patriotycznych i że oczywiście z ojczyzną nie może być dobrze, dopóki toleruje się takich ludzi i takie myśli, a młodzież wychowuje się na sentymentalnych ideach humanitaryzmu, zamiast zaprawiać ją do wojennego odwetu na odwiecznym wrogu.

– Czy to ty? – zapytała Hermina i wskazała na moje nazwisko. – No, no, ale narobiłeś sobie wrogów, Harry. Gniewa cię to?

Przeczytałem kilka wierszy, to samo co zwykle, od lat znałem aż do znudzenia każde z tych wielokrotnie powtarzanych słów potępienia.

– Nie – powiedziałem – to mnie już nie irytuje, od dawna przywykłem do tego. Parokrotnie wyraziłem pogląd, że każdy naród, a nawet każdy pojedynczy człowiek, zamiast usypiać swoją czujność zakłamanymi politycznymi „kwestiami winy", musi zbadać, w jakim stopniu, skutkiem błędów, zaniedbań i złych przyzwyczajeń, sam ponosi odpowiedzialność za wojnę i za wszelką inną nędzę świata, i że jest to – być może – jedyna droga zapobieżenia następnej wojnie. Tego mi nie wybaczą, gdyż oczywiście oni sami są absolutnie niewinni: cesarz, generałowie, wielcy przemysłowcy, politycy, prasa... nie mają sobie absolutnie nic do zarzucenia, nie poczuwają się do żadnej winy. Można by sądzić, że na świecie wszystko układa się wspaniale, tylko że w ziemi leżą dziesiątki milionów pozabijanych ludzi. Widzisz więc,

Hermino, że choć takie paszkwile nie mogą mnie już złościć, to jednak niekiedy mnie zasmucają. Dwie trzecie moich ziomków czyta ten rodzaj gazet, rano i wieczorem czytują artykuły pisane w tym tonie, codziennie ktoś ich obrabia, upomina, podburza, budzi w nich niezadowolenie i złość, a celem i końcem tego wszystkiego jest znów następna, przyszła wojna, która z pewnością będzie straszniejsza od poprzedniej. To wszystko jest jasne i proste, każdy człowiek mógłby to pojąć, mógłby w jednej godzinie refleksji dojść do tego samego wniosku. Ale nikt tego nie chce, nikt nie chce uniknąć następnej wojny, nikt nie chce sobie i swoim dzieciom oszczędzić następnej masowej rzezi, skoro nie może osiągnąć tego tańszym kosztem. Godzinę pomyśleć, na chwilę wniknąć w siebie i postawić sobie pytanie, w jakim stopniu sami bierzemy udział i ponosimy winę za nieład i złość w świecie... widzisz, tego nikt nie chce! I tak to pójdzie dalej, a następna wojna jest przez wiele tysięcy ludzi, dzień w dzień, przygotowywana z zapałem. Odkąd o tym wiem, jestem sparaliżowany i zrozpaczony, nie ma już dla mnie „ojczyzny" ani ideałów, wszystko jest tylko dekoracją dla tych panów, którzy przygotowują nową rzeź. Nie ma sensu myśleć, mówić, pisać czegoś ludzkiego, nie ma sensu poruszać w głowie dobrych myśli... na dwóch, trzech ludzi, którzy to czynią, przypadają co dnia tysiące gazet, czasopism, przemówień, jawnych i tajnych posiedzeń, które zmierzają do przeciwnego celu i osiągają go.

Hermina przysłuchiwała się z zainteresowaniem.

– Tak – powiedziała – masz zupełną rację. Oczywiście, że znów będzie wojna, nie trzeba czytać gazet, żeby to wiedzieć. Tym można się, rzecz jasna, martwić, ale nie ma to żadnego znaczenia. To zupełnie tak, jak gdyby ktoś się smucił z tego powodu, że mimo wszystko, cokolwiek mógłby uczynić przeciw temu, kiedyś niechybnie będzie musiał umrzeć. Walka przeciw śmierci, drogi Harry, jest zawsze rzeczą piękną, szlachetną, cudowną i czcigodną, a więc i walka przeciw wojnie. Ale jest też zawsze beznadziejną donkiszoterią.

– Może to prawda – zawołałem porywczo – ale takimi truizmami, że wszyscy i tak niedługo będziemy musieli umrzeć i że wobec tego wszystko jest obojętne, czyni się całe życie płaskim i głupim. Czyż mamy wszystko odrzucić, zrezygnować z całej dziedziny ducha, ze wszystkich dążeń, z całego humanitaryzmu, pozwolić na panoszenie się ambicji i pieniądza i przy kuflu piwa czekać na następną mobilizację?

Hermina obrzuciła mnie teraz dziwnym spojrzeniem, pełnym rozbawienia, szyderstwa, szelmostwa, koleżeństwa, a jednocześnie pełnym troski, wiedzy i niezgłębionej powagi.

– Tego nie musisz – powiedziała zupełnie po macierzyńsku. – Twoje życie również i przez to nie stanie się płytkie i głupie, że wiesz, iż twoja walka jest bezskuteczna. Jest o wiele płytsze, Harry, jeśli walczysz o jakieś dobro czy ideały, sądząc, że musisz je osiągnąć. Czy ideały są osiągalne? Czy my, ludzie, żyjemy po to, by zlikwidować śmierć? Nie, żyjemy po to, by się jej bać, a potem znów kochać, i właśnie dzięki niej, czasem na przeciąg jednej tylko godziny, płonie tak pięknie ta odrobina życia. Dziecko z ciebie, Harry. Bądź teraz posłuszny i chodź ze mną, mamy dziś wiele do roboty. Dziś nie będę się już więcej troszczyła o wojnę i gazety. A ty?

O nie, ja także miałem tego dość.

Poszliśmy razem – był to nasz pierwszy wspólny spacer po mieście – do sklepu muzycznego i oglądaliśmy gramofony, otwieraliśmy je i zamykali, sprawdzaliśmy na płytach dźwięk, a kiedy jeden z nich uznaliśmy za odpowiedni, zgrabny i tani, chciałem go kupić, ale Hermina nie tak szybko załatwiała zakupy. Powstrzymała mnie, musiałem odwiedzić z nią jeszcze jeden sklep i również tam obejrzeć i przesłuchać wszystkie systemy i wielkości od najdroższego do najtańszego, i dopiero teraz zgodziła się wrócić do pierwszego sklepu i kupić uprzednio wybrany aparat.

– Widzisz – powiedziałem – mogliśmy to załatwić o wiele prościej.

– Tak uważasz? A może jutro zobaczylibyśmy w innym oknie wystawowym ten sam aparat o dwadzieścia franków tańszy. A poza tym kupowanie jest przyjemnością, a jeśli coś sprawia przyjemność, to trzeba jej użyć do dna. Jeszcze wiele będziesz się musiał uczyć.

Z pomocą posłańca przenieśliśmy nasz zakup do mojego mieszkania.

Hermina dokładnie oglądała mój pokój, chwaliła piec i tapczan, próbowała krzeseł, brała do ręki książki, długo stała przed fotografią mojej kochanki. Gramofon postawiliśmy na komodzie między stosami książek. I zaraz rozpoczęliśmy lekcję. Puściła płytę z fokstrotem, pokazała mi pierwsze kroki, ujęła mnie za rękę i zaczęła prowadzić. Dreptałem za nią posłuszny, trącałem krzesła, słuchałem jej rozkazów, nie rozumiałem ich, deptałem jej po nogach i byłem w tym samym stopniu niezręczny, co gorliwy. Po drugim tańcu Hermina rzuciła się na tapczan i śmiała się jak dziecko.

– Boże drogi, jakiś ty sztywny! Idźże po prostu przed siebie, jak gdybyś spacerował! Wysiłek wcale nie jest potrzebny. Mam wrażenie, że nawet zrobiło ci się już gorąco. No, wypocznijmy sobie z pięć minut! Widzisz, taniec, jeśli się go umie, jest tak prosty jak myślenie. A nauczyć można się go znacznie łatwiej. Teraz będziesz się daleko mniej niecierpliwił tym, że ludzie nie chcą przyzwyczaić się do myślenia, lecz wolą pana Hallera nazywać zdrajcą ojczyzny i spokojnie czekać na drugą wojnę.

Po godzinie odeszła, zapewniając, że następnym razem pójdzie lepiej. Ja zapatrywałem się na to inaczej, byłem bardzo rozczarowany swoją głupotą i ociężałością, zdawało mi się, że w ciągu tej godziny w ogóle niczego się nie nauczyłem i nie wierzyłem, że za drugim razem pójdzie lepiej. Nie, do tańca trzeba mieć wrodzone zdolności: wesołość, niewinność, lekkomyślność, rozmach, a tych zalet brakowało mi całkowicie. Wiedziałem o tym od dawna.

Lecz o dziwo, następnym razem rzeczywiście poszło lepiej i zaczęło mnie to nawet bawić, a pod koniec lekcji Hermina twierdziła, że umiem już fokstrota. Gdy jednak wyciągnęła z tego wniosek, że nazajutrz muszę z nią pójść do restauracji na dansing, zdrętwiałem i broniłem się gwałtownie. Chłodno przypomniała mi złożony przeze mnie ślub posłuszeństwa i kazała przyjść nazajutrz na herbatę do hotelu „Balances".

Tego wieczoru siedziałem w domu, chciałem czytać, lecz nie mogłem. Bałem się jutra, przerażająca była dla mnie myśl, że ja, stary, płochliwy i wrażliwy dziwak, nie tylko miałem odwiedzić jeden z tych podejrzanych, modnych dansingów z muzyką jazzową, ale popisywać się tam przed obcymi ludźmi jako tancerz, choć jeszcze wcale nie umiałem tańczyć. I przyznaję, że śmiałem się z siebie i wstydziłem się samego siebie, gdy w mojej cichej pracowni nastawiłem i puściłem gramofon, i cicho, w skarpetkach powtarzałem kroki fokstrota.

Następnego dnia w hotelu „Balances" grał niewielki zespół, podawano herbatę i whisky. Próbowałem przekupić Herminę, podsuwałem jej ciastka, namawiałem na kieliszek wina, ale była nieubłagana.

– Nie jesteś tu dziś dla przyjemności. To lekcja tańca.

Musiałem z nią zatańczyć dwa lub trzy razy, a w przerwie zapoznała mnie z saksofonistą, smagłym, pięknym młodym człowiekiem hiszpańskiego czy południowoamerykańskiego pochodzenia, który, jak twierdziła, grał na wszystkich instrumentach i mówił wszystkimi językami świata. Ten señor zdaje się bardzo dobrze znał Herminę i był z nią zaprzyjaźniony, stały przed nim dwa saksofony różnej wielkości, dął w nie na zmianę, podczas gdy jego czarne, błyszczące, wesołe oczy uważnie obserwowały tańczących. Ku memu zdziwieniu uczułem w stosunku do tego nieszkodliwego, przystojnego muzyka coś jakby zazdrość, ale niemającą źródła w miłości, gdyż między mną a Herminą o miłości nie było mowy, lecz raczej zazdrość o duchową przyjaźń, gdyż wydawało mi się, że nie jest w pełni godzien zainteresowania i tego rzucającego się w oczy wyróżnienia, ba, nawet czci, jaką mu okazywała Hermina. Śmieszne znajomości muszę tu zawierać, myślałem z niechęcią.

Potem Herminę raz po raz proszono do tańca, ja zaś zostawałem przy herbacie sam, słuchałem muzyki, i to takiej, jakiej dotychczas nie znosiłem. O Boże, myślałem, a więc mam być tu wprowadzony i tu mam się zadomowić, w tak obcym i wstrętnym mi świecie, dotąd starannie przeze mnie omijanym, głęboko pogardzanym, w świecie hulaków i szlifibruków, w tym gładkim, banalnym świecie marmurowych stolików, jazzu, prostytutek i komiwojażerów! Pełen smutku sączyłem herbatę i wpatrywałem się w ten niezbyt elegancki tłum. Dwie piękne dziewczyny przyciągały mój wzrok, obie były dobrymi tancerkami; śledziłem je z podziwem i zawiścią, tańczyły płynnie, pięknie, wesoło i pewnie.

Wtem znów zjawiła się Hermina i była ze mnie niezadowolona. Nie po to tu jestem, łajała mnie, żeby robić kwaśne miny i kamieniem siedzieć przy stole, powinienem wziąć się w garść i tańczyć. Co, nie znam nikogo? To zupełnie zbyteczne. Czyż nie ma tu żadnej dziewczyny, która by mi się podobała?

Pokazałem jej jedną, tę ładniejszą, która właśnie stała w pobliżu nas; wyglądała zachwycająco w zgrabnej aksamitnej sukience, z jasnymi, bujnymi, krótko ostrzyżonymi włosami i krągłymi kobiecymi ramionami. Hermina upierała się, żebym natychmiast do niej podszedł i poprosił ją do tańca. Broniłem się rozpaczliwie.

— Przecież nie mogę! — powiedziałem nieszczęśliwy. — Ach, gdybym był ładnym, młodym chłopcem! Ale taki stary, niezdarny idiota, który nawet tańczyć nie umie... przecież ona by mnie wyśmiała!

Hermina spojrzała na mnie pogardliwie.

— A jeśli ja cię wyśmieję, to naturalnie będzie ci obojętne. Cóż z ciebie za tchórz! Każdy, kto zbliża się do dziewczyny, ryzykuje, że będzie wyśmiany; to jest stawka. A więc ryzykuj, Harry, a w najgorszym razie pozwól się wyśmiać... Inaczej przestanę wierzyć w twoje posłuszeństwo.

Nie ustępowała. Zgnębiony wstałem i podszedłem do pięknej dziewczyny akurat w chwili, kiedy muzyka znowu zaczęła grać.

— Właściwie nie jestem wolna — powiedziała i spojrzała na mnie z ciekawością wielkimi, jasnymi oczyma — ale mój partner utknął zdaje się w barze. Proszę, zatańczmy!

Objąłem ją i zrobiłem pierwsze kroki, jeszcze zdziwiony, że nie dała mi kosza, ona zaś od razu zauważyła, jak jest ze mną, i przejęła prowadzenie. Tańczyła cudownie. Wciągało mnie to, zapominałem chwilami o wszystkich obowiązkach i regułach tanecznych, po prostu płynąłem wraz z nią, czułem jędrne biodra i żwawe, giętkie kolana mojej tancerki, patrzyłem w jej młodą, promienną twarz i wyznałem jej, że dziś po raz pierwszy w życiu tańczę. Uśmiechała się i dodawała mi otuchy, na moje pełne zachwytu spojrzenie i pochlebne słowa odpowiadała cudownie miękko, nie słowami, lecz delikatnymi, zachwycającymi gestami, które nas jeszcze bardziej i rozkoszniej zbliżały. Uszczęśliwiony, mocno trzymałem prawą rękę nad jej talią, gorliwie powtarzałem ruchy jej nóg, ramion i pleców i ku swemu zdumieniu ani razu nie nastąpiłem jej na stopy, a kiedy muzyka przestała grać, oboje staliśmy w miejscu i klaskaliśmy, aż utwór zagrano raz jeszcze, a ja raz jeszcze dopełniłem rytuału z gorliwością, zakochaniem i nabożeństwem.

Gdy skończył się taniec, o wiele za wcześnie, piękna, aksamitna dziewczyna wycofała się, a obok mnie nagle stanęła Hermina, która się nam uprzednio przyglądała.

– Czy zauważyłeś coś? – śmiała się z pochwałą. – Czy dostrzegłeś, że kobiece nogi nie są nogami stołowymi? Brawo! Fokstrota już umiesz, Bogu dzięki, jutro zabierzemy się do bostona, a za trzy tygodnie będzie bal maskowy w salach „Globusa".

Kiedy przerwano tańce, usiedliśmy, podszedł do nas saksofonista, piękny młody pan Pablo, skinął głową i usiadł obok Herminy. Zdaje się, że byli w wielkiej przyjaźni. Mnie jednak, przyznaję, pan ten przy pierwszym spotkaniu wcale nie przypadł do gustu. Był piękny, temu nie można zaprzeczyć, miał ładny wzrost i urodziwą twarz, ale innych zalet nie mogłem w nim dostrzec. Nie wysilał się też, jeśli idzie o tę jego znajomość języków, mianowicie nie mówił w ogóle nic prócz słów, jak: proszę, dziękuję, owszem, pewno, hallo i tym podobne, które to wyrazy rzeczywiście znał w kilku językach. Nie, nie mówił nic, ten señor Pablo, i zdaje się, że piękny caballero też niewiele myślał. Jego zajęciem była gra na saksofonie w zespole jazzowym i zawód ten uprawiał z zamiłowaniem i pasją; czasem, podczas gry, nieoczekiwanie klaskał w ręce lub pozwalał sobie na inne wybuchy entuzjazmu, wykrzykując głośno śpiewne słowa, jak: „o o o o, ha ha, hallo". Poza tym był na świecie najwyraźniej tylko po to, aby być pięknym, podobać się kobietom, nosić kołnierzyki i krawaty najnowszej mody, a także dużo pierścionków na palcach. Jego towarzystwo sprowadzało się do tego, że z nami siedział, uśmiechał się do nas, spoglądał na zegarek i skręcał papierosy, w czym był bardzo zręczny. Jego ciemne, piękne, kreolskie oczy, jego czarne loki nie kryły żadnego romantyzmu, żadnych problemów, żadnych myśli – widziany z bliska, ten piękny, egzotyczny półbóg był zadowolonym i trochę rozpieszczonym młodzieńcem o przyjemnych manierach, niczym więcej. Rozmawiałem z nim o jego instrumencie i o barwach dźwięku w jazzie, musiał chyba zauważyć, że ma do czynienia ze starym smakoszem i znawcą muzyki. Ale na to wcale nie reagował i podczas gdy z uprzejmości dla niego, a raczej dla Herminy, podjąłem coś w rodzaju muzyczno-teoretycznej obrony jazzu, uśmiechał się niewinnie do mnie i do moich wysiłków; przypuszczalnie w ogóle nie wiedział, że przed i poza jazzem istniała jeszcze inna muzyka. Był miły i grzeczny, uśmiechał się ładnie wielkimi, pustymi oczami; ale odnosiło się wrażenie, że między nim a mną nie istnieje nic wspólnego; nic z tego, co dla niego było ważne i święte, nie mogło być takim dla mnie, przybywaliśmy z przeciwnych krańców świata, nie mieliśmy w naszych językach ani jednego wspólnego słowa. Ale później opowiadała mi Hermina coś zadziwiającego. Mówiła, że Pablo po tej rozmowie powiedział jej, żeby się ze mną obchodziła szczególnie troskliwie, gdyż jestem bardzo nieszczęśliwy. A kiedy zapytała, z czego to wnosi, powiedział: „Biedny, biedny człowiek. Spójrz na jego oczy! Nie umie się śmiać!"

Gdy czarnooki Adonis nas pożegnał, a muzyka znowu zaczęła grać, Hermina wstała: – Teraz mógłbyś dla odmiany zatańczyć ze mną, Harry. A może już nie masz ochoty?

Również i z nią tańczyłem teraz lżej, radośniej i z większą swobodą, aczkolwiek nie z takim przejęciem jak z tamtą. Hermina pozwoliła mi prowadzić, stosując się do mnie delikatnie i zwiewnie jak płatek kwiecia. Odkrywałem także i u niej bądź to przybliżające się, bądź umykające wdzięki, i ona pachniała kobietą i miłością, i jej taniec śpiewał delikatnie i gorąco słodką, wabiącą melodię płci – a jednak nie mogłem na to swobodnie i radośnie odpowiedzieć, nie mogłem zapomnieć się i oddać całkowicie. Hermina była mi za bliska, była moim kolegą, moją siostrą, była mi równa, była podobna do mnie i do mojego przyjaciela z lat młodości, Hermana, marzyciela, poety, do żarliwego towarzysza moich duchowych ćwiczeń i mojej rozpusty.

– Wiem – powiedziała mi później, kiedy o tym mówiłem – wiem o tym dobrze. Wprawdzie mimo wszystko rozkocham cię kiedyś w sobie, ale z tym nie ma gwałtu. Tymczasem jesteśmy kolegami, jesteśmy ludźmi, którzy mają nadzieję zostać przyjaciółmi, ponieważ poznali się na sobie. Teraz będziemy się wzajemnie uczyć i bawić się razem. Ja pokażę ci mój mały teatr, nauczę cię tańczyć i jak być trochę wesołym i głupim, a ty pokażesz mi swoje myśli i swoją wiedzę.

– Ach, Hermino, nie ma tu wiele do pokazania, wiesz przecież dużo więcej ode mnie. Jakimże ty jesteś dziwnym człowiekiem, dziewczyno! We wszystkim mnie rozumiesz i wyprzedzasz. Czy znaczę coś dla ciebie? Czy naprawdę cię nie nudzę?

Posępnym wzrokiem spojrzała w ziemię.

– Nie lubię, kiedy tak mówisz. Przypomnij sobie wieczór, kiedy to wykończony i zrozpaczony, uciekając przed męką i samotnością, zaszedłeś mi drogę i stałeś się moim kolegą! Jak sądzisz, dlaczego potrafiłam się wówczas poznać na tobie i zrozumieć cię?

– Dlaczego, Hermino? Powiedz!

– Ponieważ jestem taka jak ty. Ponieważ jestem, tak samo jak ty, samotna i nie mogę, podobnie jak ty, kochać życia, ludzi i siebie i traktować tego wszystkiego serio. Zawsze przecież istnieje trochę takich ludzi, którzy wymagają od życia tego, co najlepsze, i nie mogą pogodzić się z głupotą i brutalnością.

– Hermino! – zawołałem głęboko zdumiony. – Rozumiem cię, przyjaciółko, nikt nie rozumie cię tak jak ja. A jednak jesteś dla mnie zagadką. Z życiem przecież dajesz sobie świetnie radę, masz tyle cudownego respektu dla drobiazgów i przyjemnostek, jesteś prawdziwym mistrzem sztuki życia. Jakże więc możesz cierpieć z powodu życia? Jak możesz rozpaczać?

– Nie rozpaczam, Harry. Ale cierpię... o tak, w tym mam doświadczenie. Dziwisz się, że nie jestem szczęśliwa, skoro umiem tańczyć i tak pewnie poruszam się po powierzchni życia. A ja, przyjacielu, dziwię się, że życie tak cię rozczarowało, skoro jesteś wtajemniczony właśnie w najpiękniejsze i najgłębsze sprawy ducha, sztuki, myśli! Dlatego poczuliśmy pociąg do siebie, dlatego jesteśmy rodzeństwem. Będę cię uczyła tańczyć, bawić się i uśmiechać, a przecież nie odczuwać zadowolenia. Od ciebie zaś nauczę się myśleć, gromadzić wiedzę, a mimo to nie odczuwać zadowolenia. Czy wiesz, że my oboje jesteśmy dziećmi diabła?

– Tak, to prawda. Duch jest diabłem, a my jesteśmy jego nieszczęśliwymi dziećmi. Wypadliśmy z kręgu natury i jesteśmy zawieszeni w próżni. Ale przyszło mi coś do głowy: w traktacie o wilku stepowym, o którym ci wspominałem, jest wzmianka o tym, że to tylko urojenie Harry'ego, jeśli sądzi, że ma jedną lub dwie dusze, że składa się z jednej lub dwóch osobowości. Każdy człowiek składa się z dziesięciu, stu, tysiąca dusz.

– To mi się bardzo podoba! – zawołała Hermina. – W tobie na przykład pierwiastek duchowy jest wysoko rozwinięty i dlatego w różnych drobiazgach życiowych pozostałeś bardzo w tyle. Myśliciel Harry ma sto lat, ale tancerz Harry ma zaledwie pół dnia. Tego ostatniego chcemy teraz dokształcić, a także wszystkich jego małych braciszków, którzy, podobnie jak on, są mali, głupi i niedojrzali.

Spojrzała na mnie z uśmiechem. Potem spytała cicho zmienionym głosem:

– A jak ci się podobała Maria?

– Maria? Któż to jest?

– Ta, z którą tańczyłeś. Ładna dziewczyna, bardzo ładna. Byłeś w niej trochę zakochany, jeśli trafnie zauważyłam.

– Znasz ją?

– O tak, znamy się bardzo dobrze. Czy bardzo ci na niej zależy?

– Podobała mi się i byłem zadowolony, że tak pobłażliwie odnosiła się do mojego tańca.

– No, jeśli to wszystko! Powinieneś trochę umizgać się do niej, Harry, jest bardzo ładna, dobrze tańczy, a zakochany też w niej jesteś. Sądzę, że będziesz miał u niej powodzenie.

– Ach, nie mam takiej ambicji.

– Teraz trochę kłamiesz. Wiem przecież, że gdzieś tam w świecie masz kochankę i widujesz ją raz na pół roku, żeby się potem z nią kłócić. To bardzo ładnie z twojej strony, że chcesz być wierny tej dziwnej przyjaciółce, ale pozwól mi nie brać tego serio! W ogóle przypuszczam, że miłość traktujesz straszliwie poważnie. Możesz to robić, możesz kochać na swój idealny sposób, ile tylko zechcesz, to twoja sprawa, nie będę się o to troszczyć. Troszczyć się natomiast muszę o to, żebyś trochę lepiej nauczył się małych, lekkich sztuczek i gierek życiowych, na tym polu jestem twoją nauczycielką i będę lepszą nauczycielką, niż była nią twoja idealna kochanka. Możesz być pewny! Bardzo by ci się przydało, wilku stepowy, przespać się znów kiedyś z ładną dziewczyną.

– Hermino! – zawołałem udręczony – spójrz na mnie, jestem starym człowiekiem.

– Jesteś małym chłopcem. I tak, jak byłeś zbyt wygodny, żeby nauczyć się tańczyć, i omal nie było już za późno, tak samo byłeś zbyt wygodny, by nauczyć się kochać. Kochać idealnie i tragicznie, drogi przyjacielu, to na pewno umiesz znakomicie, nie wątpię w to, moje uznanie! Ale teraz nauczysz się kochać także zwyczajnie, trochę po ludzku. Początek już zrobiony, niedługo będzie cię można wyprawić na bal. Musisz się jeszcze przedtem nauczyć bostona, jutro zaczniemy od tego. Przyjdę o trzeciej. A poza tym, jak ci się tu podobała muzyka?

– Nadzwyczajnie!

– Widzisz, to już postęp, poduczyłeś się trochę. Dotychczas nie znosiłeś muzyki tanecznej i jazzowej, była dla ciebie za mało poważna i za mało głęboka, a teraz przekonałeś się, że jej wcale nie trzeba brać serio, że natomiast może być miła i pełna wdzięku, zachwycająca. Zresztą bez Pabla orkiestra nie byłaby nic warta. On ją prowadzi, dodaje jej ognia.

Podobnie jak gramofon zepsuł w mojej pracowni atmosferę intelektualnego ascetyzmu, a tańce amerykańskie wciskały się obco i przykro, a nawet niwecząco w mój pielęgnowany świat muzyki, tak wcisnęły się zewsząd w moje dotychczas zdecydowanie określone i szczelnie izolowane życie sprawy nowe, przerażające i dezorganizujące. *Traktat o wilku stepowym* i Hermina mieli rację z tą nauką o tysiącu dusz, co dzień pojawiały się we mnie obok wszystkich starych coraz to nowe dusze, zgłaszały pretensje, podnosiły wrzawę; widziałem teraz wyraźnie przed sobą, jak na obrazie, urojenie mojej dotychczasowej osobowości. Uznawałem jedynie trochę tych uzdolnień i dyscyplin, w których przypadkowo byłem mocny i namalowałem obraz takiego Harry'ego i żyłem życiem takiego Harry'ego, który był jedynie wyrafinowanym specjalistą w dziedzinie poezji, muzyki i filozofii; całą resztę mojej osoby, całą resztę chaosu uzdolnień, popędów i dążeń odczuwałem jako coś uciążliwego i określałem mianem wilka stepowego.

Jednak to nawrócenie się z mojego urojenia i rozluźnienie mojej osobowości bynajmniej nie było tylko przyjemną i zabawną przygodą, przeciwnie, było niekiedy gorzkie i bolesne, często nie do zniesienia. W tym otoczeniu, gdzie wszystko było nastrojone na całkiem inną nutę, gramofon brzmiał wręcz piekielnie. A czasem, kiedy w jakimś modnym lokalu, wśród tych wszystkich eleganckich figur światowców i aferzystów, tańczyłem one-stepa, czułem się jak zdrajca w stosunku do wszystkiego, co niegdyś w życiu było dla mnie godne szacunku i święte. Gdyby Hermina zostawiła mnie samego choćby na osiem dni, sprzeniewierzyłbym się tym uciążliwym i śmiesznym próbom uczynienia z siebie lowelasa. Ale Hermina była tu ciągle; choć nie widywałem jej codziennie, to jednak zawsze byłem przez nią obserwowany, prowadzony, strzeżony i szacowany – z uśmiechem odczytywała również z mej twarzy wszystkie moje wściekłe plany buntu i ucieczki.

W miarę postępującego niszczenia tego, co przedtem nazywałem moją osobowością, zaczynałem rozumieć, dlaczego mimo całej rozpaczy tak straszliwie bałem się śmierci; powoli dochodziłem do wniosku, że ten ohydny i haniebny lęk był również cząstką mojej dawnej, mieszczańskiej, zakłamanej egzystencji. Ten dotychczasowy pan Haller, ten zdolny pisarz, znawca Mozarta i Goethego, autor godnych czytania rozpraw o metafizyce sztuki, o geniuszu i tragizmie, o humanitaryzmie, ten melancholijny eremita w wypełnionej książkami pustelni był teraz systematycznie poddawany samokrytyce i nie sprawdzał się nigdzie. Ten zdolny i interesujący pan Haller głosił wprawdzie apologię rozumu i humanitaryzmu i protestował przeciwko brutalności wojny, ale podczas wojny nie dał się postawić pod mur i rozstrzelać, co byłoby właściwą konsekwencją jego postawy, lecz znalazł sobie jakiś sposób przystosowania się, rzecz jasna, absolutnie przyzwoity i szlachetny, będący jednak – kompromisem. Był również przeciwnikiem przemocy i wyzysku, miał jednak w banku sporą ilość papierów wartościowych wielkich przedsiębiorstw, procenty zaś zgarniał bez najmniejszych wyrzutów sumienia. I tak było ze wszystkim. Harry Haller przebierał się wprawdzie cudownie w idealistę pogardzającego światem, w żałosnego pustelnika i rzucającego gromy proroka, ale w gruncie rzeczy był burżujem, uważał życie takie jak Herminy za zdrożne, gniewał się na zmarnowane w lokalach noce, na roztrwaniane tam pieniądze, miał nieczyste sumienie i wcale nie tęsknił za wyzwoleniem i dokonaniem żywota, lecz przeciwnie, ogromnie tęsknił za powrotem do tych wygodnych czasów, kiedy bawiły go jeszcze i przynosiły mu sławę rozrywki intelektualne. Dokładnie tak samo tęsknili za idealnymi czasami przedwojennymi wzgardzeni i wyszydzani przez niego czytelnicy gazet, było to bowiem wygodniejsze niż wyciąganie wniosków z przebytych cierpień. Fe, cóż za obrzydliwiec z tego pana Hallera! A jednak czepiałem się go kurczowo czy też jego rozkładającej się już maski, kurczowo trzymałem się jego kokietowania intelektem, jego mieszczańskiego strachu przed tym, co nieuporządkowane i przypadkowe (do czego zaliczał również śmierć), i porównywałem szyderczo i zawistnie rodzącego się nowego Harry'ego, tego trochę nieśmiałego i śmiesznego dyletanta dansingów, z jego dawnym, kłamliwie idealnym konterfektem, w którym odkryłem tymczasem wszystkie ujemne cechy, tak bardzo mnie kiedyś rażące w portrecie Goethego u profesora. Dawny Harry był dokładnie takim po mieszczańsku wyidealizowanym Goethem, takim herosem ducha o nazbyt szlachetnym spojrzeniu, błyszczącym jak od brylantyny wzniosłością i humanitaryzmem, był też nieomal wzruszony szlachetnością swej duszy! Do licha, na tym wdzięcznym obrazie powstały szpetne plamy, idealny pan Haller został żałośnie odbrązowiony. Wyglądał jak ograbiony przez bandytów dostojnik w poszarpanych spodniach, który postąpiłby rozsądnie, ucząc się teraz roli nędzarza, zamiast obnosić swoje łachmany, jak gdyby wisiały na nich jeszcze ordery, i dalej płaczliwie pretendować do utraconej już godności.

Wciąż spotykałem saksofonistę Pabla i sąd mój o nim musiałem poddać rewizji, chociażby z tego powodu, że Hermina bardzo go lubiła i gorliwie szukała jego towarzystwa. Zarejestrowałem Pabla w mej pamięci jako ładne zero, jako małego, trochę próżnego żigolaka, jako zadowolone, niemające żadnych problemów dziecko, które z radością dmie w swoją jarmarczną trąbkę i które łatwo można udobruchać pochwałą i czekoladą. Ale Pablo nie pytał o moje sądy, były mu one tak obojętne jak moje muzyczne teorie. Słuchał mnie grzecznie i przyjaźnie, uśmiechając się ciągle, nie dawał jednak nigdy prawdziwej odpowiedzi. Jednakże mimo to – jak się zdaje – wzbudziłem w nim zainteresowanie, widać było, że podejmuje pewne wysiłki, by mi się podobać i okazać życzliwość. Kiedy podczas jednej z takich jałowych rozmów zniecierpliwiłem się i stałem się niemal grubiański, spojrzał mi w twarz zaskoczony i smutny, ujął moją lewą rękę i głaskał ją, po czym z małego pozłacanego puzderka podał mi coś do powąchania, twierdząc, że mi to dobrze zrobi. Spojrzałem pytająco na Herminę, a gdy skinęła głową, wziąłem szczyptę i powąchałem. I rzeczywiście, wkrótce stałem się rzeświejszy i weselszy, prawdopodobnie w proszku było trochę kokainy. Hermina opowiadała mi, że Pablo ma wiele takich środków, które otrzymuje potajemnie i którymi niekiedy częstuje przyjaciół, a jest mistrzem w mieszaniu i dozowaniu tych proszków: ma środki przeciwbólowe, usypiające, wywołujące piękne sny, rozweselające i lubczyki.

Pewnego razu spotkałem go na bulwarze nadrzecznym; bezceremonialnie przyłączył się do mnie. Tym razem udało mi się wreszcie wciągnąć go w rozmowę.

– Panie Pablo – powiedziałem, gdy tymczasem on bawił się srebrno-czarną laseczką – jest pan przyjacielem Herminy, oto powód, dla którego interesuję się panem, ale muszę przyznać... nie ułatwia mi pan rozmowy. Kilkakrotnie próbowałem pomówić z panem o muzyce... ciekaw byłbym usłyszeć pańskie zdanie, pańską opozycję, pański sąd; ale pan nie raczył mi dać choćby jakiejkolwiek odpowiedzi.

Roześmiał się serdecznie i tym razem nie pozostał mi dłużny, lecz odparł spokojnie: – Widzi pan, moim zdaniem mówienie o muzyce nie ma żadnego sensu. Ja nigdy nie mówię o muzyce. Cóż miałem panu odpowiedzieć na pańskie mądre, słuszne słowa? Miał pan przecież rację we wszystkim, co pan mówił. Ale, widzi pan, ja jestem muzykiem, a nie uczonym, i nie sądzę, aby w muzyce posiadanie słuszności miało jakąkolwiek wartość. W muzyce nie chodzi o to, że się ma rację, smak, wykształcenie i tę całą resztę.

– No tak. Ale o co właściwie chodzi?

– O to, żeby grać, panie Haller, żeby grać tak dobrze, tak dużo i tak intensywnie, jak tylko można! O to chodzi, monsieur. Gdybym nawet miał w głowie wszystkie dzieła Bacha i Haydna i mógł o nich wygłaszać arcymądre zdania, to i tak nikomu nie przyniosłoby to korzyści. Jeśli jednak wezmę moją „dmuchawkę" i zagram modne shimmy, obojętne czy będzie ono dobre czy złe, to i tak sprawi ludziom radość i wejdzie im w nogi i krew. O to tylko chodzi. Niech pan kiedyś przyjrzy się na dansingu twarzom w chwili, kiedy po dłuższej przerwie muzyka znowu zaczyna grać... jak wtedy błyszczą oczy, drgają nogi, jak śmieją się twarze. Oto powód, dla którego gramy.

– Zgoda, panie Pablo. Ale istnieje nie tylko muzyka zmysłowa, istnieje również i duchowa. Istnieje nie tylko ta, którą grają w danej chwili, lecz również nieśmiertelna, która żyje nadal, chociaż się jej nie gra. Ktoś może leżeć w łóżku samotnie i w myślach odtwarzać melodię z *Czarodziejskiego fletu* lub fragment z *Pasji według św. Mateusza*, wtedy muzyka rozbrzmiewa, choć nikt nie dmie we flet ani nie pociąga smyczkiem.

– Zapewne, panie Haller. Ale również *Yearning* i *Valencię* odtwarzają sobie w milczeniu co noc tysiące samotnych marzycieli; nawet najbiedniejszej maszynistce biurowej snuje się po głowie ostatni one-step i może ona stuka na maszynie w jego takt. Mają rację ci samotnicy, życzę im z serca tej niemej muzyki, czy to będzie *Yearning*, *Czarodziejski flet* czy też *Valencia*! Ale skąd ci wszyscy ludzie biorą tę samotną, niemą muzykę? Biorą ją od nas, od muzyków, najpierw musi być zagrana, usłyszana i musi wejść im w krew, zanim któryś z nich w domu, w swojej izbie będzie mógł o niej myśleć i marzyć.

– Zgoda – odpowiedziałem chłodno. – Mimo wszystko nie godzi się stawiać na równi Mozarta z najnowszym fokstrotem. I to wcale nie jest wszystko jedno, czy zagra pan ludziom muzykę boską i wieczną, czy też tanią, efemeryczną.

Gdy Pablo wyczuł w moim głosie podniecenie, od razu przybrał najmilszy wyraz twarzy, pogłaskał mnie pieszczotliwie po ramieniu i nadał swemu głosowi niewiarygodną słodycz.

– Ach, drogi panie, z tymi porównaniami to ma pan zapewne rację. Nie mam absolutnie nic przeciwko temu, żeby pan stawiał Mozarta, Haydna i *Valencię* na takim poziomie, jaki pan uzna za słuszny! Mnie jest to obojętne, nie moją rzeczą jest wartościowanie, nikt mnie o to nie pyta. Być może Mozarta będą grali jeszcze i za sto lat, a *Valencii* może już za dwa lata nikt nie zagra... Myślę, że możemy to spokojnie pozostawić Panu Bogu, który jest sprawiedliwy i dzierży w ręku życie każdego z nas, a także decyduje o trwaniu każdego walca i każdego fokstrota, z pewnością więc postąpi tak jak należy. A my, muzycy, musimy robić swoje, czyli to, co jest naszym obowiązkiem i zadaniem: musimy grać to, czego w danej chwili ludzie sobie życzą, i musimy grać tak dobrze, ładnie i wnikliwie, jak tylko potrafimy.

Z westchnieniem dałem za wygraną. Tego człowieka nie można było przekonać.

Niekiedy w przedziwny sposób mieszało się stare i nowe, ból i rozkosz, lęk i radość. Raz przebywałem w niebie, to znów w piekle, najczęściej tu i tam jednocześnie. Dawny i nowy Harry żyli z sobą bądź w gorzkim skłóceniu, bądź w zgodzie. Czasami dawny Harry zdawał się całkiem nieżywy, umarły i pogrzebany, a potem nagle znów się podnosił, rozkazywał, tyranizował i wszystko wiedział lepiej, a nowy, mały, młody Harry wstydził się, milczał i pozwalał przyciskać się do muru. Kiedy indziej znów młody Harry chwytał starego za gardło i dusił go z całych sił, było wiele jęków, wiele śmiertelnych walk, wiele myśli o brzytwie.

Często jednak ogarniała mnie fala bólu i szczęścia jednocześnie. Było tak, kiedy w parę dni po pierwszej publicznej próbie tańca wszedłem wieczorem do mojej sypialni i ku niewysłowionemu zdziwieniu, osłupieniu, przerażeniu i zachwytowi zobaczyłem leżącą w moim łóżku piękną Marię.

Ze wszystkich niespodzianek, jakie dotąd zgotowała mi Hermina, ta była najbardziej zaskakująca. Nie wątpiłem ani chwili, że to ona przysłała mi tego rajskiego ptaka. Owego wieczoru wyjątkowo nie byłem z Herminą, lecz słuchałem w katedrze starej muzyki kościelnej w dobrym wykonaniu – była to piękna, melancholijna wyprawa w moje dawne życie, w czasy młodości, w dziedzinę idealnego Harry'ego. W wysokiej, gotyckiej nawie kościoła, którego piękne, siatkowe sklepienia kołysały się niesamowicie ożywione w chybotliwym blasku nielicznych świec, wysłuchałem utworów Buxtehudego, Pachelbela, Bacha, Haydna, chodziłem znów moimi ulubionymi dawnymi drogami, znów słuchałem wspaniałego głosu wykonawczyni utworów Bacha, z którą niegdyś byłem zaprzyjaźniony i z którą przeżywaliśmy wiele wspaniałych koncertów. Dawna muzyka, jej nieskończona godność i świętość wzbudziły we mnie uniesienia, zachwyty i entuzjazm młodości; smutny i zatopiony w myślach siedziałem wysoko na chórze kościoła, byłem przez godzinę gościem w tym szlachetnym błogim świecie, który ongiś był moją ojczyzną. Podczas duetu Haydna nagle napłynęły mi do oczu łzy, nie doczekałem końca koncertu, zrezygnowałem ze spotkania ze śpiewaczką (ach, ileż to cudownych wieczorów spędziłem po takich koncertach w towarzystwie artystów!), wymknąłem się z katedry i gnałem aż do wyczerpania pogrążonymi w cieniu nocy ulicami, gdzie tu i tam za oknami lokali orkiestry jazzowe wygrywały melodie mojego obecnego życia. Ach, jakąż ponurą pomyłką stała się moja obecna egzystencja!

Podczas tej nocnej wędrówki długo rozmyślałem o moim osobliwym upodobaniu do muzyki i raz jeszcze doszedłem do wniosku, że ten wzruszający, a jednocześnie fatalistyczny do niej stosunek jest losem całej niemieckiej mentalności. W niemieckiej duszy panuje prawo macierzyste, łączność z naturą w postaci hegemonii muzyki, jakiej nie zna żaden inny naród. My, intelektualiści, zamiast po męsku bronić się przed tym i słuchać ducha, logosu, słowa, a także postarać się o posłuch dla niego, marzymy wszyscy o jakiejś mowie bez słów, która wyraża, czego nie sposób powiedzieć, przedstawia to, co nie da się ukształtować. Zamiast grać na swoim instrumencie możliwie najwierniej i najuczciwiej, Niemiec-intelektualista buntuje się stale przeciw słowu i rozsądkowi i kokietuje muzykę. A w muzyce, w cudownych, błogich uczuciach i nastrojach, których nigdy nie zmuszano do urzeczywistnienia się, niemiecki duch całkowicie się wyżywa i zaniedbuje większość swych istotnych zadań. My, ludzie intelektu, nie czuliśmy się swojsko w rzeczywistości, byliśmy jej obcy i wrodzy, dlatego w naszej niemieckiej rzeczywistości, w naszej historii, polityce i opinii publicznej rola ducha była żałosna. No cóż, nieraz analizowałem tę myśl, czując niekiedy dojmującą chęć, aby choć raz uczestniczyć w kształtowaniu rzeczywistości, aby raz robić coś serio i z poczuciem odpowiedzialności, zamiast stale uprawiać estetykę, duchową sztukę stosowaną. Ale kończyło się zawsze na rezygnacji, na poddaniu się losowi. Panowie generałowie i wielcy przemysłowcy mają rację: nic się nie dało zrobić z nami „intelektualistami", jesteśmy zbędnym, obcym rzeczywistości, nieodpowiedzialnym towarzystwem mędrkujących gaduł. Fe, do diabła! Brzytwa!

Przepełniony myślami i echem muzyki, z sercem ciężkim od smutku i rozpaczliwej tęsknoty za życiem, za rzeczywistością, za jej sensem nieodwracalnie straconym, wróciłem wreszcie do domu, wszedłem po schodach na górę, zapaliłem światło w gabinecie, na próżno próbowałem trochę poczytać, myślałem o umówionym spotkaniu, które zmuszało mnie do pójścia jutro wieczorem na whisky i tańce do baru „Cecil", i czułem wściekłość i rozgoryczenie, nie tylko w stosunku do siebie, ale i do Herminy. Możliwe, że ma dobre i szczere intencje, być może jest też zachwycającym stworzeniem, ale lepiej byłoby, gdyby mi wówczas pozwoliła zmarnieć, zamiast wprowadzać mnie i wciągać w ten pogmatwany, obcy i rozbawiony świat blichtru, gdzie przecież zawsze pozostanę intruzem i gdzie to, co we mnie najlepsze, marnieje i cierpi niedostatek.

Tak więc smutny zgasiłem światło, smutny wszedłem do sypialni, smutny zacząłem się rozbierać, gdy nagle zdziwił mnie niezwykły zapach. Pachniało delikatnie perfumami, a rozglądając się, zobaczyłem w moim łóżku piękną, uśmiechniętą Marię, nieco zalęknioną, spoglądającą na mnie dużymi, błękitnymi oczyma.

– Mario! – zawołałem. Pierwszą moją myślą było, że gospodyni wymówiłaby mi mieszkanie, gdyby o tym wiedziała.

– Przyszłam – powiedziała cichutko. – Czy pan się gniewa?

– Nie, nie. Wiem, Hermina dała pani klucz. No tak.

– Och, pan się gniewa. Ja sobie pójdę.

– Nie, piękna Mario, proszę zostać! Jestem tylko dziś wieczór bardzo smutny, dziś nie mogę być wesoły, może jutro będę znów weselszy.

Pochyliłem się nieco ku niej, wówczas dużymi, mocnymi rękoma ujęła moją głowę i długo mnie całowała. Usiadłem przy niej na łóżku, wziąłem ją za rękę i prosiłem, by mówiła cicho, gdyż nie powinni nas tu słyszeć, spoglądałem w dół na jej piękną, okrągłą twarzyczkę, spoczywającą na mojej poduszce obco i cudownie, jak wielki kwiat. Powoli przyciągnęła moją dłoń do swych ust, potem wsunęła ją pod kołdrę i położyła na swej ciepłej, spokojnie oddychającej piersi.

– Nie musisz być wesoły – powiedziała. – Hermina mówiła mi już, że masz zmartwienie. Każdy to rozumie. Czy podobam ci się jeszcze? Ostatnio, podczas tańca, byłeś bardzo zakochany.

Całowałem jej oczy, usta, szyję i piersi. Dopiero co myślałem o Herminie gorzko i z wyrzutami. Teraz trzymałem jej dar w ramionach i byłem jej wdzięczny. Pieszczoty Marii nie profanowały cudownej muzyki, której dziś słuchałem, były jej godne i były jej dopełnieniem. Powoli ściągałem kołdrę z pięknej kobiety, aż pocałunkami dotarłem do jej stóp. Kiedy się przy niej położyłem, jej twarz, podobna do kwiatu, uśmiechnęła się wszechwiedząco i dobrotliwie.

Tej nocy u boku Marii spałem niedługo, ale głęboko i smacznie jak dziecko. A między okresami snu spijałem jej piękną, radosną młodość i dowiadywałem się z cichego szeptu wielu godnych uwagi szczegółów z jej życia i z życia Herminy. Bardzo mało wiedziałem o tego rodzaju istotach i o ich codzienności, dawniej takie stworzenia spotykałem tylko w teatrze, i to sporadycznie, zarówno kobiety jak i mężczyzn, na poły artystów, na poły hulaków. Teraz dopiero wniknąłem nieco głębiej w to dziwnie niewinne, osobliwe, zepsute życie. Dziewczęta te, przeważnie z ubogich rodzin, zbyt mądre i zbyt ładne, by całe życie strawić na źle płatnych i nudnych posadach, żyły bądź z dorywczej pracy, bądź ze swej urody i wdzięku. Niekiedy siedziały przez parę miesięcy przy maszynie do pisania, bywały przejściowo kochankami bogatych lowelasów, otrzymywały kieszonkowe i prezenty, niekiedy stroiły się w futra, jeździły samochodami, mieszkały w Grand Hotelach, a kiedy indziej na poddaszach; do małżeństwa można je było wprawdzie nakłonić wysoką ofertą, ale w zasadzie nie były na to łase. Niektóre z nich nie okazywały w miłości pożądania, oddawały się niechętnie i to po targach o najwyższą cenę. Inne, a do nich należała Maria, były w sztuce kochania niezwykle uzdolnione i bardzo jej spragnione, a większość z nich miała doświadczenie w miłości z obiema płciami, żyły wyłącznie dla miłości i romansowały nie tylko z oficjalnymi i płacącymi przyjaciółmi. Skrzętne i pracowite, zatroskane i lekkomyślne, mądre, a jednak nieopanowane, motyle te pędziły życie zarówno niefrasobliwe, jak wyrafinowane, były niezależne, nie dla każdego do kupienia, oczekujące „swojego” losu, zdane na łaskę szczęścia i sprzyjającej aury, rozmiłowane w życiu, a jednak o wiele mniej do niego przywiązane od mieszczuchów, zawsze gotowe podążyć za księciem z bajki do jego zamku, zawsze w podświadomości pewne trudnego, smutnego końca.

Maria nauczyła mnie – w ciągu tej przedziwnej pierwszej nocy i w ciągu następnych dni – wielu rzeczy, nie tylko rozkosznych nowych igraszek i upojeń zmysłowych, ale także nowego rozumienia, nowych poglądów, nowej miłości. Świat tanecznych, rozrywkowych lokali, świat kin, barów i holów hotelowych, który dla mnie, pustelnika i estety, był jeszcze ciągle czymś podrzędnym, zakazanym i poniżającym, dla Marii, Herminy i ich koleżanek był po prostu światem, ani dobrym, ani złym, ani godnym pożądania, ani nienawiści; w tym świecie kwitło ich krótkie, pełne tęsknoty życie, w nim były zadomowione i znały go na wylot. Lubiły pewien gatunek szampana lub pewne danie w grill-roomie, tak jak ktoś z naszego środowiska lubi jakiegoś kompozytora czy poetę, a dla szlagieru tanecznego lub sentymentalnej, tkliwej piosenki śpiewaka jazzowego trwoniły tyle entuzjazmu, przejęcia i wzruszenia, ile niektórzy z nas dla Nietzschego lub Hamsuna. Maria opowiadała mi o pięknym saksofoniście Pablu i o jakiejś amerykańskiej piosence, którą im niekiedy śpiewał, i mówiła o tym z przejęciem, zachwytem i miłością, co mnie znacznie bardziej wzruszyło i porwało niż ekstazy jakiegoś wielce uczonego człowieka nad wyrafinowanymi rozkoszami estetycznymi. Byłem gotów podzielić jej zachwyt, obojętne jaka byłaby ta piosenka; pełne miłości słowa Marii, jej tęskne spojrzenia poczyniły głębokie wyłomy w mojej estetyce. Zapewne istnieje niejedno piękno, rzadkie, wybrane, które zda się być poza wszelką dyskusją i wątpliwością, na przykład takie zjawisko jak Mozart. Ale gdzie jest granica? Czyż my, znawcy i krytycy, jako młodzieńcy nie kochaliśmy żarliwie dzieł sztuki i artystów, którzy dziś wydają się nam wątpliwi i kiepscy? Czyż wielu nie doświadczyło tego w odniesieniu do Liszta, Wagnera, a nawet Beethovena? Czy świeży, dziecinny zachwyt Marii amerykańską piosenką nie był równie czystym, pięknym i niewątpliwie wzniosłym przeżyciem estetycznym, jak przejęcie się jakiegoś profesora gimnazjum *Tristanem* albo ekstaza dyrygenta przy wykonywaniu *Dziewiątej symfonii*? I czy przypadkiem nie pokrywało się to przedziwnie z poglądami pana Pabla i nie przyznawało mu racji?

Zdaje się, że tego adonisa Pabla również i Maria bardzo kochała!

– To piękny człowiek – powiedziałem – mnie też się bardzo podoba, ale jak możesz, Mario, równocześnie lubić jeszcze i mnie, takiego starego nudziarza, który nie jest ładny i nawet zaczyna już siwieć, nie gra na saksofonie i nie umie śpiewać angielskich piosenek miłosnych?

– Nie mów tak! – łajała mnie. – To przecież jest zupełnie proste. Ty też mi się podobasz i w tobie też jest coś ładnego, miłego i szczególnego, nie powinieneś być inny, niż jesteś. O tych rzeczach nie trzeba mówić ani się z nich rozliczać. Wiesz, kiedy mnie całujesz w szyję lub w ucho, wtedy czuję, że mnie lubisz, że ci się podobam; ty umiesz całować w taki trochę nieśmiały sposób i to mi mówi: on cię kocha i jest ci wdzięczny, że jesteś ładna. Bardzo, bardzo to lubię. A potem znów u innego mężczyzny lubię właśnie coś przeciwnego, jeśli – zdawałoby się – nic sobie ze mnie nie robi i tak mnie całuje, jakby to robił z łaski.

Znowu zasnęliśmy. I znowu obudziłem się, ciągle trzymając w ramionach mój piękny kwiat.

I rzecz dziwna! Ten piękny kwiat pozostawał jednak niezmiennie podarunkiem Herminy! Wciąż stała za Marią i okrywała ją na kształt maski! Nagle przyszła mi na myśl Erika, moja daleka, niedobra kochanka, moja biedna przyjaciółka. Urodą niewiele ustępowała Marii, choć nie była tak kwitnąca, swobodna i nie znała tylu małych genialnych sztuczek miłosnych jak ona; przez chwilę stanął przede mną jej obraz, wyraźny i bolesny, kochany i głęboko spleciony z mym losem, po czym znów pogrążył się w sen, w zapomnienie i na wpół opłakiwaną dal.

Wiele obrazów z mego życia wynurzało się przede mną w tę piękną, rozkoszną noc, przede mną, który tak długo żyłem w pustce, w nędzy, bez wspomnień. Teraz owo źródło obrazów, otwarte czarodziejsko przez Erosa, uderzyło z głębin i trysnęło obficie; chwilami serce stawało mi z zachwytu i żalu nad tym, jak bogata była galeria obrazów mego życia, jak pełna niedosiężnych, wiecznych gwiazd i konstelacji była dusza biednego wilka stepowego. Zajrzało do mnie dzieciństwo i matka, delikatnie i przez mgłę, jak daleki błękitny fragment pasma górskiego; niczym dźwięk spiżu czysto zabrzmiał chór moich przyjaciół z legendarnym Hermanem na czele, duchowym bratem Herminy; wonne i nieziemskie, jak wilgotne, wykwitające z wody nenufary, wyłaniały się obrazy wielu kobiet, które kochałem, których pożądałem i które opiewałem; niewiele z nich jednak zdobyłem i usiłowałem zatrzymać dla siebie. Zjawiła się też moja żona, wiele lat z nią przeżyłem, nauczyła mnie koleżeństwa, konfliktów, rezygnacji, do której uczucie głębokiego zaufania – mimo wszystkich życiowych niedosytów – pozostało żywe aż do dnia, kiedy, dotknięta obłędem i chora, porzuciła mnie w nagłym popłochu i buncie; przekonałem się wówczas, jak bardzo ją kochałem i jak bardzo musiałem jej ufać, skoro fakt, że zawiodła moje zaufanie, tak ciężko mnie dotknął, i to na całe życie.

Te wszystkie obrazy – a były ich setki, z nazwiskami lub bez – wszystkie były znów obecne, wyłaniały się młode i świeże ze źródła tej miłosnej nocy i wiedziałem znowu, o czym w mojej biedzie dawno zapomniałem: że stanowiły własność i wartość mego życia i że trwały nadal niezniszczalne, jako przeżycia przemienione w gwiazdy. Mogłem o nich zapomnieć, lecz przecież nie mogłem ich zniszczyć, stanowiły bowiem legendę mojego życia, ich gwiaździsty blask był trwałą wartością mojego istnienia. Moje życie było uciążliwe, pogmatwane i nieszczęśliwe, wiodło ku rezygnacji i zaprzeczeniu, było gorzkie od soli losu całego człowieczeństwa, ale było bogate, dumne i bogate, i nawet w nędzy jeszcze królewskie. Choćby ten mały odcinek drogi, wiodący do zagłady, został Bóg wie jak żałośnie roztrwoniony, to jądro tego życia było szlachetne, miało swoje oblicze i rasę, nie liczyło się na grosze, lecz na gwiazdy.

I znów minęło sporo czasu, wiele się odtąd zdarzyło i zmieniło, przypominam sobie tylko niektóre szczegóły owej nocy, pojedyncze słowa, pojedyncze gesty i odruchy głębokiej, miłosnej tkliwości oraz jasne jak gwiazdy chwile budzenia się z ciężkiego snu miłosnego utrudzenia. Ale była to owa noc, podczas której po raz pierwszy od chwili załamania się moje własne życie spojrzało na mnie nieubłaganie bystrym wzrokiem, kiedy w przypadku znów dostrzegłem przeznaczenie, a w gruzach mojego bytu fragment boskości. Moja dusza znów oddychała, oko znów widziało, a przez moment miałem płomienne przeczucie, że wystarczy zebrać rozproszony świat obrazów, życie Harry'ego Hallera, wilka stepowego, jako całość podnieść do godności obrazu, abym wszedł w świat obrazów i stał się nieśmiertelnym. Czyż nie to było celem, do którego zmierza każde życie ludzkie i o który się ubiega?

Rano podzieliłem się śniadaniem z Marią, po czym musiałem ją niepostrzeżenie wyprowadzić z domu, co się też udało. Jeszcze tego samego dnia wynająłem w pobliskiej dzielnicy pokoik, przeznaczony wyłącznie do naszych spotkań.

Moja nauczycielka tańca zjawiła się punktualnie i musiałem uczyć się bostona. Była surowa i nieubłagana i nie darowała mi ani jednej chwili, było bowiem postanowione, że pójdę z nią na najbliższy bal maskowy. Poprosiła mnie o pieniądze na kostium, o którym nie chciała jednak nic bliższego powiedzieć. Wciąż jeszcze nie wolno mi było jej odwiedzać, nie mogłem się dowiedzieć, gdzie mieszka.

Okres około trzech tygodni, poprzedzający bal maskowy, był wyjątkowo piękny. Maria wydawała mi się pierwszą prawdziwą kochanką, jaką kiedykolwiek miałem. Od kobiet, które kochałem, zawsze wymagałem intelektu i wykształcenia, nie dostrzegając wcale, że nawet najbardziej inteligentna i stosunkowo najbardziej wykształcona kobieta nigdy nie dawała odpowiedzi tkwiącemu we mnie logosowi, lecz zawsze mu się przeciwstawiała; przychodziłem do kobiet z moimi problemami i myślami i wydawało mi się niemożliwością dłużej niż godzinę przestawać z dziewczyną, która przeczytała najwyżej jedną książkę, a nawet dobrze nie wiedziała, czym w ogóle jest czytanie, i która nie umiałaby odróżnić Czajkowskiego od Beethovena. Maria nie miała żadnego wykształcenia, nie potrzebowała ani manowców, ani zastępczych światów, jej problemy wyrastały bezpośrednio ze zmysłów. Jej sztuką i zadaniem było osiągać wyżyny szczęścia miłosnego za pomocą posłusznych sobie zmysłów, za pomocą swych wyjątkowych kształtów, głosu, barw, włosów, skóry i temperamentu oraz znaleźć i wyczarować w kochanku odpowiedź, zrozumienie i żywą, dającą szczęście reakcję na jej zdolności, na każde zgięcie linii, na każde subtelne ukształtowanie ciała. Odczuwałem to już podczas pierwszego nieśmiałego tańca z nią, zwietrzyłem zapach genialnej, zachwycającej i wspaniale kultywowanej zmysłowości, która mnie oczarowała. I z pewnością nie było też przypadkiem, że ta wszechwiedząca Hermina sprowadziła mi właśnie Marię. Jej zapach i wszystkie jej walory kryły w sobie coś z lata, coś z róży.

Nie miałem szczęścia być jedynym albo uprzywilejowanym kochankiem Marii, byłem jednym z wielu. Często nie znajdowała dla mnie czasu, niekiedy tylko godzinę po południu, rzadko noc. Nie chciała brać ode mnie pieniędzy, była to zapewne sprawka Herminy. Ale upominki przyjmowała chętnie, a gdy jej na przykład podarowałem nową, małą portmonetkę z czerwonej, lakierowanej skóry, to mogły się w niej znaleźć dwie albo trzy złote monety. Zresztą z powodu tej czerwonej portmonetki porządnie mnie wyśmiała! Portmonetka była śliczna, ale niemodna. W tych sprawach, o których dotąd nie wiedziałem i na których mniej się rozumiałem niż na języku Eskimosów, nauczyłem się od Marii wiele. Przede wszystkim dowiedziałem się, że te małe cacka, przedmioty mody i zbytku, nie są tylko tandetą, kiczami i wynalazkami żądnych zysku fabrykantów i handlarzy, lecz są celowe, piękne, różnorodne, są małym albo raczej dużym światem przedmiotów, mających jeden tylko cel: służyć miłości, wysubtelniać zmysły, ożywiać martwe otoczenie i obdarzać je w cudowny sposób nowymi akcesoriami sztuki uwodzenia, począwszy od pudru i perfum po pantofelki balowe, od pierścionka do papierośnicy, od klamerki paska do torebki. Torebka nie była torebką, portmonetka nie była portmonetką, kwiaty nie były kwiatami, wachlarz nie był wachlarzem: wszystko było plastycznym materiałem miłości, magii, podniety, było posłańcem, przemytnikiem, bronią, okrzykiem bojowym.

Często myślałem nad tym, kogo Maria właściwie kocha. Najbardziej, jak mi się zdawało, lubiła saksofonistę, młodzieńca o rozmarzonych, czarnych oczach i długich, bladych, szlachetnych i melancholijnych rękach. Wyobrażałem sobie, że ten Pablo jest w miłości trochę ospały, rozpieszczony i bierny, ale Maria zapewniała mnie, że wprawdzie powoli się rozpala, ale za to później jest bardziej przejęty, bardziej szorstki, męski i wymagający niż jakiś bokser lub dżokej. W ten sposób dowiedziałem się i poznałem wiele różnych intymnych szczegółów o muzyku jazzowym, o aktorach, o niektórych kobietach, o dziewczętach i mężczyznach z naszego środowiska, poznałem wiele tajemnic, zobaczyłem ukryte pod powierzchnią związki i wrogości, stałem się powoli (ja, który w tym świecie nie byłem ustosunkowany) kimś zaufanym i włączonym w ten świat. Również o Herminie dowiedziałem się wiele. Jednak szczególnie często spotykałem się teraz z panem Pablo, którego Maria bardzo

lubiła. Niekiedy potrzebowała też którejś z jego tajemniczych mikstur, a także i mnie użyczała czasami tych rozkoszy, Pablo zaś był zawsze ze szczególną gorliwością na moje usługi. Kiedyś powiedział mi bez ogródek:
– Pan jest bardzo nieszczęśliwy, nie powinno się być takim. Bardzo mi przykro. Niech pan zapali lekką fajkę opium. – Mój sąd o tym wesołym, mądrym, dziecinnym, a przy tym niezgłębionym człowieku zmieniał się ustawicznie, staliśmy się przyjaciółmi, nierzadko korzystałem z jego specyfików. Z rozbawieniem przyglądał się mojemu zakochaniu w Marii. Kiedyś urządził „libację" w swoim pokoju, czyli w mansardzie podmiejskiego hotelu. Było tam tylko jedno krzesło, Maria i ja musieliśmy siedzieć na łóżku. Poczęstował nas zlanym z trzech buteleczek tajemniczym, cudownym likierem, a potem, kiedy byłem już dobrze podochocony, zaproponował nam z błyszczącymi oczyma miłosną orgię we troje. Szorstko odrzuciłem tę propozycję, coś podobnego było dla mnie nie do przyjęcia, mimo to zerknąłem w kierunku Marii, aby się przekonać, jak ona zareaguje na moją odmowę, i choć od razu się zgodziła, to jednak dostrzegłem w jej oczach błysk żalu z powodu tej rezygnacji. Pablo był moją odmową rozczarowany, ale nie urażony. – Szkoda – powiedział – Harry za dużo myśli o moralności. Trudno. A byłoby tak pięknie, bardzo pięknie! Ale ja znam

namiastkę. – Każde z nas dostało parę haustów opium i siedząc nieruchomo, z otwartymi oczyma, przeżywaliśmy sugerowaną przez niego scenę, przy czym Maria drżała z zachwytu. Potem zrobiło mi się słabo, Pablo położył mnie na łóżku, dał mi parę kropel lekarstwa, a gdy na chwilę zamknąłem oczy, poczułem na powiekach przelotny, zwiewny pocałunek. Przyjąłem go, niby to wierząc, że pochodzi od Marii. Wiedziałem jednak dobrze, że był to pocałunek Pabla. Pewnego wieczoru zaskoczył mnie jeszcze bardziej. Zjawił się w moim mieszkaniu, oświadczył, że potrzebuje dwudziestu franków i że prosi mnie o te pieniądze. W zamian za to proponuje, żebym tej nocy dysponował Marią zamiast niego. – Pablo – zawołałem przerażony – pan nie wie, co pan mówi. Odstąpić komuś kochankę za pieniądze to u nas rzecz najhaniebniejsza! Nie słyszałem pańskiej propozycji, Pablo!

Spojrzał na mnie ze współczuciem. – Pan nie chce, panie Harry? Dobrze. Zawsze sam pan sobie sprawia trudności. Wobec tego niech pan nie spędza dzisiejszej nocy z Marią, jeśli pan tak woli, i niech mi pan po prostu da te pieniądze, zwrócę je panu. Są mi koniecznie potrzebne.

– Na cóż to?

– Dla Agostina... wie pan, to ten mały, drugi skrzypek. Od ośmiu dni leży chory i nikt się nim nie zajmuje, nie ma ani grosza, a teraz i moje pieniądze się skończyły.

Z ciekawości, a trochę dla ukarania samego siebie, poszedłem razem z nim do Agostina; Pablo zaniósł mu mleko i lekarstwa na bardzo nędzne poddasze, prześcielił łóżko, wywietrzył pokój i na rozpalonej głowie chorego położył ładny, fachowo przygotowany kompres; zrobił to wszystko prędko, delikatnie i zręcznie, jak dobra pielęgniarka. Tego samego wieczoru widziałem, jak grał w barze „City" aż do świtu.

Często prowadziłem z Herminą długie i rzeczowe rozmowy o Marii, o jej rękach, plecach, biodrach, o jej sposobie śmiania się, całowania i tańczenia.

– A to ci już pokazywała? – spytała kiedyś Hermina i opisała mi specjalną pieszczotę językiem przy pocałunku. Prosiłem, aby mi sama to zademonstrowała, ale odmówiła z powagą. – To przyjdzie później – powiedziała – jeszcze nie jestem twoją kochanką.

Zapytałem, skąd zna sztukę pocałunków Marii i niektóre intymne szczegóły jej ciała, znane jedynie kochającemu mężczyźnie.

– Och – zawołała – jesteśmy przecież w przyjaźni! Czy myślisz, że mamy przed sobą jakieś tajemnice? Często u niej sypiałam i bawiłyśmy się z sobą. Tak, tak, dostała ci się ładna dziewczyna, umie więcej od innych.

– Myślę jednak, Hermino, że i wy macie tajemnice

przed sobą. A może i o mnie powiedziałaś jej wszystko, co wiesz?

– Nie, to są inne sprawy, których by Maria nie zrozumiała. Jest zachwycająca, miałeś szczęście, ale między tobą i mną są sprawy, o których ona nie ma pojęcia. Wiele jej o tobie mówiłam, znacznie więcej, niżby ci to wówczas było miłe... przecież musiałam ją uwieść dla ciebie. Ale tak ciebie rozumieć, przyjacielu, jak ja cię rozumiem, nie potrafi ani Maria, ani żadna inna kobieta. Zresztą i ja uczyłam się niejednego od Marii... Wiem o tobie wszystko, znam cię na tyle, na ile zna cię Maria. Znam cię prawie tak dobrze, jak gdybym często z tobą sypiała.

Kiedy znowu spotkałem się z Marią, doznałem dziwnego i tajemniczego uczucia, wiedząc, że Herminę tak samo tuliła do serca jak mnie, że tak samo dotykała, całowała, pieściła i badała jej ręce i nogi, włosy i skórę, jak moje. Jawiły się przede mną nowe, pośrednie i skomplikowane stosunki i związki, nowe możliwości kochania i życia, myślałem o tysiącach dusz w *Traktacie o wilku stepowym*.

W ciągu tego krótkiego czasu, między moim poznaniem się z Marią a wielkim balem maskowym, byłem po prostu szczęśliwy; nie miałem jednak przy tym nigdy uczucia, że jest to jakieś wybawienie, jakiś osiągnięty stan błogości, lecz czułem bardzo wyraźnie, że wszystko jest prologiem i przygotowaniem, że wszystko gwałtownie posuwa się naprzód, że to „istotne" dopiero nastąpi.

Tańca nauczyłem się tyle, że – jak mi się zdawało – mogłem wziąć udział w balu, o którym z każdym dniem mówiło się coraz więcej. Hermina miała swoją tajemnicę, mocno upierała się przy tym, by mi nie zdradzić, w jakim pojawi się kostiumie. Mówiła, że i tak ją poznam, a gdyby mi się to nie udało, to mi w tym pomoże, ale z góry nie powinienem nic wiedzieć. Nie była też ciekawa moich planów kostiumowych, postanowiłem zresztą wcale się nie przebierać. Kiedy chciałem zaprosić na bal Marię, oświadczyła, że na tę zabawę ma już partnera, i rzeczywiście miała już bilet wstępu; więc trochę rozczarowany uświadomiłem sobie, że będę musiał sam pójść na bal. Była to najelegantsza reduta w mieście, urządzana corocznie w salach „Globusu" przez świat artystyczny.

W tych dniach rzadko widywałem Herminę, ale w przeddzień balu wstąpiła do mnie – przyszła po odbiór karty wstępu, którą dla niej załatwiłem – i posiedziała chwilę w moim pokoju; doszło wtedy między nami do dziwnej rozmowy, która wywarła na mnie głębokie wrażenie.

– Właściwie powodzi ci się teraz bardzo dobrze – powiedziała – taniec ci służy. Kto cię nie widział przez ostatnie cztery tygodnie, z trudem by cię poznał.

– Tak – przyznałem – już od lat nie wiodło mi się tak dobrze. To wszystko zawdzięczam tobie, Hermino.

– Czyżby, a nie pięknej Marii?

– Nie. Bo nawet i Marię tyś mi darowała. Ona jest cudowna!

– Jest kochanką, jakiej potrzebowałeś, wilku stepowy. Ładna, młoda, wesoła, w miłości doświadczona i nie co dzień można ją mieć. Gdybyś nie musiał dzielić się nią z innymi, gdyby nie była u ciebie tylko przelotnym gościem, nie układałoby się wszystko tak dobrze.

Tak, musiałem to przyznać.

– A więc masz teraz właściwie już wszystko, czego ci potrzeba.

– Nie, Hermino, tak nie jest. Mam coś bardzo pięknego i zachwycającego, wielką radość i ukojenie. Jestem po prostu szczęśliwy...

– No więc? Czego jeszcze chcesz?

– Chcę czegoś więcej. Nie jestem zadowolony ze stanu szczęśliwości, nie jestem do tego stworzony, to nie jest moim przeznaczeniem. Moim przeznaczeniem jest coś przeciwnego.

– A więc chcesz być nieszczęśliwy? Tego miałeś chyba pod dostatkiem wówczas, kiedy z powodu brzytwy nie mogłeś wrócić do domu.

– Nie, Hermino, tu chodzi o coś innego. Przyznaję, że byłem wtedy bardzo nieszczęśliwy. Ale było to nieszczęście głupie, jałowe.

– Dlaczego?

– Dlatego, że nie należało mieć aż takiego lęku przed śmiercią, której przecież pragnąłem! Tęsknię za innym nieszczęściem, innego potrzebuję; powinno być takie, które pozwoli mi cierpieć i umierać z rozkoszą. Oto jest nieszczęście czy może szczęście, na które czekam.

– Rozumiem cię. Pod tym względem jesteśmy rodzeństwem. Ale co masz przeciwko szczęściu, które teraz znalazłeś przy Marii? Dlaczego nie jesteś zadowolony?

– Nie mam nic przeciw temu szczęściu, kocham je, jestem mu wdzięczny. Jest tak piękne, jak słoneczny dzień pośród deszczowego lata. Ale czuję, że nie może ono trwać wiecznie. A poza tym to szczęście jest jałowe. Zadowala, ale zadowolenie nie jest dla mnie pożywką. Usypia wilka stepowego, syci go. Ale nie jest takim szczęściem, dla którego warto by umrzeć.

– Więc trzeba umrzeć, wilku stepowy?

– Myślę, że tak! Cieszę się moim szczęściem, jeszcze przez jakiś czas może być ono moim udziałem. Ale jeśli niekiedy daje mi godzinę wytchnienia na przebudzenie i tęsknotę, wtedy nie mam ochoty zachować go na zawsze, lecz znów cierpieć, tylko piękniej i nie tak nędznie jak dawniej. Tęsknię za cierpieniem, które uczyni mnie gotowym i żądnym śmierci.

Naraz Hermina spojrzała na mnie czule swoimi ciemnymi oczyma. Wspaniałe, straszliwe oczy! Powoli, szukając poszczególnych słów i zestawiając je ze sobą, powiedziała tak cicho, że musiałem wysilić się, żeby ją usłyszeć:

– Chcę ci dzisiaj oznajmić coś, o czym wiem już od dawna i o czym ty także już wiesz, ale może sobie jeszcze tego nie uświadomiłeś. Powiem ci teraz, co wiem o sobie, o tobie i o naszym losie. Ty, Harry, byłeś artystą, myślicielem, człowiekiem pełnym radości i wiary, zawsze na tropie wielkich i wiecznych rzeczy, nigdy nie zadowalającym się czymś ładnym i małym. Ale im bardziej budziło cię życie i przywracało ci świadomość, tym większa stawała się twoja bieda, tym bardziej, aż do dna, pogrążałeś się w cierpieniu, smutku i rozpaczy, i wszystko, co niegdyś znałeś, kochałeś i czciłeś jako piękne i święte, cała twoja dawna wiara w ludzi i w nasze posłannictwo nie mogła ci pomóc, stała się bezwartościowa i rozpadła się w drzazgi. Twoja wiara nie miała już czym oddychać. A śmierć przez uduszenie jest ciężka. Czy tak, Harry? Czy nie taki jest twój los?

Skinąłem głową potakująco.

– Miałeś w sobie obraz życia, jakąś wiarę, jakieś żądanie, byłeś gotów do czynów, do cierpień i ofiar... a potem spostrzegałeś stopniowo, że świat nie żąda od ciebie ani czynów, ani ofiar, ani podobnych rzeczy, że życie nie jest heroicznym poematem z rolami bohaterów i tym podobnych postaci, lecz mieszczańską najlepszą izbą, gdzie ludzi w pełni zadowala jedzenie, picie i robótka na drutach, partia taroka i radio. Kto zaś pragnie czegoś innego i żywi w sobie pragnienie tego, co bohaterskie i piękne, pragnienie kultu dla wielkich poetów albo dla świętych, ten jest szaleńcem i donkiszotem. Tak, mój przyjacielu. Ze mną było tak samo! Byłam dziewczyną o dobrych zadatkach, przeznaczoną do życia według określonego wzoru, do stawiania sobie wielkich wymagań, do pełnienia szczytnych zadań. Mogłam przyjąć na siebie wielki los, być żoną króla, kochanką rewolucjonisty, siostrą geniusza, matką męczennika. A życie pozwoliło mi tylko zostać kurtyzaną o względnie dobrym guście... ale nawet i to utrudniano mi dostatecznie! Tak było ze mną. Przez jakiś czas byłam niepocieszona i długo szukałam winy w sobie. Życie, myślałam, musi w końcu przecież mieć rację, a jeśli wyszydzało moje piękne marzenia, to widocznie – sądziłam – moje marzenia były głupie i nie miały racji. Ale to nic nie pomogło. A ponieważ miałam dobre oczy i uszy, a przy tym byłam też trochę ciekawa, przyjrzałam się dość dokładnie tak zwanemu życiu, moim znajomym i sąsiadom, pięćdziesięciu i więcej ludziom i ich losom, i wtedy przekonałam się, Harry, że moje marzenia miały rację, po stokroć miały rację, podobnie jak twoje. Natomiast życie i rzeczywistość nie miały racji. To, że kobieta mojego pokroju nie miała innego wyboru jak bezsensownie starzeć się przy maszynie do pisania, na usługach jakiegoś groszoroba, albo wyjść za mąż za niego dla pieniędzy lub też stać się pewnego rodzaju prostytutką, jest tak samo niesprawiedliwe jak to, że człowiek taki jak ty, samotny, nieśmiały i zrozpaczony, musi sięgać po brzytwę. Moja nędza była zawsze bardzo materialna i moralna, u ciebie zaś raczej duchowa, ale droga była ta sama. Myślisz, że nie rozumiem twej niechęci do fokstrota, twojej awersji do barów i dansingów, tego wzdragania się przed muzyką jazzową i przed tym całym kramem? Aż nadto dobrze cię rozumiem, także twój wstręt do polityki, smutek z powodu czczej gadaniny i nieodpowiedzialnych poczynań partii, prasy, twoją rozpacz z powodu ostatniej wojny i tych, które jeszcze będą, sposób, w jaki dziś się myśli, czyta, buduje, uprawia muzykę, obchodzi uroczystości, szerzy wiedzę. Masz rację, wilku stepowy, po stokroć masz rację, a przecież musisz zginąć. Jesteś dla tego prostego, wygodnego dzisiejszego świata, zadowalającego się byle czym, za bardzo wymagający i za głodny, on cię wypluwa, masz dla niego o jeden wymiar za dużo. Kto chce dziś żyć zadowolony ze swego życia, temu nie wolno być takim człowiekiem jak ty i ja. Kto zamiast brzdąkania żąda muzyki, zamiast zadowolenia – radości, zamiast pieniędzy – duszy, zamiast taśmowej produkcji – prawdziwej roboty, a zamiast flirtu – prawdziwej namiętności, dla takiego ten piękny świat nie jest ojczyzną...

Spuściła wzrok i pogrążyła się w myślach.

– Hermino – zawołałem tkliwie – siostro, jakie dobre masz oczy! A przecież nauczyłaś mnie fokstrota! Ale jak to rozumiesz: że ludzie tacy jak my, mający o jeden wymiar za dużo, nie mogą tu żyć? Na czym to polega? Czy to tylko dzisiaj tak się dzieje? Czy może tak było zawsze?

– Nie wiem. Na chwałę świata chcę przypuszczać, że jest to tylko sprawa naszych czasów, że jest to tylko choroba, chwilowe nieszczęście. Przywódcy pracują dzielnie i skutecznie nad nową wojną, my tymczasem tańczymy fokstrota, zarabiamy pieniądze i jemy czekoladki... W takich czasach świat musi wyglądać bardzo skromnie. Miejmy nadzieję, że inne czasy były lepsze i znów będą lepsze, bogatsze, szersze, głębsze. Ale to nam nie da żadnych korzyści. A może zawsze tak było...

– Zawsze tak jak dziś? Zawsze świat tylko dla polityków, paskarzy, kelnerów i hulaków, a bez powietrza dla ludzi?

– Nie wiem, nikt tego nie wie. To zresztą obojętne. Ale myślę teraz o twoim ulubieńcu, mój przyjacielu, o którym mi niekiedy opowiadałeś i którego listy mi czytałeś: o Mozarcie. Jak to z nim było? Kto za jego czasów rządził światem, zbierał śmietankę, nadawał ton i miał znaczenie: Mozart czy geszefciarze, Mozart czy nieciekawi, tuzinkowi ludzie? I jak umarł, jak został pochowany? Być może zawsze tak było i zawsze tak będzie, a to, co w szkołach nazywają „historią powszechną" i czego się tam trzeba uczyć na pamięć dla zdobycia wykształcenia, razem z wszystkimi bohaterami, geniuszami, wielkimi czynami i uczuciami... jest po prostu oszustwem, wymyślonym przez belfrów dla celów kształcenia i po to, żeby dzieci w ciągu obowiązkowych lat szkolnych były jednak czymś zajęte. Zawsze tak było i zawsze tak będzie, że czas i świat, pieniądze i potęga należą do ludzi małych i płaskich, a do innych, do tych właściwych ludzi, nic nie należy. Nic oprócz śmierci.

– I nic ponadto?

– Owszem, wieczność.

– Masz na myśli nazwisko, sławę u potomnych?

– Nie, wilczku, nie sławę... czy ma ona jakąś wartość? Czy sądzisz, że wszyscy rzeczywiście prawdziwi i pełnowartościowi ludzie osiągnęli sławę i znani są potomności?

– Nie, oczywiście, że nie.

– A więc nie chodzi o sławę. Sława istnieje tylko dla celów kształcenia, jest sprawą nauczycieli szkolnych. Nie miałam na myśli sławy, o nie! Ale to, co nazywam wiecznością. Pobożni nazywają to Królestwem Bożym. Myślę sobie: my, ludzie o większych aspiracjach, tęsknocie, o dodatkowym wymiarze, nie moglibyśmy w ogóle żyć, gdyby oprócz powietrza tego świata nie było jeszcze innego powietrza do oddychania, gdyby oprócz czasu nie istniała jeszcze wieczność; a ona jest właśnie królestwem prawdziwego człowieka. Do wieczności należy muzyka Mozarta i wiersze twoich wielkich poetów, do wieczności należą święci, którzy działali cuda, umierali męczeńską śmiercią i dawali ludziom wspaniały przykład. Ale do wieczności należy również obraz każdego prawdziwego czynu, siła każdego prawdziwego uczucia, nawet jeżeli nikt o nim nie wie, nikt go nie widzi, nie spisze i nie przechowa dla potomności. W wieczności nie ma świata potomnych, jest tylko świat współczesnych.

– Masz rację – powiedziałem.

– Ludzie pobożni – ciągnęła w zamyśleniu – przecież najwięcej o tym wiedzieli. Dlatego ustanawiali świętych i to, co nazywają „świętych obcowaniem". Święci to prawdziwi ludzie, młodsi bracia Zbawiciela. Przez całe życie idziemy ku nim każdym dobrym uczynkiem, każdą odważną myślą, każdą miłością. W dawnych czasach malarze przedstawiali „Obcowanie Świętych" na tle złotego nieba, promiennie, pięknie i spokojnie... Jest ono właśnie tym, co przedtem nazwałam wiecznością. Jest królestwem poza granicami czasu i pozoru. My tam przynależymy, tam jest nasza ojczyzna, tam podąża nasze serce, wilku stepowy, i dlatego tęsknimy za śmiercią. Tam odnajdziesz twojego Goethego, twego Novalisa i Mozarta, a ja moich świętych: Krzysztofa, Filipa z Neri i wszystkich innych. Jest wielu świętych, którzy najpierw byli wielkimi grzesznikami, grzech może być również drogą do świętości, grzech i występek. Będziesz się śmiał, ale często sobie myślę, że również i mój przyjaciel Pablo mógłby być ukrytym świętym. Ach, Harry, musimy po omacku brnąć przez tyle błota i absurdu, aby się dostać do domu! Nie mamy nikogo, kto by nas prowadził, naszym jedynym przewodnikiem jest nostalgia.

Ostatnie słowa wymówiła znów delikatnym szeptem, w pokoju zapanowała cisza, słońce miało się ku zachodowi i rozświetlało błyskami złote napisy na grzbietach książek w bibliotece. Ująłem w dłonie głowę Herminy, pocałowałem ją w czoło, przytuliłem po bratersku jej policzek do mego policzka i tak trwaliśmy przez chwilę. Najchętniej pozostałbym tak i nie wychodziłbym już dzisiaj. Ale na tę ostatnią noc przed wielkim balem zapowiedziała się do mnie Maria.

Idąc do niej, myślałem tylko o tym, co powiedziała Hermina. Zdawało mi się, że to może nie były jej własne myśli, lecz moje, które ta jasnowidząca odczytała i wchłonęła, a teraz mi je oddawała, tak że przyobleczone w kształt jawiły się przede mną w nowej postaci. Byłem jej w tym momencie głęboko wdzięczny za to, że wypowiedziała myśl o wieczności. Potrzebowałem tej idei, bez niej nie mogłem żyć ani umierać. Moja przyjaciółka i nauczycielka tańca darowała mi dzisiaj na nowo błogosławione zaświaty, bezczasowość, świat wiecznej wartości i boskiej substancji. Przypomniał mi się sen o Goethem, o portrecie sędziwego mędrca, który śmiał się tak nieludzko i uprawiał ze mną swoje nieśmiertelne igraszki. Teraz dopiero zrozumiałem śmiech Goethego, śmiech nieśmiertelnych. Śmiech ten był bezprzedmiotowy, był tylko światłem, jasnością, był tym, co pozostaje po przejściu prawdziwego człowieka przez cierpienia, występki, błędy, namiętności i nieporozumienia ludzkie i po jego przebiciu się do wieczności, do wszechświata. A „wieczność" nie była niczym innym jak wyzwoleniem się czasu, jego powrotem do niewinności, jego powtórnym przeobrażeniem w przestrzeń.

Szukałem Marii tam, gdzie zwykle jadaliśmy w wieczory naszych spotkań, lecz jeszcze jej nie było. Siedziałem w cichej, podmiejskiej knajpce, czekając przy nakrytym stole, wciąż jeszcze wspominając dzisiejszą rozmowę. Wszystkie myśli, które wyłoniły się między Herminą a mną, wydały mi się niezmiernie bliskie, od dawna znane, zaczerpnięte z mojej własnej mitologii i z mojego świata obrazów! Nieśmiertelni, żyjący w bezczasowej przestrzeni, usunięci sprzed oczu, przekształceni w obrazy, wtopieni w kryształową wieczność jakby w eter i ta chłodna, gwiezdnie promieniejąca pogoda pozaziemskiego świata – skąd też to wszystko było mi takie bliskie? Zastanawiałem się i przyszły mi na myśl fragmenty z *Cassations* Mozarta i *Wohltemperiertes Klavier* Bacha i wydawało mi się, że wszędzie w tej muzyce błyszczy owa chłodna, gwiezdna jasność, drga czystość eteru. I rzeczywiście, ta muzyka była jakby zamrożonym w przestrzeń czasem, a nad nią unosiła się w bezkres nadludzka wesołość, wieczny, boski śmiech. Ach, jakże znakomicie harmonizował z tym również stary Goethe z mojego snu! I nagle usłyszałem wokół siebie ten niezgłębiony śmiech, słyszałem, jak śmiali się nieśmiertelni. Siedziałem oczarowany i oczarowany wydobyłem z kieszeni kamizelki ołówek, poszukałem papieru, znalazłem leżącą przede mną kartę win, odwróciłem ją i pisałem na jej odwrocie wiersze, które dopiero nazajutrz odnalazłem w mojej kieszeni. Brzmiały one:

NIEŚMIERTELNI

Wciąż i wciąż na nowo z dolin ziemi,
Wznosi ku nam się do życia pęd,
Dziki głód, upajający nadmiar,
Z setek uczt katowskich bije swąd.
Spazm rozkoszy, żądza nieustanna,
Ręce dziadów, zbirów i lichwiarzy,
Trzoda ludzka popędzana lękiem,
Dyszy chucią i o szczęściu marzy.
Mdły jej odór wokół się wyczuwa,
Sama zżera się i znowu się wypluwa.
Knuje wojny, tworzy sztuki piękne,
Dom rozpusty przyozdabia złudą,
Grzęźnie w blichtrze dziecięcego świata,
Tłoczy się i ginie przed jarmarczną budą.
Dla każdego z fal się wznosi kształt żywota,
By się rozpaść znów na bryły błota.

Ale myśmy odnaleźli siebie,
W sferze lodu prześwietlonej gwiezdnie,
Obce są nam lata, dni, godziny,
Obca młodość, starość i różnica płci.
Wasze grzechy, lęki, wasze cnoty,
Mordy, zbrodnie, bóle i radości,

Widowiskiem są wam jak słońca obroty,
Każdy dzień tu długość ma wieczności.
Na wasz żywot patrząc pobłażliwym okiem,
Na krążące gwiazdy cicho spoglądając,
Przyjaźnimy się z niebieskim smokiem,
Oddychamy tu kosmicznym mrozem.
Chłodny, nieruchomy jest nasz wieczny byt,
Chłodny i promienny jest nasz wieczny śmiech.

Potem przyszła Maria, a po kolacji w wesołym nastroju poszedłem z nią do naszego pokoiku. Tego wieczoru była piękniejsza, gorętsza i serdeczniejsza niż kiedykolwiek i pozwoliła mi zakosztować pieszczot i czułości, które odczuwałem jako ostatni wyraz oddania.

– Mario – powiedziałem – jesteś dziś rozrzutna jak bogini. Nie uśmiercaj nas obojga tak bez reszty, jutro jest przecież bal maskowy. Jakiego będziesz miała kawalera? Obawiam się, mój drogi kwiatuszku, że będzie to królewicz z bajki, który cię uprowadzi, i nigdy już do mnie nie wrócisz. Pieścisz mnie dzisiaj prawie tak, jak to czynią kochankowie na pożegnanie, po raz ostatni. – Przytuliła wargi tuż do mego ucha i szepnęła:

– Nie mów tak, Harry! Za każdym razem może to być ostatni raz. Jeśli weźmie cię Hermina, już więcej do mnie nie przyjdziesz. Może zabierze cię jutro.

Nigdy nie przeżyłem silniej charakterystycznego uczucia i tego cudownego, dwojakiego, gorzko-słodkiego nastroju, doznawanego w owych dniach, jak w tę noc przed balem. Szczęściem było to, co odczuwałem: uroda i oddanie Marii, dotykanie i wchłanianie setek subtelnych, uroczych ponęt zmysłowych, które poznałem dopiero jako starzejący się człowiek, poddawanie się łagodnej, rozkołysanej fali rozkoszy. A przecież była to tylko otoczka: wewnątrz wszystko było pełne znaczenia, napięcia, doniosłej wagi i podczas gdy pełen tkliwości i czułości zajęty byłem słodkimi, wzruszającymi szczegółikami miłości, pławiąc się pozornie w atmosferze letniego szczęścia, w głębi duszy czułem, jak mój los na łeb na szyję gna naprzód, pędząc na oślep jak spłoszony koń ku otchłani, ku upadkowi, pełen lęku, pełen tęsknoty, pełen poddania wobec śmierci. I tak jak jeszcze niedawno broniłem się płochliwie i z obawą przed miłą lekkomyślnością wyłącznie zmysłowej miłości, jak czułem strach przed roześmianą urodą gotowej do oddania się Marii, tak teraz czułem strach przed śmiercią – lecz strach świadomy już tego, że niebawem przekształci się on w uległość i wyzwolenie.

Kiedy w milczeniu oddawaliśmy się absorbującej grze naszej miłości i należeliśmy do siebie serdeczniej niż kiedykolwiek, dusza moja żegnała się z Marią i z tym wszystkim, czym ona dla mnie była. Dzięki niej nauczyłem się, raz jeszcze przed końcem, dziecinnie oddawać się powierzchownym igraszkom, szukać przelotnych uciech, być dzieckiem i zwierzęciem w niewinności płci – stan, który w moim dawnym życiu znałem tylko jako rzadki wyjątek, gdyż życie zmysłów i płci miało dla mnie zawsze gorzki posmak winy, słodki, ale niepokojący smak zakazanego owocu, przed którym człowiek ducha musi mieć się na baczności. Teraz Hermina i Maria ukazały mi ten ogród w jego niewinności. Gościłem tam z wdzięcznością – ale już wkrótce nadejdzie dla mnie czas ruszenia w drogę, zbyt ładnie i zbyt ciepło jest w tym ogrodzie. Moim przeznaczeniem było ubiegać się nadal o koronę życia, nadal pokutować za nieskończoną winę istnienia. Lekkie życie, lekka miłość, lekka śmierć – to nie dla mnie.

Z aluzji dziewcząt wywnioskowałem, że na jutrzejszy bal, a raczej jako jego dalszy ciąg, przewidziane są szczególne rozkosze i rozpustne wybryki. Może to będzie koniec, może Maria miała rację z tym swoim przeczuciem, może po raz ostatni leżeliśmy obok siebie, może jutro zacznie się nowa droga przeznaczenia? Byłem pełen palącej tęsknoty, pełen duszącego lęku, rozpaczliwie czepiałem się Marii, przebiegałem raz jeszcze rozpalony żądzą ścieżki i gąszcza jej ogrodu, wpijałem się raz jeszcze w słodki owoc rajskiego drzewa.

Zaniedbany tej nocy sen odespałem następnego dnia. Rano pojechałem do łaźni, po czym wróciłem do domu śmiertelnie zmęczony. Zaciemniłem pokój sypialny, rozbierając się, znalazłem w kieszeni mój wiersz i znów o nim zapomniałem, położyłem się natychmiast, zapomniałem o Marii, Herminie i o balu maskowym, i spałem przez cały dzień. Kiedy wieczorem wstałem, uświadomiłem sobie dopiero podczas golenia, że już za godzinę zaczyna się bal i że muszę poszukać koszuli do fraka. W dobrym nastroju dokończyłem toalety i wyszedłem, by przede wszystkim coś zjeść.

Był to pierwszy bal maskowy, w którym miałem wziąć udział. W dawnych czasach bywałem wprawdzie na tego rodzaju zabawach i niekiedy nawet podobały mi się, ale nigdy nie tańczyłem, byłem tylko widzem, a entuzjazm, z jakim inni opowiadali o tych balach i cieszyli się na nie, zawsze wydawał mi się śmieszny. Dzisiaj bal był również i dla mnie wydarzeniem, na które cieszyłem się z pewnym podnieceniem i nie bez obawy. Ponieważ nie miałem żadnej damy pod opieką, postanowiłem pójść dopiero późno, co mi zresztą zaleciła również i Hermina.

Restaurację „Pod Stalowym Hełmem", mój dawny azyl, gdzie rozczarowani mężczyźni przesiadywali całymi wieczorami, sączyli wino i udawali kawalerów, rzadko odwiedzałem w ostatnich czasach, nie harmonizowała już ze stylem mojego obecnego życia. Ale dziś wieczór coś mnie tam ciągnęło nieprzeparcie; w tym nastroju o mieszanych uczuciach losu i pożegnania, który mnie w danej chwili opanował, wszystkie przystanki i pamiętne miejsca mego życia zyskiwały raz jeszcze bolesny i piękny blask rzeczy minionych, a więc i mała, zadymiona knajpka, gdzie jeszcze niedawno należałem do stałych bywalców, gdzie jeszcze niedawno prymitywny, oszałamiający środek w postaci butelki wina bez nazwy wystarczał mi, abym mógł spędzić jeszcze jedną samotną noc w moim łóżku, abym mógł znieść jeszcze jeden dzień życia. Od tego czasu zakosztowałem innych środków, mocniejszych podniet, rozkoszowałem się słodszymi truciznami. Z uśmiechem wszedłem do starej budy, witany pozdrowieniem gospodyni i milczącym kiwnięciem głowy stałych gości. Polecono mi i podano pieczonego kurczaka, do chłopskiego grubego kieliszka spłynęło jasne, młode alzackie wino, przyjaźnie spoglądały na mnie czyste, białe, drewniane stoliki i stare, żółte boazerie. A kiedy tak jadłem i piłem, wzmagało się we mnie uczucie przekwitania i pożegnania, owo słodkie i boleśnie tkliwe uczucie nigdy nie zerwanej całkowicie, teraz jednak dojrzewającej do zerwania więzi ze scenerią mego dawnego życia. Człowiek „współczesny" nazywa to sentymentalizmem; nie kocha już tych rzeczy, nawet przedmiotu najświętszego – swego samochodu, który spodziewa się możliwie jak najszybciej wymienić na lepszy. Człowiek współczesny jest energiczny, dzielny, zdrowy, chłodny i surowy, świetny facet, w razie następnej wojny zachowa się wspaniale. Nic mi na tym nie zależy, nie jestem człowiekiem współczesnym ani staromodnym, zostałem wytrącony z czasu i gnam przed siebie, bliski śmierci, zdecydowany na śmierć. Nie mam nic przeciwko sentymentalizmom, jestem zadowolony i wdzięczny, że w moim spalonym sercu w ogóle tlą się jeszcze jakieś uczucia. Tak więc oddawałem się wspomnieniom o starej knajpie, mojemu przywiązaniu do starych sękatych stołków, zapachów dymu i wina, złudnemu błyskowi przyzwyczajenia, ciepła, skojarzeniom z domem rodzinnym, urokowi, jaki to wszystko miało dla mnie. Pożegnanie jest rzeczą piękną, nastraja łagodnie. Miły mi był ten twardy stołek, miły ten chłopski kielich, ten chłodny owocowy smak wina alzackiego, miła zażyłość ze wszystkim i ze wszystkimi w tej izbie, miłe mi były twarze rozmarzonych, przycupniętych, rozczarowanych pijaków, którym przez długi czas byłem bratem. Odczuwałem tu mieszczańskie sentymentalizmy, lekko zaprawione zapachem staromodnej romantyki z moich chłopięcych czasów, kiedy knajpa, wino i cygaro były czymś zakazanym, obcym i wspaniałym. Ale żaden wilk stepowy nie podniósł się, aby wyszczerzyć kły i w strzępy rozerwać mój sentymentalizm. Siedziałem spokojny, rozgrzany przeszłością i słabym promieniowaniem gwiazdy, która tymczasem już zgasła.

Wszedł jakiś uliczny sprzedawca z pieczonymi kasztanami, kupiłem od niego całą garść. Potem przyszła stara kobieta z kwiatami, kupiłem od niej parę goździków i podarowałem je gospodyni. Dopiero kiedy chciałem płacić i na próżno sięgałem do kieszeni marynarki, przypomniałem sobie, że jestem we fraku. Bal maskowy! Hermina!

Ale było jeszcze bardzo wcześnie, nie mogłem się zdecydować, żeby już teraz pójść do „Globusu". A także czułem w sobie – jak mi się to w ostatnich czasach często zdarzało przy tego rodzaju rozrywkach – różne opory i zahamowania, niechęć wchodzenia do wielkich, przepełnionych i hałaśliwych sal, jakąś sztubacką nieśmiałość przed obcą atmosferą, przed światem salonowców, przed tańcem.

Wałęsając się po ulicach, minąłem kino: jarzyły się tam snopy świateł i olbrzymie kolorowe reklamy, poszedłem parę kroków dalej, wróciłem i wszedłem do środka. Tutaj mogłem sobie spokojnie posiedzieć w półmroku do godziny jedenastej. Prowadzony przez chłopca z latarką, potykając się o zasłony, dostałem się do ciemnej salki, zdobyłem jakieś miejsce i znalazłem się nagle w samym środku Starego Testamentu. Był to jeden z tych filmów, które nakręcono ponoć nie dla zarobku, lecz dla szlachetnych i świętych celów, z wyrafinowanym smakiem i wielkim nakładem kosztów, i na które nawet nauczyciele religii prowadzili po południu swoich uczniów. Wyświetlano historię Mojżesza i Izraelitów w Egipcie, z ogromnymi tłumami ludzi, koni, wielbłądów i mnóstwem pałaców, z przepychem faraonów i męką Żydów w gorących piaskach pustyni. Widziałem Mojżesza, ufryzowanego trochę według pierwowzoru Walta Whitmana, wspaniałego, teatralnego Mojżesza, wiodącego Żydów, wędrującego o długim kiju przez pustynię ogniście i posępnie krokiem Wotana. Widziałem go modlącego się nad Morzem Czerwonym do Boga i widziałem, jak Morze Czerwone rozstępuje się i otwiera drogę, rodzaj wąwozu, między spiętrzonymi zwałami wód (w jaki sposób dokonali tego filmowcy, nad tym długo mogliby się sprzeczać konfirmanci, przyprowadzeni przez księdza na ten film religijny), widziałem, jak prorok i zalękniony lud przechodzą tamtędy na drugą stronę, jak ukazują się za nimi wojenne rydwany faraona, widziałem, jak Egipcjanie zdumieli się i przerazili, po czym jednak odważnie weszli do wąwozu; widziałem, jak nad wspaniałym, w złotą zbroję zakutym faraonem i nad wszystkimi jego wozami i wojownikami zamknęły się góry wodne, przywodząc mi na pamięć cudowny duet Händla na dwa basy, wspaniale opiewający to zdarzenie. Dalej widziałem Mojżesza wstępującego na górę Synaj, posępnego bohatera wśród posępnej dzikości skał, i przyglądałem się, jak Jehowa, za pośrednictwem burzy, wichru i błyskawic, przekazywał mu tam dziesięcioro przykazań, gdy tymczasem jego niegodny lud wznosił u stóp góry złotego cielca i oddawał się rozpustnym uciechom. Było dla mnie czymś dziwnym i niewiarygodnym oglądać to wszystko: historię świata, jej bohaterów i cuda, które niegdyś w dzieciństwie dawały nam pierwsze niejasne przeczucie innego świata, czegoś nadludzkiego, oglądać to wszystko za cenę biletu wejściowego, na filmie, przed wdzięczną publicznością, która spokojnie spożywała przyniesione ze sobą kanapki; ładny, mały obrazek, kupiony na olbrzymim bazarze, gdzie wyprzedaje się kulturę naszych czasów. Mój Boże, aby uniknąć tego bezeceństwa, powinni byli wówczas razem z Egipcjanami zginąć od razu Żydzi i wszyscy inni ludzie gwałtowną i godną śmiercią, a nie tą okrutną, pozorną i połowiczną, jaką my dzisiaj umieramy. No cóż, trudno!

Moje skryte zahamowania, mój niewyznany lęk przed balem maskowym nie umniejszyły się przez kino i doznane tam wrażenia, przeciwnie, spotęgowały się nieprzyjemnie; myśląc o Herminie, musiałem wziąć się w garść, by wreszcie pojechać do „Globusu" i wejść na salę. Zrobiło się późno, bal był już w pełnym toku; trzeźwy i nieśmiały, od razu, zanim zdążyłem zdjąć okrycie w szatni, dostałem się w wielki tłok masek, poszturchiwano mnie poufale, dziewczęta namawiały do odwiedzenia pawilonu z szampanem, klowni uderzali mnie po plecach i mówili mi „ty". Nie reagowałem na zaczepki, z trudem przecisnąłem się przez zapełnione sale do szatni, a kiedy dostałem numerek, włożyłem go starannie do kieszeni z myślą, że może niebawem będzie mi potrzebny, gdybym miał dość tego harmidru.

We wszystkich pomieszczeniach wielkiego budynku panowała atmosfera zabawy, we wszystkich salach, a nawet w piwnicy, tańczono, wszystkie korytarze i schody przepełnione były maskami, tańcem, muzyką, śmiechem i gonitwą. Przygnębiony snułem się wśród tłumu, od orkiestry murzyńskiej do chłopskiej kapeli, przechodziłem z wielkiej, rzęsiście oświetlonej głównej sali na korytarze, na schody, do barów, bufetów i pawilonów z szampanem. Ściany ozdobiono przeważnie dzikimi, zabawnymi malowidłami najmłodszych plastyków. Byli tu wszyscy, artyści, dziennikarze, uczeni, kupcy, no i oczywiście cały „wesoły światek" miasta. W jednej z orkiestr siedział mister Pablo i z zapałem dął w wygiętą tubę; zobaczywszy mnie, głośno zaśpiewał na powitanie. Popychany przez tłum, trafiałem coraz to do innej sali, wspinałem się po schodach i schodziłem po nich na dół; jeden z korytarzy piwnicy plastycy udekorowali jak piekło, a zespół muzyczny, złożony z diabłów, bębnił tam opętańczo. Powoli zacząłem rozglądać się za Herminą i Marią. Postanowiłem ich poszukać, wielokrotnie usiłowałem przedostać się do głównej sali, ale za każdym razem szedłem albo w złym kierunku, albo musiałem przedzierać się pod prąd przez ludzką falę. Do północy jeszcze nikogo nie znalazłem; i choć jak dotąd nie tańczyłem, było mi już gorąco i kręciło mi się w głowie, rzuciłem się więc na najbliższe krzesło, wśród samych obcych ludzi, kazałem sobie podać wino i uznałem, że udział w hałaśliwych zabawach to nie dla takich podstarzałych panów jak ja. Zrezygnowany popijałem wino i gapiłem się na obnażone ramiona i plecy kobiet, patrzyłem na tłumy przebiegających obok mnie groteskowych masek, pozwalałem się poszturchiwać i milcząco odprawiłem kilka dziewcząt, które siadały mi na kolanach lub chciały ze mną tańczyć. – Stary ramol – zawołała jedna z nich i miała rację. Postanowiłem alkoholem dodać sobie odwagi i animuszu, ale wino mi nie smakowało, ledwo wmusiłem w siebie drugi kieliszek. Powoli zacząłem wyczuwać, że wilk stepowy stoi za mną i wywiesza jęzor. Byłem do niczego, znalazłem się tutaj na fałszywym miejscu. Przyszedłem przecież w najlepszym zamiarze, ale nie mogłem się rozkręcić, a cała ta głośna, kipiąca radość, śmiechy i całe to szaleństwo dookoła wydały mi się głupie i wymuszone.

Tak więc stało się, że o godzinie pierwszej, rozczarowany i zły, dobrnąłem znów do szatni, aby włożyć palto i wyjść. Oznaczało to klęskę, powrót do wilka stepowego i wątpię, czyby mi to Hermina przebaczyła. Ale nie mogłem inaczej. Z trudem torując sobie drogę przez ciżbę ludzką do szatni, raz jeszcze rozejrzałem się starannie dokoła, czy nie zobaczę którejś z moich przyjaciółek. Daremnie. Stałem więc przed garderobą, uprzejmy człowiek za ladą wyciągnął już rękę po mój numerek, sięgnąłem do kieszeni kamizelki, ale numerka nie było! Do diabła, tego tylko jeszcze brakowało! Podczas moich smutnych wędrówek przez sale, podczas wysiadywania nad mdłym winem, wielokrotnie sięgałem do kieszeni, walcząc z pokusą powrotu do domu, i za każdym razem czułem okrągły, płaski znaczek na swoim miejscu. A teraz znikł. Wszystko sprzysięgło się przeciwko mnie.

– Zgubiłeś numerek? – zapytał przeraźliwym głosem czarno-żółty diabeł stojący obok mnie. – Proszę, kolego, możesz wziąć mój – i już mi go wręczał. Gdy machinalnie przyjąłem znaczek i obracałem go w palcach, zwinny koboldzik zniknął.

Kiedy jednak mały kartonowy żeton przybliżyłem do oczu, by sprawdzić numer, nie było na nim żadnego numeru, tylko jakieś maczkiem pisane gryzmołki. Poprosiłem szatniarza, by chwilę zaczekał, podszedłem do najbliższego świecznika i zacząłem czytać. Małymi, niepewnymi literkami, trudnymi do odczytania, było tam nagryzmolone:

Dziś w nocy, od godziny czwartej,
teatr magiczny
– tylko dla obłąkanych –
Wejście kosztuje rozum
Nie dla każdego. Hermina jest w piekle.

Jak marionetka, której drut na chwilę wyśliznął się aktorowi z ręki, ożywia się na nowo po krótkiej, drętwej śmierci i otępieniu i na nowo włącza się do gry, tańczy i działa, tak i ja, sprężyście, młodo i z zapałem, jakby pociągany magicznym drutem, rzuciłem się w wir, z którego dopiero co uciekałem zmęczony, zniechęcony i stary.

Jeszcze nigdy żaden grzesznik nie spieszył się do piekła tak jak ja. Jeszcze przed chwilą uwierały mnie lakierki, mdliło mnie ciężkie, przepojone perfumami powietrze, osłabiał upał; teraz biegłem żwawo na sprężystych nogach w takt one-stepa, przez wszystkie sale w stronę piekła, czułem, że powietrze przesycone jest jakimś czarem, że jestem kołysany i niesiony ciepłem, szumem muzyki, szaleństwem barw, zapachem kobiecych ramion, oszołomieniem tłumu, śmiechem, tanecznym rytmem i blaskiem rozognionych oczu. Jakaś Hiszpanka sfrunęła mi w ramiona: – Zatańcz ze mną! – Nie mogę – powiedziałem – muszę iść do piekła. Ale chętnie zabiorę ze sobą twój pocałunek. – Czerwone usta spod maski zbliżyły się do mnie i dopiero w pocałunku poznałem, że była to Maria. Przygarnąłem ją mocno ramionami, jej pełne wargi rozkwitały jak dojrzała róża. I już tańczyliśmy, jeszcze z ustami na ustach, przesunęliśmy się koło Pabla, który z wyrazem rozkochania pochylał się nad swoim tkliwie zawodzącym saksofonem; promiennie i tylko na pół przytomnie ogarnął nas swym pięknym, zwierzęcym spojrzeniem. Zaledwie jednak przetańczyliśmy dwadzieścia kroków, muzyka urwała się nagle; z żalem wypuściłem Marię z objęć.

– Chętnie zatańczyłbym z tobą raz jeszcze – powiedziałem oszołomiony ciepłem jej ciała – odprowadź mnie kawałek, Mario, jestem zakochany w twym pięknym ramieniu, zostaw mi je jeszcze przez chwilę! Ale, wiesz, Hermina mnie wezwała. Jest w piekle.

– Tak sobie pomyślałam. Żegnaj, Harry, zachowam cię w miłej pamięci. – Żegnała się. Pożegnaniem, jesienią, przeznaczeniem pachniała ta dojrzała, rozkwitła, letnia róża.

Pobiegłem dalej przez długie korytarze, wypełnione tkliwie rozmarzonym tłumem, w dół po schodach do piekła. Tam, na czarnych jak smoła ścianach, płonęły złe, jaskrawe lampy, a diabelska kapela grała jak w malignie. Na wysokim barowym stołku siedział ładny młodzieniec we fraku, bez maski; zmierzył mnie krótkim, szyderczym spojrzeniem. Wir tańczących przycisnął mnie do ściany, około dwudziestu par bawiło się w tym małym pomieszczeniu. Chciwie i z lękiem obserwowałem wszystkie kobiety, większość była jeszcze w maskach, niektóre uśmiechały się do mnie, ale żadna z nich nie była Herminą. Szyderczo spoglądał w moją stronę ów piękny, młody człowiek z wysokości swego barowego stołka. Myślałem, że podczas następnej przerwy w tańcu Hermina przyjdzie i zawoła mnie. Taniec się skończył, ale nikt nie przyszedł.

Podszedłem do baru, wciśniętego w kąt małej, niskiej salki. Stanąłem obok stołka, na którym siedział ów młodzieniec, i kazałem podać sobie whisky. Pijąc, widziałem profil młodego człowieka, wyglądał znajomo i wdzięcznie, jak obraz zamierzchłych czasów, cenny dzięki delikatnie pokrywającej go patynie przeszłości. Wstrząsnął mną dreszcz: to przecież Herman, mój przyjaciel z młodości.

– Herman! – powiedziałem nieśmiało.

Uśmiechnął się. – Harry? Znalazłeś mnie?

Była to Hermina, tylko trochę inaczej uczesana i lekko uszminkowana; jej mądra twarz wyłaniająca się z modnego, sztywnego kołnierzyka, wyglądała osobliwie i blado, z szerokich, czarnych, frakowych rękawów i białych mankietów wysuwały się dziwnie małe ręce, a z długich, czarnych spodni niezwykle drobne stopy w czarno-białych, jedwabnych, męskich skarpetkach.

– Czy to kostium, w którym chcesz mnie rozkochać w sobie?

– Jak dotąd – skinęła – rozkochałam w sobie dopiero parę kobiet. Teraz kolej na ciebie. Wypijmy najpierw kieliszek szampana.

Uczyniliśmy to, siedząc na wysokich barowych taboretach; tymczasem obok tańczono, a gorąca, gwałtowna muzyka smyczkowa nasilała się coraz bardziej i jakkolwiek Hermina nie zadawała sobie w tym kierunku żadnego trudu, to jednak zakochałem się w niej niebawem. Ponieważ miała na sobie strój męski, nie mogłem z nią tańczyć, nie mogłem też pozwolić sobie na żadną pieszczotę lub natarczywość, i chociaż w tym męskim przebraniu robiła wrażenie dalekiej i obojętnej, to jednak otaczała mnie w spojrzeniach, słowach i gestach wszystkimi urokami swej kobiecości. A mimo iż nawet jej nie dotknąłem, ulegałem jej czarowi, gdyż czar ten tkwił w jej roli, był hermafrodytyczny. Mówiła bowiem ze mną o Hermanie i o dzieciństwie, moim i swoim, o latach przed dojrzałością płciową, kiedy to młodzieńczy zapał miłosny ogarnia nie tylko obie płci, lecz wszystko – i to, co zmysłowe, i to, co duchowe – wszystko obdarza czarem kochania i zdolnością baśniowego przemieniania się. Zdolność ta wraca niekiedy i w późniejszym wieku, ale tylko u wybranych poetów. Hermina zachowywała się zupełnie jak chłopak, paliła papierosy i gawędziła lekko i inteligentnie, często w tonie trochę żartobliwie szyderczym, ale wszystko było przepojone erosem, wszystko przekształcało się w drodze do moich zmysłów w rozkoszne uwodzenie.

Sądziłem, że znam Herminę dobrze i dokładnie, a tymczasem tej nocy objawiła mi się w zupełnie nowej postaci! Jak delikatnie i niepostrzeżenie zarzucała na mnie upragnioną sieć, jak, igrając niby wodna nimfa, podawała mi słodką truciznę do picia!

Siedzieliśmy przy barze, gawędziliśmy i piliśmy szampana. Obserwując, wędrowaliśmy przez sale, niby szukający przygód odkrywcy, wyławialiśmy parki i przysłuchiwaliśmy się ich flirtom. Pokazywała mi kobiety, zachęcając mnie do tańczenia z nimi, dawała mi rady co do sztuki uwodzenia, jaką należałoby stosować przy tej czy innej dziewczynie. Występowaliśmy jako rywale, przez chwilę szliśmy śladem tej samej kobiety, tańczyliśmy z nią na przemian, oboje staraliśmy się ją zdobyć. A przecież to wszystko było tylko igraszką masek, tylko grą między nami dwojgiem, grą, która splatała nas ściślej ze sobą, rozpalała bardziej ku sobie. Wszystko było baśnią, wszystko było bogatsze o jeden wymiar, głębsze o jedno znaczenie, było igraszką i symbolem. Zauważyliśmy bardzo ładną, młodą kobietę, która miała wygląd trochę cierpiącej i niezadowolonej. Herman zatańczył z nią, rozpalił ją i znikł z nią w altance szampańskiej; Hermina opowiadała mi później, że kobietę zdobyła nie jako mężczyzna, ale jako kobieta, lesbijskim czarem. Dla mnie zaś ten cały rozedrgany dźwiękami gmach, pełen kipiących tańcem sal, ten upojony tłum masek zmieniał się stopniowo w jakieś obłędne senne widziadło raju, kwiat za kwiatem kusił mnie swym zapachem, dotykałem rękoma owocu za owocem, poddając go próbie badawczych palców, węże patrzyły na mnie uwodzicielsko spoza liści rzucających zielony cień, kwiat lotosu majaczył nad czarnym bagnem, czarodziejskie ptaki wabiły w gałęziach, a wszystko wiodło mnie przecież tylko do jednego upragnionego celu, wszystko napełniało nową tęsknotą do tej Jedynej. Przetańczyłem raz jeden z nieznaną dziewczyną, gorąco, zdobywczo porwałem ją w wir i szał, a kiedy tak unosiliśmy się w nierzeczywistości, powiedziała nagle, śmiejąc się: – Nie można cię poznać. Dziś wieczór byłeś taki głupi i nudny. – Poznałem w niej tę, która przed paru godzinami nazwała mnie „starym ramolem". Teraz myślała, że już mnie ma, ale w następnym tańcu płonąłem przy innej. Tańczyłem dwie godziny albo nawet dłużej, wszystkie tańce, nawet takie, których nigdy się nie uczyłem. Co chwilę zjawiał się w moim pobliżu uśmiechnięty młodzieniec Herman, kiwał mi głową i znikał w tłumie.

Podczas tej balowej nocy moim udziałem stało się przeżycie, jakiego nie znałem w ciągu pięćdziesięciu lat, choć zna je każdy podlotek i każdy student: przygoda zabawy, upojenie wspólną uciechą, tajemnica zatracenia się jednostki w tłumie, *unio mystica* radości. Często o tym słyszałem, znała to każda służąca, często widziałem olśnienie w oczach opowiadających i zawsze uśmiechałem się do tego na wpół pobłażliwie, na wpół zazdrośnie. Tę promienność w rozmarzonych oczach wniebowziętego, wyzwolonego, ten uśmiech i na poły błędne zamyślenie człowieka, który roztapia się w upojeniu wspólnoty, widziałem w życiu po sto razy na szlachetnych i prostackich przykładach, u pijanych rekrutów i marynarzy, a także u wielkich artystów, w entuzjazmie podczas uroczystych spektakli lub u młodych żołnierzy wyruszających na wojnę; jeszcze ostatnio podziwiałem, kochałem i wykpiwałem z zazdrością u mego przyjaciela Pabla tę promienność i uśmiech wniebowziętego, gdy szczęśliwy i upojony muzykowaniem w orkiestrze pochylał się nad swoim saksofonem lub gdy z ekstatycznym zachwytem przyglądał się dyrygentowi, perkusiście lub koledze grającemu na banjo. Niekiedy myślałem, że taki uśmiech, taka dziecięca promienność możliwe są tylko u całkiem młodych ludzi albo u narodów, które nie pozwalają sobie na zbytnią indywidualizację i zróżnicowanie jednostek. Ale dzisiaj, podczas tej błogosławionej nocy, ja sam, wilk stepowy, Harry, promieniałem tym uśmiechem, sam płynąłem nurtem tego głębokiego, dziecięcego, baśniowego szczęścia, sam oddychałem słodkim snem i upojeniem wspólnoty, muzyki, rytmu, wina i żądzy; dawniej często przysłuchiwałem się z szyderstwem i politowania godnym poczuciem wyższości wychwalaniu tych doznań w relacji o balu, na przykład jakiegoś studenta. Nie byłem już sobą, moja osobowość rozpuściła się w upojeniu balowym jak sól w wodzie. Tańczyłem z tą lub ową kobietą, ale była to nie tylko ta, którą trzymałem w ramionach, której włosy mnie muskały, której zapach wchłaniałem, lecz wszystkie inne kobiety, płynące w tej samej sali, w tym samym tańcu, przy tej samej muzyce, których promienne twarze przesuwały się obok mnie niby wielkie, fantastyczne kwiaty, wszystkie należały do mnie i ja należałem do wszystkich, wszyscy należeliśmy wzajemnie do siebie. A także mężczyźni należeli do tej wspólnoty, znajdowałem się także i w nich, i oni nie byli mi obcy, ich uśmiech był moim uśmiechem, ich zaloty moimi zalotami i na odwrót.

Tej zimy nowy taniec podbił świat: fokstrot pod tytułem *Yearning*. Tego yearninga grano raz po raz i wciąż domagano się go na nowo, wszyscy byliśmy nim przepojeni i oszołomieni, wszyscy nuciliśmy jego melodię. Tańczyłem bez przerwy, z każdą kobietą, która mi się nawinęła, z dziewczątkami, z młodymi kobietami w pełni rozkwitu, z dojrzałymi, z żałośnie przekwitającymi: wszystkimi byłem zachwycony, uśmiechałem się szczęśliwy i promienny. A kiedy Pablo, dla którego zawsze byłem tylko pożałowania godnym nieborakiem, zobaczył mnie tak promieniejącego, oczy jego zabłysły szczęściem, zachwycony zerwał się ze swego krzesła w orkiestrze, mocno zadął w saksofon, wszedł na krzesło, stanął wysoko i grał, wydymając policzki, kołysał się przy tym wraz z instrumentem opętańczo i rozkosznie w takt yearninga, ja zaś i moja tancerka posyłaliśmy mu całuski i śpiewaliśmy głośno wraz z nim. Ach, pomyślałem, niech się dzieje co chce, wreszcie i ja raz jestem szczęśliwy, promienny, oderwany od samego siebie, jestem bratem Pabla, dzieckiem.

Zatraciłem poczucie czasu, nie wiem, ile godzin czy chwil trwało to upojne szczęście. Nie zauważyłem też, że w miarę jak zabawa stawała się gorętsza, wszyscy skupiali się na coraz ciaśniejszej powierzchni. Większość gości już wyszła, w korytarzach zapanowała cisza, pogasły światła, zamarł ruch na schodach i w górnych salach, po kolei milkły orkiestry i szły do domu; tylko w głównej sali i w piekle szalało jeszcze barwne opętanie zabawą, coraz bardziej przybierając na sile. Ponieważ z Herminą, jako chłopcem, nie wolno było mi tańczyć, spotykaliśmy się i pozdrawiali tylko przelotnie, w przerwach między tańcami, a w końcu zniknęła mi całkowicie, nie tylko z oczu, ale nawet z myśli. Od pewnego momentu w ogóle nie myślałem. Wyzwolony płynąłem w upojnym, tanecznym kłębowisku, dolatywały do mnie zapachy, dźwięki, westchnienia i słowa, obce oczy witały mnie i obrzucały palącymi spojrzeniami, otaczały mnie obce twarze, usta, policzki, ramiona, piersi i kolana, byłem, niby fala, kołysany w takt muzyki tam i z powrotem.

Ocknąwszy się na chwilę, zobaczyłem nagle pośród pozostałych jeszcze gości, wypełniających jedną z małych sal, w której wciąż rozlegała się muzyka, czarnego pierrota o pomalowanej na biało twarzy; ładna, świeża dziewczyna, jedyna z maską na twarzy, o zachwycającej figurze, której w ciągu całej tej nocy nie widziałem ani razu. Podczas gdy na innych znać było późną porę, na ich czerwonych rozgrzanych twarzach, na zmiętych kostiumach, pogniecionych kołnierzach i kryzach, ona była świeża z białą twarzą pod maską, w niepogniecionym kostiumie, z nieskazitelną kryzą, białymi koronkowymi mankietami i świeżą fryzurą. Ciągnęło mnie do niej, objąłem ją, zaczęliśmy tańczyć, jej pachnąca kryza łechtała mnie w podbródek, włosy muskały policzki, a prężne, młode ciało subtelnie i serdeczniej reagowało na moje gesty niż ciało jakiejkolwiek innej tancerki w ciągu tej nocy, wymykało mi się, wyzywało i nęciło igraszką do coraz to nowych zbliżeń. I nagle, kiedy tańcząc, pochyliłem się nad nią, by ustami poszukać jej ust, one uśmiechnęły się pobłażliwie i bardzo znajomo, poznałem mocny podbródek, poznałem z radością plecy, ręce. Była to Hermina, już nie Herman, przebrana, świeża, lekko uperfumowana i upudrowana. Nasze gorące wargi spotkały się przez chwilę, całe jej ciało pożądliwie i z oddaniem przylgnęło do mnie, potem oderwała usta i tańczyła już z rezerwą, jak gdyby umykając przede mną. Gdy muzyka milkła, staliśmy, trzymając się nadal w objęciach, wokół nas podniecone pary klaskały, tupały, krzyczały, poganiały wyczerpaną orkiestrę, aby raz jeszcze powtórzyła yearninga. I nagle wszyscy spostrzegliśmy, że jest już ranek, zobaczyliśmy blady świt za firankami, poczuliśmy bliski koniec rozkoszy, radości, przeczuwaliśmy nadchodzące znużenie i raz jeszcze rzuciliśmy się na oślep, ze śmiechem i rozpaczą w wir tańca, muzyki, w potop światła, kroczyliśmy szaleńczo w takt muzyki, ściśnięci, para przy parze, i raz jeszcze czuliśmy, jak zalewa nas wielka fala szczęścia. W tym tańcu Hermina poniechała swej przewagi, szyderstwa i chłodu – wiedziała, że już nie musi niczego robić, by rozkochać mnie w sobie. Należałem do niej. Oddawała mi się w tańcu, w spojrzeniu, w pocałunku, w uśmiechu. Wszystkie kobiety tej gorącej nocy, wszystkie, które mnie rozpalały, wszystkie, do których się zalecałem, wszystkie, na które spoglądałem z miłosną tęsknotą, stopiły się i stały się jedną kobietą, rozkwitającą w moich ramionach.

Długo trwał ten weselny taniec. Dwa, trzy razy słabła muzyka, trębacze odkładali instrumenty, pianista wstawał od fortepianu, pierwszy skrzypek przecząco potrząsał głową, a za każdym razem rozpalały ich na nowo półprzytomne błagania ostatnich tancerzy, grali raz jeszcze, grali szybciej, grali opętańczo. Staliśmy spleceni uściskiem, ciężko dysząc po ostatnim zachłannym tańcu, gdy z hukiem zatrzasnęło się wieko fortepianu, nasze znużone ramiona opadły, jak ramiona trębaczy i skrzypków; flecista, mrugając oczyma, schował flet do futerału, otwierały się drzwi, do sali wtargnęło zimne powietrze, szatniarze zjawili się z płaszczami, a kelner z baru zgasił światło. Wszyscy rozpierzchli się jak duchy, jak widziadła, tancerze, którzy jeszcze przed chwilą płonęli żarem, teraz, dygocąc, wślizgiwali się w płaszcze i podnosili kołnierze. Hermina była blada, ale uśmiechnięta. Powoli podniosła ramiona i rękoma odgarnęła włosy do tyłu. W świetle zajaśniała jej pacha, cieniutki, nieskończenie delikatny cień biegł ku zakrytej piersi. Zdawało mi się, że ta mała, płynna linia cienia skupia niby uśmiech wszystkie uroki i możliwości jej pięknego ciała.

Staliśmy i patrzyliśmy na siebie, ostatni na parkiecie, ostatni w budynku. Gdzieś na dole słychać było trzaśnięcie drzwiami, brzęk tłuczonego szkła, gubiący się chichot zmieszany z niedobrym, pospiesznym hałasem ruszających samochodów. Gdzieś, w nieokreślonej dali i wysokości słyszałem rozbrzmiewający śmiech, niezwykle jasny i wesoły, a mimo to przerażający i obcy, jakby z kryształów i lodu, jasny i promienny, ale zimny i nieubłagany. Skąd też dolatywał ten dziwny, a znany mi śmiech? Nie mogłem sobie przypomnieć.

Staliśmy oboje i patrzyliśmy na siebie. Na moment oprzytomniałem i otrzeźwiałem, czułem, jak zwisa na mnie przepocone, wstrętne, wilgotne i ciepławe ubranie, widziałem moje wystające ze zmiętych i przepoconych mankietów czerwone ręce z nabrzmiałymi żyłami. Ale natychmiast wszystko znów minęło, zgaszone jednym spojrzeniem Herminy. Pod tym spojrzeniem, którym – jak mi się zdawało – przyglądała mi się moja własna dusza, rozpadała się wszelka rzeczywistość, nawet rzeczywistość mojego zmysłowego pożądania Herminy. Zauroczeni spoglądaliśmy na siebie, spoglądała na mnie moja biedna, mała duszyczka.

– Czy jesteś gotów? – zapytała Hermina, przy czym uśmiech jej rozwiał się, jak ów cień ponad piersią. Gdzieś daleko i wysoko, w nieznanych pomieszczeniach przebrzmiewał ów obcy śmiech.

Skinąłem głową. O tak, byłem gotów.

Teraz zjawił się w drzwiach muzyk Pablo i spojrzał na nas promiennie wesołymi oczyma, które właściwie były oczami zwierzęcia, ale zwierzęce oczy są zawsze poważne, a jego oczy zawsze się śmiały i właśnie ich śmiech czynił je człowieczymi. Skinął na nas z całą swoją serdeczną życzliwością. Miał na sobie barwną jedwabną bonżurkę z czerwonymi wyłogami, z której wyzierał przepocony kołnierzyk; jego zmęczona, blada twarz wydawała się dziwnie zwiędła i zszarzała, ale błyszczące, czarne oczy łagodziły to wrażenie. One również przyćmiewały rzeczywistość, one również czarowały.

Poszliśmy za jego skinieniem, a przed drzwiami powiedział do mnie cicho: – Bracie, Harry, zapraszam pana na małe posiedzonko. Wstęp tylko dla obłąkanych, płaci się rozumem. Czy jest pan gotów? – Znowu skinąłem głową.

Miły chłopak! Delikatnie i troskliwie wziął nas pod ramię, Herminę z prawej strony, mnie z lewej, i poprowadził piętro wyżej do małego, okrągłego pokoju, oświetlonego z góry niebieskawym światłem i prawie zupełnie pustego; nie było tam nic prócz małego, okrągłego stolika i trzech krzeseł, na których usiedliśmy.

Gdzie byliśmy? Czy śniłem? Czy byłem w domu? Czy siedziałem w samochodzie i jechałem? Nie, siedziałem w niebiesko oświetlonym, okrągłym pokoju, w rozrzedzonej atmosferze, w jakiejś warstwie bardzo nieszczelnej rzeczywistości. Dlaczego Hermina jest taka blada? Dlaczego Pablo mówi tak dużo? Czy to aby nie ja zmuszałem go do mówienia, czy to nie ja przez niego mówiłem? Czyż z jego czarnych oczu, podobnie jak z szarych oczu Herminy, nie spoglądała na mnie tylko moja własna dusza, ten zagubiony, strwożony ptak?

Przyjaciel Pablo patrzył na nas z całą swoją poczciwą i trochę ceremonialną serdecznością, mówił dużo i długo.

On, którego nigdy nie słyszałem mówiącego potoczyście, którego nie interesowała żadna dysputa, żadne sformułowanie i któremu ledwie przyznawałem zdolność myślenia, mówił teraz swym dobrym, ciepłym głosem płynnie i bezbłędnie.

– Przyjaciele, zaprosiłem was na spektakl, którego Harry od dawna pragnął, o którym od dawna marzył. Jest trochę późno i prawdopodobnie jesteśmy wszyscy trochę zmęczeni. Dlatego najpierw odpoczniemy tutaj nieco i posilimy się.

Z wnęki w ścianie wyjął trzy kieliszki i małą, śmieszną buteleczkę, wyjął też małe, egzotyczne pudełko z kolorowego drewna, nalał z butelki trzy kieliszki do pełna, wyciągnął z pudełka trzy cienkie, długie, żółte papierosy, wydobył z kieszeni jedwabnej bluzy zapalniczkę i podał nam ogień. Każde z nas, siedząc wygodnie w fotelu, paliło teraz powoli papierosa, z którego dym był tak gęsty jak dym kadzidła; piliśmy małymi, powolnymi łykami cierpko-słodki, przedziwnie obco i nieznajomo smakujący napój, który rzeczywiście działał niezwykle ożywczo i uszczęśliwiająco, jak gdyby napełniał nas gazem i powodował utratę ciężaru ciała. Siedzieliśmy tak, paliliśmy powoli papierosy, pociągaliśmy z kieliszków, czuliśmy się lekko i ogarniała nas wesołość. Wtem odezwał się Pablo swym ciepłym, stłumionym głosem:

– Wielka to dla mnie radość, drogi Harry, że mogę dziś pana ugościć. Nie raz już panu życie obrzydło, starał się pan stąd wydostać, prawda? Tęskni pan za tym, żeby zostawić tę epokę, ten świat, tę rzeczywistość i przenieść się w inną, bardziej panu odpowiadającą, w świat bez czasu. Niech pan to zrobi, drogi przyjacielu, zachęcam pana do tego. Pan przecież wie, gdzie jest ukryty ten inny świat, którego pan szuka, i wie pan, że jest to świat pańskiej własnej duszy. Tylko w pańskim wnętrzu żyje ta inna rzeczywistość, za którą pan tęskni. Nie mogę panu dać niczego, co by nie istniało już w panu, nie mogę panu otworzyć innej galerii obrazów prócz galerii pańskiej duszy. Nie mogę panu dać niczego prócz sposobności, bodźca i klucza. Pomagam panu ujawnić jego własny świat, to wszystko.

Sięgnął znów do kieszeni swej barwnej bluzki i wyciągnął z niej okrągłe lusterko kieszonkowe.

– Niech pan spojrzy: tak pan dotychczas widział samego siebie!

Podsunął mi lusterko pod oczy (przypomniał mi się dziecinny wierszyk: *Zwierciadełko, powiedz przecie*) i zobaczyłem, nieco zamazany i zachmurzony, niesamowity, poruszający się, działający i fermentujący sam w sobie obraz: siebie samego, Harry'ego Hallera, a wewnątrz, w tym Harrym, wilka stepowego, płochliwego, pięknego, ale obłędnie i lękliwie patrzącego, z oczyma żarzącymi się bądź wrogo, bądź smutno, a cała ta wilcza postać przepływała przez Harry'ego w nieustannym ruchu, podobnie jak w rzece dopływ o innej barwie mąci wodę i żłobi dno, walcząc boleśnie; nurty pożerają się nawzajem, pełne niezaspokojonej tęsknoty za własnym kształtem. Smutno, smutno patrzył na mnie swymi pięknymi, płochliwymi oczyma płynny, na wpół ukształtowany wilk.

— A więc tak widział pan samego siebie — powtórzył Pablo łagodnie i schował lusterko do kieszeni. Wdzięczny zamknąłem oczy i umaczałem usta w eliksirze.

— Myślę, że wypoczęliśmy — rzekł Pablo — pokrzepiliśmy się i pogawędziliśmy sobie. A jeśli nie czujecie się zmęczeni, to zaprowadzę was teraz do mojej panoramy i pokażę wam mój teatrzyk. Zgoda?

Wstaliśmy, Pablo, uśmiechając się, szedł naprzód, otworzył jakieś drzwi, odsunął zasłonę i oto znaleźliśmy się w półkolistym korytarzu teatralnym, dokładnie w środku, skąd łukiem rozchodził się w obie strony kręty korytarz obok nieprawdopodobnie wielu wąskich drzwiczek, prowadzących do lóż.

— To jest nasz teatr — oświadczył Pablo — wesoły teatr, mam nadzieję, że znajdziecie tu wiele rzeczy do śmiechu. — Zaśmiał się przy tym głośno; było to tylko parę dźwięków, ale przeszyły mnie na wskroś, był to znów ten cienki, niesamowity śmiech, który już przedtem doszedł mnie z góry.

– Mój teatrzyk ma tyle drzwi do lóż, ile tylko zechcecie... dziesięć albo sto, albo tysiąc, i za każdymi z nich czeka was to, czego właśnie szukacie. To ładny gabinet obrazów, drogi przyjacielu, ale na nic by się panu nie przydało przebiec go. Zahamowałoby pana i oślepiło to, co pan przywykł nazywać swoją osobowością. Niewątpliwie odgadł pan już dawno, że przezwyciężenie czasu, wyzwolenie od rzeczywistości i cała pańska tęsknota, jakkolwiek by ją pan nazwał, nie oznacza niczego innego jak pragnienie pozbycia się pańskiej tak zwanej osobowości. Jest ona bowiem tym więzieniem, w którym pan tkwi. I gdyby pan wszedł do teatru taki, jakim pan jest, to widziałby pan wszystko oczyma Harry'ego, wszystko przez stare okulary wilka stepowego. Dlatego został pan zaproszony, aby się pozbyć tych okularów i łaskawie złożyć tę tak bardzo czcigodną osobowość w szatni, gdzie na życzenie w każdej chwili będzie znów do pańskiej dyspozycji. Ten ładny wieczór taneczny, *Traktat o wilku stepowym*, a w końcu szczypta środka podniecającego, który właśnie zażyliśmy, powinny były pana dostatecznie przygotować. Pan, Harry, po złożeniu w garderobie pańskiej cennej osobowości, będzie miał do dyspozycji lewą stronę teatru, Hermina prawą, a w środku będziecie się mogli spotykać wedle życzenia. Proszę, Hermino, idź na razie za kurtynę, chciałbym najpierw wprowadzić Harry'ego.

Hermina zniknęła, idąc w prawą stronę koło olbrzymiego lustra, które zajmowało całą tylną ścianę, od podłogi aż po sklepienie.

– Tak, Harry, a teraz pan pójdzie ze mną i proszę być w dobrym nastroju. Celem całej tej imprezy jest wprowadzić pana w dobry humor, nauczyć pana śmiać się... mam nadzieję, że mi pan to ułatwi. Pan się przecież dobrze czuje? Nieprawdaż? Czy pan nie boi się przypadkiem? A więc dobrze, bardzo dobrze. Teraz wejdzie pan bez obaw i z prawdziwą przyjemnością do naszego świata ułudy, popełniwszy, zgodnie ze zwyczajem, małe pozorne samobójstwo.

Znów wyciągnął małe kieszonkowe lusterko i podsunął mi je przed oczy. I znowu spojrzał na mnie obłąkany, chmurny Harry, przez którego przepływała zmagająca się ze sobą postać wilka, obraz dobrze mi znany i naprawdę niesympatyczny; jego zniszczenie nie mogło mi sprawić przykrości.

– To zbędne już lustrzane odbicie zetrze pan teraz, drogi przyjacielu, to wszystko. Wystarczy, żeby pan, jeśli pański humor na to pozwoli, przyjrzał się temu obrazowi ze szczerym śmiechem. Jest pan tutaj w szkole humoru, ma pan nauczyć się śmiać. Otóż wszelki humor wyższego rzędu zaczyna się od tego, że nie bierze się już poważnie własnej osoby.

Uparcie wpatrywałem się w zwierciadełko, w którym wilk Harry wyczyniał swoje harce. W pewnej chwili coś we mnie drgnęło, głęboko, cicho, lecz boleśnie, coś jak wspomnienie, nostalgia, jak żal. Potem ten lekki niepokój ustąpił nowemu uczuciu, podobnemu do tego, jakiego doznajemy, gdy ze znieczulonej kokainą szczęki usunie się chory ząb, uczucie ulgi z głębokim odetchnięciem, a jednocześnie zdziwieniem, że to wcale nie bolało. A do tego uczucia przyłączyła się nowa wesołość i potrzeba śmiechu, której nie mogłem się oprzeć; parsknąłem więc jakimś wyzwalającym śmiechem.

Mętne odbicie w lustrze drgnęło i zgasło; mała, okrągła tafla lustrzana stała się nagle jakby przepalona, szara, chropowata i nieprzezroczysta. Pablo ze śmiechem wyrzucił skorupę; tocząc się, zginęła gdzieś na podłodze niekończącego się korytarza.

– Dobrze, Harry – zawołał Pablo – nauczysz się jeszcze śmiać jak nieśmiertelni! Teraz nareszcie zabiłeś wilka stepowego. Tego nie da się zrobić brzytwą. Pilnuj, żeby już nie ożył! Zaraz będziesz mógł opuścić głupią rzeczywistość. Przy najbliższej sposobności wypijemy bruderszaft, nigdy jeszcze, mój drogi, nie podobałeś mi się tak, jak dziś. A jeśli będzie ci na tym zależało, to będziemy mogli też ze sobą pofilozofować, podyskutować i porozmawiać o muzyce, o Mozarcie, Glucku, Platonie i Goethem – ile tylko dusza zapragnie. Zrozumiesz teraz, dlaczego przedtem było to niemożliwe. Mam nadzieję, że ci się uda i że na dziś pozbędziesz się wilka stepowego. Twoje samobójstwo nie jest bowiem ostateczne; jesteśmy tu w teatrze magicznym, tu są tylko wizje, nie ma rzeczywistości. Wyszukaj sobie ładne i wesołe obrazy i pokaż, że nie jesteś już zakochany we własnej wątpliwej osobowości! Gdybyś jednak mimo wszystko pragnął ją odzyskać, to wystarczy ci spojrzeć w lustro, które ci teraz pokażę. Znasz chyba stare przysłowie: „Jedno zwierciadełko w ręku jest lepsze od dwóch na ścianie". Ha, ha! – Znów zaśmiał się pięknie i przerażająco. – No tak, a teraz pozostaje do spełnienia już tylko mała, wesoła ceremonijka. Odrzuciłeś okulary osobowości, chodź więc i spójrz raz w prawdziwe lustro! Ubawisz się!

Wśród śmiechu i małych, zabawnych gestów czułości obrócił mnie w ten sposób, że stanąłem naprzeciw olbrzymiego ściennego zwierciadła. Zobaczyłem w nim swoje odbicie.

Przez krótką chwilę widziałem znanego mi już Harry'ego, tylko że z niezwykle wesołą, jasną, roześmianą twarzą. Lecz zaledwie zdążyłem go poznać, rozpadł się, a wyłoniła się z niego druga postać, trzecia, dziesiąta, dwudziesta, wreszcie całe olbrzymie zwierciadło zaroiło się od Harrych czy też od cząstek Harry'ego, od niezliczonych Harrych, z których każdego widziałem i poznawałem tylko przez mgnienie oka. Kilku z tych licznych Harrych było w moim wieku, kilku było starszych, kilku sędziwych, inni byli zupełnie młodzi: młodzieńcy, chłopcy, uczniacy, smarkacze, dzieci. Pięćdziesięcioletni i dwudziestoletni, trzydziestoletni i pięcioletni, poważni i weseli, godni i śmieszni, dobrze ubrani, obszarpani, a także całkiem nadzy, łysi i długowłosi biegali i skakali bezładnie, a wszyscy byli mną, każdego dostrzegałem i poznawałem błyskawicznie, a potem wszyscy znikali, rozpraszali się na wszystkie strony, na lewo, na prawo, biegli w głąb lustra i z niego wybiegali. Jeden z nich, młody, elegancki chłopak, śmiejąc się, skoczył Pablowi w ramiona, uścisnął go i uciekł z nim. A inny, który szczególnie mi się podobał, ładny, uroczy szesnasto- czy siedemnastoletni chłopiec wpadł jak błyskawica do korytarza, chciwie czytał napisy na drzwiach. Pobiegłem za nim, zatrzymał się przed jednymi, na których przeczytałem następujący napis:

Wszystkie dziewczęta są twoje
Wrzuć jedną markę

Uroczy chłopak jednym susem wspiął się w górę, głową naprzód sam rzucił się w otwór na pieniądze i zniknął za drzwiami.

Zniknął również Pablo, zdawało się, że i lustro zniknęło, a z nim razem wszystkie niezliczone postacie Harry'ego. Czułem, że jestem teraz pozostawiony samemu sobie i teatrowi, i z ciekawością szedłem, mijając kolejne drzwi, na których odczytywałem jakieś słowa, jakąś przynętę, jakąś obietnicę.

Pociągnął mnie napis:

Hejże na wesołe łowy
Wielkie polowanie na samochody

Otworzyłem wąskie drzwi i wszedłem do środka.

Coś gwałtownie wciągnęło mnie w głośny i pełen podniecenia świat. Ulicami pędziły samochody, po części opancerzone, i urządzały polowanie na pieszych, miażdżyły i unicestwiały, rozgniatając o mury domów. Zrozumiałem od razu: była to walka między ludźmi a maszynami, od dawna przygotowywana, długo oczekiwana, długo ze strachem przewidywana i wreszcie doprowadzona do wybuchu. Wszędzie leżały ciała zabitych i poszarpanych, wszędzie potrzaskane, pogięte, na wpół spalone samochody, nad opustoszałym pobojowiskiem krążyły samoloty; z wielu dachów i okien także i do nich strzelano ze strzelb i karabinów maszynowych. Dzikie, wspaniale podniecające afisze o wielkich, płonących jak pochodnie literach, rozlepione na wszystkich murach, nawoływały naród, by wreszcie ujął się za ludźmi przeciw maszynom, by wreszcie pozabijał tłustych, pięknie ubranych, pachnących bogaczy, którzy za pomocą maszyn wyciskają tłuszcz z bliźnich, by pozabijał ich wreszcie wraz z wielkimi, kaszlącymi, wściekle warczącymi, diabelnie turkoczącymi samochodami, by wreszcie podpalił fabryki i sponiewieraną ziemię nieco uprzątnął i wyludnił, aby znów mogła rosnąć trawa, by zakurzony świat cementu mógł znowu stać się czymś takim jak las, łąka, pastwisko, strumyk i moczar. Natomiast inne plakaty, cudownie namalowane, wspaniale wystylizowane, utrzymane w delikatniejszych, mniej prymitywnych barwach, niesłychanie mądrze i inteligentnie zredagowane, w przeciwieństwie do tamtych plakatów wzruszająco ostrzegały ludzi posiadających i zamożnych przed grożącym chaosem i anarchią, przedstawiały w sposób naprawdę rozczulający błogosławieństwo porządku, pracy, własności, kultury i prawa, wychwalały maszyny jako największy i najnowszy wynalazek człowieka, dzięki któremu ludzie staną się bogami. Z zadumą i podziwem czytałem te plakaty, zarówno czerwone, jak i zielone, bajecznie działała na mnie ich płomienna wymowa, ich zniewalająca logika, miały rację; głęboko przekonany stawałem to przed jednym, to przed drugim, aczkolwiek przeszkadzała mi w tym dość ostra strzelanina dookoła. No cóż, sprawa zasadnicza była jasna: toczyła się wojna, gwałtowna, rasowa i niezwykle sympatyczna, w której nie chodziło o cesarza, republikę, granice, chorągwie i barwy, tym podobne raczej dekoracyjne i teatralne rekwizyty, a w gruncie rzeczy o łajdactwa, lecz taka wojna, w której każdy, któremu było zbyt duszno na świecie i któremu życie niezbyt już smakowało, dawał dobitny wyraz swemu niezadowoleniu i dążył do zapoczątkowania powszechnego zniszczenia tego cywilizowanego świata blichtru. Widziałem, jak żądza niszczenia i mordowania jasno i śmiało wyzierała z roześmianych oczu, a i we mnie rozkwitały wysoko i bujnie te czerwone, dzikie kwiaty, a oczy też się śmiały. Z radością włączyłem się do walki.

Najpiękniejsze jednak ze wszystkiego było to, że nagle koło mnie zjawił się mój kolega szkolny Gustaw, który od dziesiątek lat znikł mi z oczu, niegdyś najniesforniejszy, najsilniejszy i najbardziej żądny życia z wszystkich przyjaciół mego wczesnego dzieciństwa. Serce się śmiało, że mruga do mnie swymi jasnoniebieskimi oczyma. Skinął na mnie, ja zaś natychmiast podążyłem za nim z radością.

– Boże drogi, Gustaw – zawołałem uszczęśliwiony – że też znów cię mogę oglądać! Kim teraz jesteś?

Roześmiał się z niezadowoleniem, zupełnie jak za chłopięcych lat.

– Och, bydlaku, czy od razu musisz stawiać pytania i ględzić? Jestem profesorem teologii, jeśli chcesz wiedzieć, ale teraz na szczęście nie ma już teologii, mój chłopcze, tylko wojna. No, chodź!

Gustaw zastrzelił kierowcę ciężarówki, która, sapiąc, właśnie jechała wprost na nas; zwinny jak małpa wskoczył do wozu, zatrzymał go i kazał mi wsiąść, po czym w piekielnym tempie, wśród karabinowych kuli i przewracanych samochodów, pomknęliśmy przez miasto i przedmieścia.

– Czy jesteś po stronie fabrykantów? – spytałem mego przyjaciela.

– Ach, to rzecz gustu, zastanowimy się nad tym za miastem. Albo nie, poczekaj, jestem raczej za tym, żebyśmy wybrali tamtą partię, choć w gruncie rzeczy jest to właściwie zupełnie obojętne. Jestem teologiem, a mój przodek, Luter, swego czasu pomagał książętom i bogaczom przeciw chłopom, skorygujemy to teraz trochę. Mamy wóz, miejmy nadzieję, że wytrzyma jeszcze tych parę kilometrów!

Szybko jak wicher, z trzaskiem i hałasem rwaliśmy naprzód przez zieloną, spokojną okolicę, długie mile pędziliśmy przez wielką równinę, a potem, wznosząc się powoli, wjechaliśmy w głąb potężnych gór. Tu zatrzymaliśmy się na gładkiej, wyślizganej szosie, która między stromą ścianą skalną a niskim murkiem ochronnym śmiałymi serpentynami prowadziła wyżej i wyżej nad błękitnym, lśniącym jeziorem.

– Piękna okolica – powiedziałem.

– Bardzo piękna. Możemy ją nazwać drogą osi, podobno łamie się tu mnóstwo osi, uważaj, mój drogi!

Przy drodze stała duża pinia, a na niej w górze zobaczyliśmy coś w rodzaju budki zbitej z desek czy punktu obserwacyjnego lub strażnicy. Gustaw zaśmiał się głośno, chytrze mrugając do mnie niebieskimi oczyma. Szybko wysiedliśmy z wozu, wspięliśmy się po pniu w górę, ciężko dysząc, ukryliśmy się w strażnicy, która bardzo nam się podobała. Znaleźliśmy tam strzelby, rewolwery i skrzynki z nabojami. Zaledwie ochłonęliśmy trochę i urządziliśmy się na posterunku, a już zabrzmiał na najbliższym zakręcie ochrypły i władczy klakson luksusowego samochodu, który, warcząc, pędził z dużą szybkością po lśniącej, górskiej drodze. Trzymaliśmy już strzelby w pogotowiu. Było to niesłychanie emocjonujące.

– Celuj w szofera! – rozkazał szybko Gustaw, ciężki samochód przejeżdżał właśnie pod nami. Wycelowałem i strzeliłem w niebieską czapkę kierowcy. Człowiek osunął się, wóz pędził dalej, uderzył o ścianę, odskoczył do tyłu, znów uderzył ciężko i wściekle o niski murek, jak duży, gruby bąk, przekoziołkował i z krótkim, słabym trzaskiem runął przez murek w przepaść.

– Załatwione – śmiał się Gustaw. – Następny należy do mnie.

I znów nadjeżdżał w pędzie samochód, wewnątrz na poduszkach rozparło się trzech albo czterech dziwnie małych pasażerów, na głowie kobiety powiewała jasnoniebieska woalka, właściwie było mi żal tej woalki, kto wie, może pod nią uśmiechała się piękna kobieca twarz. Na miłość Boską, jeśli już bawimy się w rozbójników, to byłoby może słuszniej i ładniej – naśladując wielkie wzory – nie rozciągać naszej bohaterskiej żądzy mordowania na piękne damy? Ale Gustaw już strzelił. Szofer drgnął i osunął się do przodu, wóz stanął dęba, uderzając o pionową skałę, odskoczył i runął na szosę kołami do góry. Czekaliśmy, nie ruszyło się nic, ludzie leżeli bezgłośnie pod swoim wozem, jakby w pułapce. Tymczasem samochód wciąż jeszcze warczał i chrzęścił, a jego koła zabawnie obracały się w powietrzu, aż nagle wydał straszliwy huk i stanął w płomieniach.

– To ford – powiedział Gustaw. – Musimy zejść i oczyścić szosę.

Zeszliśmy na dół i przyglądaliśmy się płonącemu wrakowi. Wypalił się szybko; zrobiliśmy z młodych drzew dźwigary, przesunęliśmy szczątki samochodu na pobocze drogi, po czym przerzuciliśmy je przez murek; długo jeszcze słychać było w zaroślach trzaski. Podczas przewracania samochodu wypadło z niego dwóch zabitych; leżeli na drodze w ubraniach, częściowo spalonych. Jeden miał marynarkę jeszcze względnie dobrze zachowaną, przeszukałem kieszenie zaciekawiony, czy dowiemy się, kim był. Wydobyłem skórzany portel, były w nim bilety wizytowe. Na jednym z nich odczytałem następujące słowa: „Tat twam asi".

– Bardzo dowcipne – powiedział Gustaw. – Ale w gruncie rzeczy wszystko jedno, jak nazywają się ludzie, których tu zabijamy. To takie biedaki jak my, nie chodzi o nazwiska. Ten świat musi zginąć, a my razem z nim. Najmniej bolesnym rozwiązaniem byłoby zanurzyć go na dziesięć minut w wodzie. No, do roboty!

Zrzuciliśmy trupy w ślad za wozem. W tym momencie zatrąbił następny samochód. Zestrzeliliśmy go z miejsca. Kręcił się jeszcze wściekle na szosie jak pijany, potem przewrócił się i ciężko dysząc, utkwił nieruchomo na ziemi; jeden z pasażerów spokojnie siedział we wnętrzu, z którego wyszła ładna, młoda dziewczyna; nie doznała żadnego szwanku, ale była blada i drżała na całym ciele. Pozdrowiliśmy ją uprzejmie i zaoferowaliśmy jej nasze usługi. Była jednak ogromnie przestraszona, nie mogła mówić i przez chwilę patrzyła na nas osłupiałym wzrokiem.

– No, zobaczymy najpierw, co się dzieje ze starszym panem – powiedział Gustaw i zwrócił się do pasażera, który wciąż jeszcze tkwił na swoim miejscu za plecami zabitego szofera. Był to pan o krótko ostrzyżonych, siwych włosach, jego mądre, jasnoszare oczy były otwarte, zdawało się jednak, że jest ciężko ranny, w każdym razie krew ciekła z jego ust, szyję miał nieprzyjemnie przekrzywioną i sztywną.

– Szanowny pan pozwoli, nazywam się Gustaw. Ośmieliliśmy się zastrzelić pańskiego szofera. Czy wolno zapytać, z kim mamy zaszczyt?

Starszy pan popatrzył chłodno i smutno swymi małymi, szarymi oczyma.

– Jestem generalny prokurator Loering – odpowiedział powoli. – Zabiliście nie tylko mojego biednego szofera, ale i mnie, czuję, że zbliża się koniec. Właściwie dlaczego strzelaliście do nas?

– Za zbyt szybką jazdę.

– Jechaliśmy z normalną szybkością.

– To, co wczoraj było normalne, dziś już takim nie jest, panie prokuratorze generalny. Dzisiaj jesteśmy zdania, że każda szybkość, z jaką samochód może jechać, jest za wielka. Niszczymy teraz samochody i inne maszyny.

– A wasze strzelby?

– I na nie przyjdzie kolej, jeżeli starczy nam czasu. Prawdopodobnie jutro albo pojutrze wszyscy będziemy załatwieni. Pan przecież wie, że nasza część świata była paskudnie przeludniona. No, ale teraz będzie czym oddychać.

– Czy strzela pan do każdego, jak popadnie?

– Oczywiście. Niektórych niewątpliwie mi szkoda. Na przykład tej młodej, ładnej pani byłoby mi żal... to zapewne pańska córka?

– Nie, to moja sekretarka.

– Tym lepiej. A teraz proszę wysiąść albo pozwoli pan, że go wyciągniemy z wozu, gdyż samochód musimy zniszczyć.

– Wolę zginąć razem z nim.

– Jak pan sobie życzy. Pozwoli pan, jeszcze jedno pytanie! Pan jest prokuratorem. Było dla mnie zawsze rzeczą niepojętą, jak człowiek może być prokuratorem. Pan żyje z tego, że oskarża i skazuje na kary innych ludzi, przeważnie biedaków. Czy tak?

– Tak jest. Spełniałem mój obowiązek. To był mój zawód. Podobnie jak zawodem kata jest zabijać skazanych przeze mnie ludzi. Pan przecież przejął taki sam zawód, pan przecież także zabija.

– Słusznie. Tylko że my nie zabijamy z obowiązku, lecz dla przyjemności albo raczej z niezadowolenia, z rozpaczy, jaką budzi w nas ten świat. Dlatego zabijanie w pewnym sensie nas bawi. Czy nigdy nie bawiło pana zabijanie?

– Pan mnie nudzi. Zechce pan łaskawie skończyć swoją robotę. Jeśli pojęcie obowiązku jest panu obce...

Umilkł i wykrzywił wargi, jak gdyby chciał splunąć. Ale wypłynęło tylko trochę krwi, która zakrzepła na podbródku.

– Chwileczkę! – powiedział uprzejmie Gustaw. – Pojęcia obowiązku rzeczywiście nie znam, już nie znam. Dawniej miałem urzędowo wiele z nim do czynienia, byłem profesorem teologii. Poza tym byłem żołnierzem i brałem udział w wojnie. To, co wydawało mi się obowiązkiem i co nakazywały mi autorytety i zwierzchnicy, wcale nie było dobre, stale miałem ochotę uczynić coś przeciwnego. Ale jeśli nawet nie znam już pojęcia obowiązku, to przecież znam pojęcie winy... zresztą kto wie, może obydwa oznaczają to samo. Już z chwilą, kiedy matka mnie urodziła, stałem się winny, skazany na życie, zobowiązany do określonej przynależności państwowej, zobowiązany do służby wojskowej, zabijania, płacenia podatków na zbrojenia. A teraz, aktualnie, jak niegdyś podczas wojny, grzech żywota znów doprowadził mnie do tego, że muszę zabijać. Lecz tym razem nie zabijam z odrazą, poddałem się poczuciu winy, nie mam nic przeciwko temu, żeby ten głupi, przeludniony świat rozpadł się w gruzy, chętnie przyczynię się do tego i chętnie sam przy tym zginę.

Prokurator zadawał sobie dużo trudu, by się trochę uśmiechnąć sklejonymi krwią ustami. Nie najlepiej mu się to udawało, lecz dobre chęci były widoczne.

– W porządku – powiedział. – A więc jesteśmy kolegami. Proszę teraz spełnić swój obowiązek, panie kolego.

Tymczasem ładna dziewczyna usiadła na skraju drogi i zemdlała.

W tejże chwili znów zatrąbił jakiś samochód, zbliżając się na pełnym gazie. Odciągnęliśmy dziewczynę nieco na bok, przywarliśmy do skał i pozwoliliśmy zbliżającemu się samochodowi wjechać na szczątki poprzedniego. Zahamował jednak gwałtownie, wóz stanął dęba i zatrzymał się nieuszkodzony. Szybko sięgnęliśmy po nasze strzelby, celując do nowo przybyłych.

– Wysiadać – zakomenderował Gustaw. – Ręce do góry!

Z samochodu wysiadło trzech mężczyzn i posłusznie podniosło ręce.

– Czy któryś z panów jest lekarzem? – zapytał Gustaw.

Zaprzeczyli.

– W takim razie zechcą panowie ostrożnie wyciągnąć tego pana z samochodu, jest ciężko ranny. A potem zabiorą go panowie swoim samochodem do najbliższego miasta. Szybko, do roboty!

Niebawem ułożono starszego pana w drugim samochodzie, Gustaw wydał komendę i wszyscy ruszyli w drogę. Tymczasem nasza stenotypistka odzyskała przytomność i przyglądała się zajściu. Byłem zadowolony, że złowiliśmy taką zdobycz.

– Proszę pani – rzekł Gustaw – straciła pani swego chlebodawcę. Mam nadzieję, że ten starszy pan nie był dla pani kimś bliższym. Angażuję panią, proszę być dla nas dobrym kolegą! No, ale teraz trzeba się trochę pospieszyć. Wkrótce będzie tutaj nieprzyjemnie. Czy umie pani chodzić po drzewach? Tak? No, to jazda, weźmiemy panią między siebie i pomożemy.

Tak szybko, jak tylko się dało, wdrapaliśmy się w trójkę do naszej kryjówki. Na górze zrobiło się panience niedobrze, ale dostała łyk koniaku i wkrótce na tyle jej się polepszyło, że mogła podziwiać wspaniały widok na jezioro i góry; oświadczyła nam, że ma na imię Dora.

Zaraz potem na dole znów nadjechał samochód; ostrożnie, nie zatrzymując się, ominął przewrócone auto i natychmiast przyspieszył.

– Dekownik! – zaśmiał się Gustaw i zastrzelił kierowcę. Wóz tańczył trochę na szosie, uderzył o mur, uszkodził go i zawisł ukośnie nad przepaścią.

– Doro – powiedziałem – czy umie pani obchodzić się z bronią?

Nie umiała, ale nauczyła się od nas, jak ładuje się strzelbę. Początkowo była niezręczna i skaleczyła się w palec do krwi, rozpłakała się i zażądała plastra. Ale Gustaw oświadczył, że jest wojna. Powinna więc pokazać, iż jest dzielną i odważną dziewczyną. To pomogło.

– Ale co będzie z nami? – zapytała potem.

– Nie wiem – powiedział Gustaw – mój przyjaciel, Harry, lubi ładne kobiety, on będzie pani przyjacielem.

– Ale oni przyjdą z policją i z żołnierzami i pozabijają nas.

– Policja i tym podobne organizacje już nie istnieją. Mamy do wyboru, Doro: albo pozostaniemy spokojnie tu na górze i wystrzelamy wszystkie wozy, które by chciały tędy przejechać, albo weźmiemy wóz, wyruszymy stąd i pozwolimy, żeby inni do nas strzelali. Wszystko jedno, po czyjej stronie staniemy. Jestem za tym, żeby tu zostać.

Na dole znów pojawił się samochód, rozległ się głośny dźwięk klaksonu. Wóz został wkrótce zlikwidowany, leżał na szosie odwrócony kołami do góry.

– Zabawne – powiedziałem – że strzelanie może sprawiać tyle przyjemności! A przecież dawniej byłem przeciwnikiem wojny!

Gustaw się uśmiechał: – Tak, stanowczo za dużo ludzi jest na tym świecie. Dawniej nie rzucało się to tak w oczy. Ale teraz, gdy każdy nie tylko chce oddychać powietrzem, ale mieć także samochód, dostrzega się to od razu. Rzecz jasna, że to, co tu robimy, nie jest rozsądne, jest dziecinadą, tak jak i wojna była olbrzymią dziecinadą. Kiedyś, w przyszłości, ludzkość będzie musiała w rozsądny sposób przyhamować swój przyrost naturalny. Tymczasem reagujemy na nieznośne stosunki dość nierozsądnie, ale w gruncie rzeczy postępujemy słusznie: redukujemy.

– Rzeczywiście – powiedziałem – to, co czynimy, jest prawdopodobnie szalone, a mimo to jest chyba słuszne i konieczne. Niedobrze, jeśli ludzkość nazbyt wysila swój umysł i stara się logicznie uporządkować sprawy, które dla rozumu są jeszcze w ogóle niedostępne. Obraz człowieka, niegdyś szczytny ideał, staje się dziś schematem. My, obłąkani, być może na nowo uszlachetnimy ten ideał.

Gustaw odparł ze śmiechem: – Chłopcze, gadasz niezwykle mądrze, słuchanie takiej krynicy mądrości jest przyjemnością i przynosi pożytek. Może nawet i masz trochę racji. Ale na razie bądź tak dobry i naładuj swoją strzelbę, jesteś dla mnie nazbyt romantyczny. Lada chwila może znów nadbiec parę koziołków, których nie ustrzelimy filozofią, w lufie zawsze muszą być naboje.

Nadjechał samochód i przewrócił się natychmiast, droga została zatarasowana. Pozostały przy życiu zażywny, rudy mężczyzna gwałtownie gestykulował przy szczątkach wozu, wytrzeszczał oczy to w dół, to w górę, odkrył naszą kryjówkę, podbiegł ku nam z wrzaskiem i oddał w naszą stronę kilka strzałów rewolwerowych.

– Odejdź pan, bo strzelę! – krzyknął Gustaw w dół. Człowiek wycelował w niego i strzelił raz jeszcze. Wówczas położyliśmy go dwoma strzałami.

Nadjechały jeszcze dwa samochody, te również zmietliśmy. Potem droga stała się cicha i pusta, widocznie rozeszła się wiadomość o tym, że jest niebezpieczna. Mieliśmy czas przyjrzeć się pięknemu widokowi. Z drugiej strony jeziora, na nizinie, leżało małe miasteczko; w kłębach unoszącego się nad nim dymu spostrzegliśmy, jak ogień przenosił się z dachu na dach. Słychać było również strzały. Dora popłakiwała, a ja głaskałem jej mokre policzki.

– Czy wszyscy musimy umrzeć? – zapytała. Nikt nie odpowiedział. Tymczasem dołem nadszedł jakiś piechur, zobaczył zniszczone i rozrzucone samochody, węszył dokoła wraków, zajrzał do wnętrza jednego z nich, wyciągnął kolorową parasolkę, damską skórzaną torebkę i flaszkę wina, usiadł spokojnie na murku, pił z butelki, jadł coś, co było owinięte w staniol i co wyjął z torebki, wypił zawartość butelki do dna i ściskając parasolkę pod pachą, wesoło powędrował dalej. Kiedy tak szedł spokojnie, zapytałem Gustawa: – Czy mógłbyś teraz strzelić do tego sympatycznego nieboraka i zrobić mu dziurę w głowie? Bóg świadkiem, ja bym nie mógł.

– Tego się nie żąda – rzekł mój przyjaciel. Ale i jemu zrobiło się nieswojo koło serca.

Ledwo zobaczyliśmy człowieka, który zachowywał się niefrasobliwie, spokojnie jak dziecko i żył jeszcze w stanie niewinności, całe nasze tak chwalebne i konieczne działanie wydało się nam głupie i wstrętne. Obrzydliwość, tyle krwi! Ogarnął nas wstyd. Podczas wojny podobno i generałowie odczuwali coś w tym rodzaju.

– Nie siedźmy tu dłużej – lamentowała Dora – zejdźmy na dół, z pewnością znajdziemy w samochodach coś do jedzenia. Nie jesteście głodni, rozbójnicy?

Na dole w płonącym mieście gwałtownie biły dzwony na trwogę. Zaczęliśmy schodzić. Kiedy pomagałem Dorze przeprawiać się przez murek, pocałowałem ją w kolano. Roześmiała się dźwięcznie. Ale w tejże chwili załamała się poręcz i oboje runęliśmy w próżnię...

Znów znalazłem się w półkolistym korytarzu, podniecony myśliwską przygodą, a wszędzie, na niezliczonych drzwiach nęciły napisy:

Mutabor
przemiany w dowolne zwierzęta
i rośliny

Kamasutra
nauka indyjskiej sztuki miłości
Kurs dla początkujących: 42 różne
metody ćwiczeń miłosnych

Rozkoszne samobójstwo
Zaśmiejesz się na śmierć

Czy chcesz się uduchowić?
Mądrość Wschodu

Ach, gdybym miał tysiąc języków!
Tylko dla panów

Zagłada Zachodu
Zniżone ceny. Wciąż jeszcze bezkonkurencyjne!

Istota sztuki
Przemiana czasu w przestrzeń
za pomocą muzyki

Roześmiana łza
Gabinet humoru

Zabawy pustelników
Pełnowartościowa namiastka wszelkiego
życia towarzyskiego

Nie było końca napisom. Jeden brzmiał:

Wskazówki do odbudowy osobowości
Skutek gwarantowany

To wydało mi się godne uwagi. Wszedłem więc do tych drzwi. Znalazłem się w mrocznym, cichym pomieszczeniu, w którym na sposób wschodni siedział nie na krześle, lecz na ziemi, mężczyzna; przed nim stało coś w rodzaju dużej szachownicy. W pierwszej chwili wydawało mi się, że jest to przyjaciel Pablo, w każdym razie miał podobną kolorową bluzę i takie same jak saksofonista ciemne, promienne oczy.

– Czy pan jest Pablo? – zapytałem.

– Nikim nie jestem – wyjaśnił uprzejmie. – Nie nosimy tu żadnych imion, nie jesteśmy osobami. Jestem szachistą. Czy życzy pan sobie lekcji odbudowania osobowości?

– Tak, proszę.

– W takim razie zechce mi pan łaskawie postawić do dyspozycji kilka tuzinów swoich postaci.

– Moich postaci...?

– Figur, na jakie rozszczepiła się pańska osobowość, jak to pan sam widział. Bez figur nie mogę przecież grać.

Podsunął mi lustro i znów zobaczyłem w nim jedność mojej osoby, rozszczepiającą się na wiele jaźni, zdawało się, że ich liczba jeszcze wzrosła. Ale teraz postacie były bardzo małe, mniej więcej takie jak zwykle figury szachowe, a szachista spokojnymi, pewnymi ruchami wybrał spośród nich kilka tuzinów i postawił je na ziemi, koło szachownicy. Mówił przy tym monotonnie jak człowiek, który często powtarza wygłaszane przemówienie albo lekcję:

– Błędne i nieszczęśliwe w skutkach mniemanie, jakoby człowiek był trwałą jednością, jest panu znane. Wiadomo panu również, że człowiek składa się z mnóstwa dusz, z bardzo wielu jaźni. Rozszczepianie pozornej jedności osoby na wiele postaci uchodzi za obłęd, nauka wynalazła na to określenie „schizofrenia". Nauka ma rację o tyle, że oczywiście żadnej wielości nie da się ujarzmić, nie kierując nią, bez pewnego rodzaju porządku i ugrupowania. Nie ma natomiast racji w tym, że sądzi, iż możliwy jest jednorazowy, obowiązujący dożywotni porządek licznych jaźni pochodnych. Ten błąd nauki ma wiele niemiłych skutków, jego wartość polega jedynie na tym, że zawodowi nauczyciele i wychowawcy uważają swoją pracę za uproszczoną, a myślenie i eksperymentowanie za zbędne. Wskutek tej pomyłki sporo ludzi, nieuleczalnie chorych umysłowo, uchodzi za „normalnych", ba, nawet za społecznie wysoko wartościowych, i na odwrót, niektórych geniuszy uważa się za obłąkanych. Uzupełniamy więc niedoskonałą naukę o duszy, podawaną przez wiedzę, pojęciem zwanym sztuką odbudowy. Pokazujemy temu, kto przeżył rozszczepienie swojej jaźni, że może on w każdej chwili na nowo zestawić wszystkie cząstki w dowolnym porządku i w ten sposób osiągnąć nieskończoną różnorodność kształtu życia. Podobnie jak autor z garści figur tworzy dramat, tak my z figur naszej rozszczepionej jaźni budujemy coraz to nowe ugrupowania z nowymi fabułami i napięciami, z wiecznie nowymi sytuacjami. Proszę, niech pan spojrzy!

Spokojnymi, doświadczonymi palcami chwycił moje figurki: figurki starców, młodzieńców, dzieci i kobiet, figurki wesołe i smutne, mocne i delikatne, zgrabne i nieporadne, ustawił je szybko na szachownicy do rozegrania partii, w której zorganizowały się one wkrótce w grupy i rodziny, urządzały zabawy i toczyły walki, nawiązywały przyjaźnie i doznawały uczuć wrogości, tworząc miniaturowy świat. Przed moimi zachwyconymi oczyma szachista pozwolił temu ożywionemu, a zarazem dobrze uporządkowanemu, małemu światkowi poruszać się przez chwilę, bawić się i walczyć, zawierać przymierza i staczać bitwy, pozwalał figurkom zalecać się do siebie, pobierać się i rozmnażać; był to w istocie wielopostaciowy, burzliwy i pasjonujący dramat.

Potem szachista wesołym gestem przesunął ręką po desce, delikatnie przewrócił figurki, zgarnął je razem, po czym wybredny artysta ustawiał w zamyśleniu z tych samych figur zupełnie nowe kombinacje, z zupełnie innymi ugrupowaniami, stosunkami i układami. Druga gra była podobna do pierwszej, był to ten sam świat, z tego samego tworzywa, z którego budował grę, ale tonacja była zmieniona, inne było tempo, inaczej podkreślone motywy, inne sytuacje.

I tak ten mądry budowniczy konstruował z postaci, z których każda była cząstką mojej jaźni, wciąż nowe układy, na pozór wszystkie do siebie podobne, wszystkie jakby przynależne do tego samego świata, wszystkie tego samego pochodzenia, a jednak całkowicie odmienne.

– Oto jest sztuka życia – powiedział pouczająco. – W przyszłości będzie pan mógł sam dowolnie dalej kształtować i ożywiać, komplikować i wzbogacać grę swojego życia, to będzie zależało od pana. I tak jak obłęd, w wyższym tego słowa znaczeniu, jest początkiem wszelkiej mądrości, tak schizofrenia jest początkiem wszelkiej sztuki, wszelkiej fantazji. Nawet uczeni uznali to już po części, co można sprawdzić, czytając *Des Prinzen Wunderhorn*, zachwycającą książkę, w której mozolna i solidna praca uczonego została uszlachetniona dzięki współudziałowi pewnej liczby obłąkanych artystów, przebywających w zamkniętych zakładach... Proszę, niech pan schowa swoje figurki, ta zabawa nieraz jeszcze sprawi panu przyjemność. Figurę, która dziś rozrosła się do rozmiarów nieznośnego pośmiewiska i psuje panu grę, zdegraduje pan jutro do rangi nieszkodliwego pionka. Z biednej, uroczej figurki, która przez moment wydawała się skazana jedynie na zły los i na złą gwiazdę, w następnej kombinacji uczyni pan księżniczkę. Życzę panu dobrej zabawy!

Skłoniłem się głęboko i z wdzięcznością przed tym zdolnym szachistą, schowałem figurki do kieszeni i wycofałem się przez wąskie drzwi.

Myślałem, że zaraz w korytarzu usiądę na ziemi i godzinami, przez całą wieczność, będę się bawił figurkami, ale gdy tylko znalazłem się w jasnym półkolistym korytarzu, pociągnęły mnie nowe, silniejsze ode mnie prądy. Przed moimi oczyma jaskrawo zapłonął napis:

Cud tresury wilka stepowego

Napis ten wzbudził we mnie mieszane uczucia; różne lęki i przymusy z mojego dawnego życia, z opuszczonej przeze mnie rzeczywistości boleśnie ścisnęły mi serce. Drżącą ręką otworzyłem drzwi i wszedłem do jarmarcznej budy, w której żelazna krata oddzielała widzów od ubogiej scenki. Na scenie stał pogromca zwierząt, wyglądający trochę na krzykliwego szarlatana i pyszałkowatego faceta, który mimo ogromnych wąsów, okazałych bicepsów i fircykowatego stroju cyrkowego w jakiś złośliwy, mocno odrażający sposób podobny był do mnie. Ten siłacz – cóż za żałosny widok! – prowadził na smyczy, jak psa, wielkiego, pięknego, ale straszliwie wychudzonego i niewolniczo spoglądającego wilka. Widok brutalnego pogromcy prezentującego w szeregu numerów i sensacyjnych scen tego szlachetnego, a tak haniebnie uległego drapieżnika budził we mnie wstręt i emocję, obrzydzenie i tajoną rozkosz.

Trzeba przyznać, że pogromca, mój przeklęty bliźniak z krzywego zwierciadła, bajecznie ujarzmił swego wilka. Wilk słuchał uważnie każdego rozkazu, reagował na każde zawołanie i trzaśnięcie bata jak pies: padał na kolana, udawał nieżywego, posłusznie służył i grzecznie nosił w pysku bochenek chleba, jajko, kawał mięsa i koszyczek, ba, musiał nawet podnieść szpicrutę, którą pogromca upuścił, i nieść ją w pysku za nim, przy czym merdał ogonem, płaszcząc się obrzydliwie. Przyprowadzono wilkowi królika, potem białe jagnię, i chociaż szczerzył zęby i drżał cały z pożądliwości, a ślina ciekła mu z pyska, nie ruszył żadnego ze zwierząt, lecz na rozkaz przeskakiwał w eleganckich susach przez dygocące i skulone na ziemi zwierzęta, ba, położył się między królikiem a jagnięciem, objął je przednimi łapami i utworzył wraz z nimi wzruszającą rodzinną grupę. Na domiar wszystkiego zeżarł z ręki człowieka tabliczkę czekolady. Było prawdziwą męką patrzeć, do jakiego nieprawdopodobnego stopnia wilk ten nauczył się zadawać kłam swojej naturze; włosy jeżyły mi się na ten widok.

W drugiej części spektaklu zarówno wzburzony widz, jak i wilk zostali jednak za tę mękę wynagrodzeni. Mianowicie po tym wyrafinowanym programie tresury i po triumfującym i pełnym wdzięku ukłonie, złożonym przez pogromcę nad grupą jagnięcia i wilka, role zostały zmienione. Nagle podobny do Harry'ego pogromca, kłaniając się nisko, złożył z głębokim ukłonem swój pejcz u stóp wilka i zaczął tak samo drżeć, kulić się i przybierać żałosny wygląd jak przedtem zwierzę. Wilk natomiast, śmiejąc się, oblizywał sobie mordę. Pozbył się drżenia i zakłamania, oczy mu błyszczały, ciało odzyskało prężność i rozkwitało w odzyskanej na nowo dzikości.

Teraz wilk rozkazywał, a człowiek musiał słuchać. Na rozkaz padał na kolana, grał rolę wilka, wywieszał język, plombowanymi zębami zrywał z siebie ubranie. Zależnie od rozkazu pogromcy ludzi chodził na dwóch nogach albo na czworakach, służył, udawał nieżywego, pozwalał wilkowi jeździć na sobie okrakiem, nosił za nim pejcz, z psim talentem i fantazją godził się na każde upokorzenie i perwersję. Na scenę weszła piękna dziewczyna, zbliżyła się do tresowanego człowieka, głaskała go w podbródek, pocierała policzek o jego policzek, on jednak trwał na czworakach, pozostał zwierzęciem, potrząsał głową i zaczął do pięknej dziewczyny szczerzyć zęby, w końcu tak groźnie i drapieżnie, że uciekła. Podano mu czekoladę, którą pogardliwie obwąchał i odtrącił. Na koniec przyniesiono znów białe jagnię i tłustego pstrokatego królika, a pojętny człowiek pokazał swój szczytowy numer i zagrał wilka aż miło. Palcami i zębami chwytał wrzeszczące zwierzęta, wyrywał im kawały sierści i ciała, uśmiechając się, żuł ich żywe mięso i nieprzytomny, pijany, z rozkosznie przymkniętymi oczyma chłeptał ich ciepłą krew.

Przerażony wybiegłem przez drzwi. Przekonałem się, że ten magiczny teatr nie był idealnym rajem, pod jego zachwycającą fasadą kryły się wszystkie piekła. O Boże, czyż i tu nie ma wybawienia?

Pełen lęku biegałem tam i z powrotem, czułem w ustach smak krwi i czekolady, obydwa jednakowo wstrętne, gorąco pragnąłem wyrwać się z tej posępnej fali, żarliwie walczyłem w myślach o znośniejsze, milsze obrazy. „O, przyjaciele, nie takie tony!" śpiewało coś we mnie i z przerażeniem przypomniałem sobie potworne fotografie z frontu, jakie niekiedy oglądałem podczas wojny, owe stosy skłębionych trupów o twarzach zmienionych maskami gazowymi w szczerzące zęby diabelskie maszkary. Jakże głupi, dziecinny byłem jeszcze wówczas, kiedy jako humanitarnie usposobiony przeciwnik wojny przerażałem się tymi obrazami! – Dziś wiedziałem, że żaden pogromca, żaden minister, generał czy obłąkany nie jest w stanie wyhodować w swoim mózgu myśli i obrazów, które nie drzemałyby także we mnie, i to w formie równie ohydnej, dzikiej i złej, równie okrutnej i głupiej.

Z poczuciem ulgi przypomniałem sobie napis, który na początku przedstawienia tak gwałtownie pociągnął owego ładnego młodzieńca. Napis brzmiał:

Wszystkie dziewczęta są twoje

Ostatecznie wydawało mi się, że przecież nic nie jest tak pożądania godne jak to. Ciesząc się, że będę mógł znów uciec z tego przeklętego, wilczego świata, wszedłem do wnętrza.

Zadziwiające: powiał na mnie legendarny, a zarazem tak bardzo bliski zapach mojej młodości, atmosfery mych lat chłopięcych i młodzieńczych, że aż zadrżałem, w moim sercu płynęła krew tamtych dni. Wszystko, co przed chwilą jeszcze czyniłem i myślałem i czym byłem, opadło ze mnie i znów stałem się młody. Jeszcze przed godziną, jeszcze przed chwilą myślałem, że dobrze wiem, czym jest miłość, pożądanie i tęsknota, ale to była miłość i tęsknota starego człowieka. Teraz znów byłem młody, a to, co czułem: rozżarzony ogień, potężna porywająca tęsknota, owa przenikająca wszystko namiętność – niby ciepły powiew wiosny – było młode, nowe i prawdziwe. Ach, jakże rozgorzały znów zapomniane ognie, jak nabrzmiały i głęboko zadrgały dźwięki minionych lat, jak migotliwie budziło się coś we krwi, jakże krzyczało coś i śpiewało w mojej duszy! Byłem chłopcem piętnasto- czy szesnastoletnim, głowę miałem pełną łaciny, greki i pięknej poezji, myśli pełne dążeń i ambicji, fantazję pełną marzeń artystycznych, ale o wiele głębiej, silniej i straszliwiej niż wszystkie te płonące ognie palił się we mnie i drgał ogień miłości, głód płci, dojmujące przeczucie rozkoszy.

Stałem na jednym ze skalnych wzgórz nad moim rodzinnym miasteczkiem, unosił się tam zapach wiosennego wiatru i pierwszych fiołków, widać było połyskującą rzekę i okna mojego rodzinnego domu; wszystko błyszczało, dźwięczało i pachniało oszałamiającą pełnią, świeżą twórczą gotowością, wszystko jaśniało soczystymi barwami i mieniło się nierealnie w podmuchach wiosennego wiatru, a świat wydawał mi się taki, jak niegdyś w najbujniejszych, poetyckich uniesieniach mojej pierwszej młodości. Stałem na wzgórzu, wiatr rozrzucał moje długie włosy; zatopiony w marzycielskiej, miłosnej tęsknocie bezwiednie sięgnąłem do ledwie zieleniejącego krzewu i zerwałem młody, na wpół rozwinięty pączek listka, przybliżyłem go do oczu, powąchałem (już sam zapach przypomniał mi wszystko, co było, i oblał mnie żarem), potem, bawiąc się, chwyciłem ten mały, zielony pączek ustami, które jeszcze nie całowały żadnej dziewczyny, i zacząłem go gryźć. Ten cierpki, aromatyczny, gorzki smak nagle uświadomił mi, co przeżywam, wszystko znów było obecne. Po raz drugi przeżyłem chwile z ostatnich lat mojego chłopięctwa, niedzielne popołudnie wczesnej wiosny, ów dzień, kiedy na samotnym spacerze spotkałem Różę Kreisler, nieśmiało złożyłem jej ukłon i nieprzytomnie się w niej zakochałem.

Patrzyłem wówczas pełen lękliwego oczekiwania na tę piękną, rozmarzoną dziewczynę, która samotnie szła w górę i jeszcze mnie nie spostrzegła, patrzyłem na jej włosy splecione w grube warkocze i podpięte, na spływające po obu stronach policzków luźne kosmyki, którymi igrał i powiewał wiatr. Po raz pierwszy w życiu spostrzegłem, jak była piękna, jak piękne i nierealne były igraszki wiatru w jej delikatnych włosach, jak pięknie i powabnie spływała po jej młodych kształtach cienka, niebieska sukienka; i podobnie jak gorzko-aromatyczny smak rozgryzionego pączka przeniknął mnie nieśmiałą, słodką rozkoszą i lękiem wiosny, tak widok dziewczęcia napełnił mnie śmiertelnym przeczuciem miłości i kobiety, wstrząsającym przeczuciem niesłychanych możliwości i obietnic, nieopisanych rozkoszy, nieprawdopodobnych powikłań, obaw i cierpień, najserdeczniejszego wyzwolenia i najgłębszej winy. O, jakże bardzo palił język gorzki smak wiosny! O, jakże igrał wiatr luźnymi kosmykami włosów, spływającymi wokół jej rumianych policzków! Potem zbliżyła się, uniosła oczy i poznała mnie, zarumieniła się jeszcze bardziej i na chwilę spojrzała w bok; potem zdjąłem kapelusz konfirmanta i ukłoniłem się, a Róża, znów opanowana, odkłoniła się z uśmiechem, trochę jak dama, z podniesioną głową, i odeszła powoli, pewnie i wyniośle, otoczona tysiącem miłosnych życzeń, żądań i hołdów, które w ślad za nią posyłałem.

Tak było niegdyś, pewnej niedzieli przed trzydziestu pięciu laty, i wszystko niegdysiejsze powróciło w tej właśnie chwili: wzgórze i miasto, marcowy wiatr i zapach pączków, Róża i jej kasztanowe włosy, nabrzmiewająca tęsknota i słodki, duszący lęk. Wszystko było jak wtedy, wydawało mi się, że później już nigdy nikogo tak nie kochałem jak wówczas Różę. Lecz tym razem dane mi było przyjąć ją inaczej niż wówczas. Widziałem jej rumieniec, gdy mnie poznała, widziałem, jak starała się go ukryć, i wiedziałem od razu, że mnie lubi, że to spotkanie miało dla niej takie samo znaczenie jak dla mnie. I zamiast znów zdjąć kapelusz i uroczyście trzymając go w ręku, czekać, aż ona przejdzie, uczyniłem tym razem, mimo lęku i niepokoju to, co nakazywała mi krew; zawołałem: „Różo, jakaś ty śliczna! Dzięki Bogu, żeś przyszła! Tak bardzo cię kocham!” To może nie było najlepsze, co można było w podobnej chwili powiedzieć, ale nie wymagało inteligencji, wystarczało zupełnie. Róża nie udawała damy i nie odeszła, zatrzymała się, spojrzała na mnie, zaczerwieniła się jeszcze bardziej niż przedtem i powiedziała: „Dzień dobry, Harry, czy naprawdę mnie lubisz?" Jej ciemne oczy promieniały w wyrazistej twarzyczce, a ja czułem, że całe moje minione życie i kochanie było fałszywe, zagmatwane i pełne głupiego nieszczęścia od chwili, kiedy owej niedzieli pozwoliłem Róży odejść. Ale teraz błąd został naprawiony, wszystko stawało się inne, wszystko zmieniało się na dobre.

Wzięliśmy się za ręce i tak szliśmy powoli dalej, niewymownie szczęśliwi, bardzo zakłopotani, nie wiedzieliśmy, co mówić, co robić, z zakłopotania zaczęliśmy szybciej biec i pędziliśmy tak, aż nam tchu zabrakło i musieliśmy zatrzymać się, nie zwalniając jednak uścisku naszych rąk. Oboje byliśmy jeszcze dziećmi i nie bardzo wiedzieliśmy, po co jedno drugiemu, tej niedzieli nie doszło nawet do pierwszego pocałunku, ale byliśmy niesłychanie szczęśliwi. Staliśmy i oddychaliśmy, usiedliśmy w trawie, głaskałem jej rękę, ona zaś nieśmiało gładziła moje włosy, potem znów wstaliśmy i próbowaliśmy zmierzyć, kto z nas jest wyższy, i właściwie ja byłem o palec wyższy, ale nie chciałem tego przyznać, lecz utrzymywałem, że jesteśmy dokładnie tego samego wzrostu, że Pan Bóg przeznaczył nas dla siebie i że pobierzemy się kiedyś. Wtedy Róża powiedziała, że czuje zapach fiołków, uklękliśmy w niskiej, wiosennej trawie, szukaliśmy i znaleźliśmy parę kwiatków o krótkich łodyżkach i darowywaliśmy je sobie wzajemnie, a gdy zrobiło się chłodniej i światło już ukośnie padało na skały, Róża powiedziała, że musi iść do domu, i wtedy oboje posmutnieliśmy, gdyż odprowadzić jej nie mogłem, ale mieliśmy teraz wspólną tajemnicę i to było najmilsze, co posiadaliśmy. Pozostałem na górze wśród skał, wąchałem fiołki od Róży, położyłem się na ziemi nad przepaścią, z twarzą nad głębią, i spoglądałem w dół na miasto, czyhając, aż ukaże się tam na dole jej urocza, maleńka postać i przebiegnie przez most obok studni. Teraz wiedziałem, że jest już w domu ojca, że chodzi tam po pokojach, a ja byłem tu na górze, daleko od niej, ale ode mnie ku niej biegła nić, płynął strumień, wiało tajemnicą.

Przez całą tę wiosnę widywaliśmy się tu i ówdzie, na skałach, przy sztachetach ogrodu, a kiedy zaczęły kwitnąć bzy, wymieniliśmy pierwszy nieśmiały pocałunek. Niewiele jako dzieci mogliśmy sobie wzajemnie dać, a nasz pocałunek nie miał jeszcze ani żaru, ani pełni; zaledwie odważyłem się delikatnie pogłaskać jej luźne, wijące się koło uszu włosy, ale wszystko było nasze, wszystko, do czego byliśmy zdolni w miłości i radości, a każdym nieśmiałym dotknięciem, każdym niedojrzałym słowem miłosnym, każdym niespokojnym oczekiwaniem na siebie uczyliśmy się nowego szczęścia, wznosiliśmy się w hierarchii sztuki kochania o jeden mały szczebel wyżej.

Tak przeżywałem, poczynając od Róży i fiołków, całe moje życie miłosne raz jeszcze, ale pod szczęśliwszymi gwiazdami. Róża znikła, zjawiła się Irmgarda, słońce stało się gorętsze, gwiazdy bardziej pijane, ale ani Róża, ani Irmgarda nie należały do mnie, musiałem się wspinać stopień po stopniu, wiele przeżyć, wiele się uczyć, musiałem również Irmgardę i Annę znów utracić. Każdą dziewczynę, którą kochałem niegdyś w mojej młodości, kochałem znowu, ale każdą potrafiłem natchnąć miłością, każdej coś dać, od każdej otrzymać coś w darze. Pragnienia, sny i możliwości, które niegdyś żyły jedynie w mojej wyobraźni, były teraz przeżywaną przeze mnie rzeczywistością. O, piękne kwiaty, Ido, Lauro i wy wszystkie, które niegdyś kochałem przez jedno lato, przez jeden miesiąc, jeden dzień!

Zrozumiałem, że jestem teraz tym ładnym, rozpromienionym chłopcem, który przedtem jawił mi się jako niecierpliwie wbiegający do wrót miłości, że teraz przeżywam cząstkę samego siebie, ale tę spełnioną tylko w jednej dziesiątej, w jednej tysięcznej cząstce mej istoty i mego życia, że pozwalam jej teraz rosnąć, nie obciążony już innymi postaciami mej jaźni, nie hamowany przez myśliciela, nie dręczony przez wilka stepowego, nie ograniczony przez poetę, fantastę i moralistę. Nie, teraz byłem tylko i wyłącznie kochankiem, oddychałem tylko szczęściem i cierpieniem miłości. Już Irmgarda nauczyła mnie tańczyć, Ida całować, a najpiękniejsza, Emma, była pierwszą, która pewnego jesiennego wieczoru pod szumiącymi gałęziami wiązu dała mi całować swoje smagłe piersi i pozwoliła wypić do dna kielich rozkoszy.

Wiele przeżyłem w teatrzyku Pabla, nawet tysięcznej części tego nie da się wyrazić słowami. Wszystkie dziewczęta, które kiedykolwiek kochałem, były teraz moje, każda dawała mi to, co tylko ona jedna dać mogła, każdej dawałem to, co tylko ona umiała wziąć ode mnie. Zakosztowałem wiele miłości, wiele szczęścia, wiele rozkoszy, wiele powikłań i cierpień, cała zaniedbana miłość mego życia zakwitła w tej godzinie sennych majaków w moim ogrodzie, kwiaty niewinne i delikatne, jaskrawe i pałające, ciemne i szybko więdnące, płomienna rozkosz, serdeczne marzenia, tląca się melancholia, trwożna śmierć, promienne narodziny. Spotykałem kobiety, które można było zdobyć szybko i szturmem, i takie, o które zabiegać długo i wytrwale było prawdziwym szczęściem; każdy mroczny zakątek mego życia, w którym niegdyś przywoływał mnie głos płci choćby tylko na chwilę, w którym rozpalało mnie kobiece spojrzenie lub nęcił połysk białej dziewczęcej skóry, wyłaniał się znowu i nadrabiałem wszystko niegdyś zaniedbane. Każda należała do mnie, każda na swój sposób. Znalazła się tu również kobieta o dziwnych, ciemnobrązowych oczach i jasnych jak len włosach, obok której stałem kiedyś przez kwadrans przy oknie w korytarzu pospiesznego pociągu. Później wielokrotnie jawiła się w moich snach – nie powiedziała ani słowa, ale nauczyła mnie nieprzeczuwanych, przerażających, śmiertelnych sztuk miłosnych. A ta spokojna, łagodna Chinka z portu w Marsylii, o gładkich, kruczoczarnych włosach i wilgotnych oczach, też znała niesłychane rzeczy. Każda miała swoją tajemnicę, pachniała swoją ziemią, całowała, śmiała się po swojemu i także po swojemu była wstydliwa i bezwstydna. Przychodziły i odchodziły, przynosił mi je nurt, przerzucał mnie w ich stronę lub od nich odrywał; było to zabawne, dziecinne pływanie w strumieniu płci, pełne uroku, niebezpieczeństwa i niespodzianek. I zdumiewałem się, jak bogate w miłosne przygody, okazje i pokusy było moje na pozór tak ubogie i pozbawione miłości życie wilka stepowego. Prawie wszystkie sposobności zaniedbałem i uciekałem od nich, potykając się o nie, prędko o nich zapominałem – ale tu przechowały się wszystkie bez wyjątku, całe ich setki. A teraz zobaczyłem je, poddawałem się im, byłem gotów na ich przyjęcie, pogrążałem się w ich różowe, mroczne podziemia. Powróciła również uwodzicielska propozycja, którą mi kiedyś podsuwał Pablo, a także inne wcześniejsze, których wówczas nawet dobrze nie rozumiałem; fantastyczne igraszki we troje, we czworo z uśmiechem wciągały mnie w swój korowód. Działo się wiele rzeczy, rozgrywały się różne, trudne do opisania gry.

Z nieskończonego strumienia pokus, występków i konfliktów wypłynąłem znowu na powierzchnię cichy, milczący, uzbrojony, nasycony wiedzą, mądry, głęboko doświadczony, dojrzały dla Herminy. Jako ostatnia figura mojej tysiącpostaciowej mitologii, jako ostatnie imię w tym nieskończonym szeregu, wyłoniła się właśnie ona, Hermina; jednocześnie powróciła świadomość i położyła kres tej miłosnej bajce, gdyż nie chciałem spotkać się z Herminą tu, w mroku czarodziejskiego zwierciadła; do niej należał cały Harry. Ach, chciałbym teraz przestawić moje szachowe figurki w ten sposób, żeby wszystko odnosiło się do niej i poprowadziło do spełnienia.

Fala wyrzuciła mnie na brzeg, stałem znów w milczącym, cichym, prowadzącym do lóż korytarzu teatralnym. Co dalej? Sięgnąłem do kieszeni po figurki, ale już mi jakoś przeszła ochota do tej zabawy. Otaczał mnie niekończący się świat drzwi, napisów, magicznych luster. Mimo woli przeczytałem najbliższy i dreszcz mnie przeszedł. Napis brzmiał:

Jak się przez miłość zabija

Nagle pojawił mi się i trwał przez sekundę obraz wspomnień: Hermina przy stoliku restauracyjnym, nagle daleka od rzeczywistości, ze straszliwą powagą w spojrzeniu, zagubiona w brzemiennej rozmowie, oznajmiająca mi, że tylko dlatego rozkocha mnie w sobie, by ponieść śmierć z mojej ręki. Ciężka fala lęku i mroku przepłynęła przez moje serce, nagle wszystko znowu stanęło przede mną, nagle poczułem znowu w głębi duszy moją nędzę i doniosłość tej chwili. Zrozpaczony sięgnąłem do kieszeni, by wydobyć figurki, zabawić się trochę w magię i zmienić porządek na mojej szachownicy. Ale figurek już nie było. Zamiast nich wyciągnąłem z kieszeni nóż. Śmiertelnie przerażony pobiegłem korytarzem, mijając drzwi, znalazłem się nagle naprzeciw olbrzymiego lustra i spojrzałem w nie. W lustrze stał, wysoki jak ja, olbrzymi, piękny wilk, stał cicho i płochliwie łyskał niespokojnymi ślepiami. Mrugał do mnie płomiennymi oczyma, uśmiechnął się trochę, tak że wargi rozłączyły się na chwilę i widać było czerwony jęzor.

Gdzie jest Pablo? Gdzie Hermina? Gdzie ten mądry magik, który tak ładnie ględził o odbudowie osobowości?

Raz jeszcze spojrzałem w lustro. Byłem obłąkany. W wysokim lustrze nie było żadnego wilka mielącego jęzorem. W lustrze stałem ja, Harry, o szarej twarzy, pozbawiony wszelkich uciech, znużony wszystkimi występkami, wstrętnie blady, ale – jakkolwiek by było – człowiek, zawsze ktoś, z kim można było pogadać.

– Harry – powiedziałem – co ty tu robisz?

– Nic – odpowiedział ten w lustrze – czekam tylko. Czekam na śmierć.

– A gdzie jest śmierć? – zapytałem.

– Już idzie – odpowiedział tamten. I usłyszałem muzykę płynącą z pustych sal teatru, piękną i straszną muzykę, towarzyszącą wystąpieniu kamiennego gościa w *Don Giovannim*. Przerażająco brzmiały lodowate dźwięki w upiornym budynku, dochodziły z zaświatów, od nieśmiertelnych.

Mozart, pomyślałem i wywołałem tą myślą najbardziej drogie i najwznioślejsze obrazy mego wewnętrznego życia.

Wtem rozległ się za mną głośny i lodowaty śmiech, zrodzony z nieznanych człowiekowi zaświatów cierpień, z humoru bogów. Odwróciłem się, zmrożony i uszczęśliwiony tym śmiechem; wtem nadszedł Mozart, minął mnie z uśmiechem, podszedł spokojnie, niedbałym krokiem do jednych z drzwi prowadzących do loży, otworzył je i wszedł do środka, ja zaś, złakniony, skierowałem się tam jego śladem, śladem bóstwa mej młodości, za tym dozgonnym celem mojej miłości i czci. Muzyka brzmiała dalej. Mozart stał przy poręczy loży, teatru w ogóle nie było widać, bezkresną przestrzeń wypełniał mrok.

– Widzi pan – powiedział Mozart – można się obejść i bez saksofonu. Zresztą z tym znakomitym instrumentem nie chciałbym zawierać bliższej znajomości.

– Gdzie my jesteśmy? – zapytałem.

– Jesteśmy na ostatnim akcie *Don Giovanniego*. Leporello już upadł na kolana. Świetna scena, muzyki też można posłuchać, a jakże. I chociaż ma ona w sobie jeszcze pewne cechy bardzo ludzkie, to jednak wyczuwa się w niej zaświaty, ten śmiech... prawda?

– To ostatnia wielka muzyka, jaką napisano – powiedziałem uroczyście jak belfer. – Zapewne, byli potem jeszcze Schubert i Hugo Wolf, a tego biednego wspaniałego Chopina też nie wolno mi pominąć. Pan marszczy czoło, maestro... no tak, jest też Beethoven, on też jest cudowny. Ale to wszystko, bez względu na swe piękno, ma już w sobie coś z odłamka, coś z roztapiania się; od czasu *Don Giovanniego* żadne dzieło o tak znakomitym kształcie nie zostało przez ludzi stworzone.

– Niech się pan nie wysila – zaśmiał się Mozart straszliwie szyderczo. – Pan zapewne sam jest muzykiem? No cóż, ja już porzuciłem ten métier, przeszedłem w stan spoczynku. Tylko dla zabawy przyglądam się niekiedy temu, co dzieje się w muzyce.

Uniósł ręce, jak gdyby dyrygował, gdzieś wzeszedł księżyc czy też jakaś inna blada planeta, znad balustrady spoglądałem w niezmierzoną głąb przestrzeni, przeciągały tamtędy mgły i obłoki, majaczyły góry, morskie wybrzeża, a pod nimi rozciągała się szeroka jak świat pustynna równina. Na tej równinie zobaczyliśmy czcigodnie wyglądającego starszego pana o długiej brodzie, który z bolesnym wyrazem twarzy szedł na czele potężnego pochodu, składającego się z kilkudziesięciu tysięcy czarno ubranych mężczyzn. Wyglądał ponuro i beznadziejnie.

– Niech pan spojrzy – powiedział Mozart – to jest Brahms. Dąży do zbawienia, ale to jeszcze trochę potrwa.

Dowiedziałem się, że te czarne rzesze wyobrażały wszystkich wykonawców tych głosów i nut, które według boskiego osądu były zbędne w jego partyturach.

– Niezbyt starannie zinstrumentowane, za wiele roztrwonił materiału – pokiwał głową Mozart.

Zaraz potem zobaczyliśmy Ryszarda Wagnera, kroczącego na czele równie wielkiej armii, i czuliśmy, jak te czarne tysiące czepiają się go i jak go wysysają; widzieliśmy, że i on znużony wlókł się jak cierpiętnik.

– Za czasów mojej młodości – zauważyłem ze smutkiem – obaj ci muzycy uchodzili za swoje największe przeciwieństwa.

Mozart się śmiał.

– Zawsze tak jest. Z pewnego oddalenia tego rodzaju kontrasty stają się coraz bardziej do siebie podobne. Bogate instrumentowanie nie było zresztą osobistym błędem ani Wagnera, ani Brahmsa, było błędem ich epoki.

– Jak to? I za to muszą teraz tak ciężko pokutować? – zawołałem z wyrzutem.

– Oczywiście. To idzie przez różne instancje. Dopiero kiedy odpokutują winę swoich czasów, okaże się, czy pozostanie jeszcze tyle osobistych walorów, żeby warto było dokonać obrachunku.

– Ale oni obaj nie są temu winni!

– Oczywiście, że nie. Nie jest również ich winą, że Adam zeżarł jabłko, a przecież muszą za to pokutować.

– Ale to straszne!

– Zapewne, życie jest zawsze straszne. Nie jesteśmy winni, a mimo to jesteśmy odpowiedzialni. Z chwilą kiedy się rodzimy, już jesteśmy winni. Musiał się pan uczyć jakiejś dziwnej religii, skoro pan tego nie wie.

Zrobiło mi się bardzo nieswojo. Zobaczyłem samego siebie jako śmiertelnie znużonego pielgrzyma, wędrującego przez pustynię zaświatów, obładowanego mnóstwem zbędnych książek, które napisałem, zbędnych artykułów i felietonów, a za mną postępowała armia zecerów, którzy musieli przy tym pracować, i armia czytelników, którzy to wszystko musieli przełknąć. Mój Boże! A prócz tego był tu i Adam, i jabłko, i w ogóle cały grzech pierworodny. Wszystko to trzeba więc było odpokutować w bezkresnym ogniu czyśćcowym, a dopiero potem wyłoniłoby się pytanie, czy poza tym jest jeszcze coś osobistego, coś własnego, czy też cała moja działalność i wszystkie jej skutki są tylko pustą pianą na morzu, tylko bezsensowną igraszką w potoku wydarzeń!

Widząc moją minę, Mozart zaczął się głośno śmiać. Ze śmiechu fiknął w powietrzu koziołka i nogami wywijał trele. Krzyczał przy tym do mnie: – Hej, hej, młodzieńcze, nie pław się w męce, język cię swędzi czy w płucach rzęzi? A może myślisz o czytelnikach, molach książkowych i złych krytykach? O swych drukarzach, ścierwach, kacerzach, przeklętych szczwaczach i podżegaczach? Psiakrew, do czarta, rzecz śmiechu warta, śmiech do rozpuku ulży ci w brzuchu... O ty, serce w poniewierce, druk, czernidło to mamidło, czujesz wieczny żal do świata, gdzie człek człekiem wciąż pomiata, na pociechę dam ci świecę, zapal sobie, tak na hecę. Plotłeś bzdury i michałki, banialuki, fidrygałki, wywijałeś wciąż ogonem, ale koniec z tym fasonem. Życzę ci szczęśliwej drogi, diabeł weźmie cię na rogi, a żeś piórem moc napsocił, dobrze kijem cię wygrzmoci. Za bezczelne plagiaty bies ci porachuje gnaty.

Ale tego było mi już za wiele. Gniew nie pozostawiał mi czasu na smucenie się. Chwyciłem Mozarta za warkocz, ale mistrz uniósł się w górę, warkocz – niby ogon komety – stawał się coraz dłuższy, ja zaś wisiałem u jego końca i wirowałem przez świat. Do licha, ależ w tym świecie było zimno! Ci nieśmiertelni wytrzymują widać paskudnie rozrzedzone, lodowate powietrze. Ale to lodowate powietrze rozweselało, czułem to, nawet przez tę krótką chwilę, zanim omdlałem. Przeniknęła mnie gorzka, ostra, lśniąca jak stal lodowata wesołość i chęć do równie głośnego, opętańczego i nieziemskiego śmiechu, jakim śmiał się Mozart, ale w tejże chwili straciłem oddech i przytomność.

Oszołomiony i rozbity odnalazłem się znowu, białe światło korytarza odbijało się w lśniącej podłodze. Nie byłem u nieśmiertelnych, jeszcze nie. Byłem wciąż jeszcze po tej stronie zagadek, cierpień, wilków stepowych i dręczących konfliktów. Niedobre to miejsce, trudny do wytrzymania pobyt. Trzeba będzie położyć temu kres.

W dużym lustrze ściennym stał naprzeciwko mnie Harry. Nie wyglądał dobrze. Podobnie jak owej nocy po wizycie u profesora i po balu w „Czarnym Orle". Ale to było dawno, przed laty, przed setkami lat; Harry postarzał się, nauczył się tańczyć, odwiedzał magiczne teatry, słyszał, jak śmieje się Mozart, nie bał się już ani tańców, ani kobiet, ani noży. Nawet przeciętnie uzdolniony człowiek, przebiegłszy kilka stuleci, staje się dojrzały. Długo przyglądałem się Harry'emu w lustrze: jeszcze go dobrze znałem, wciąż jeszcze był troszeczkę podobny do piętnastoletniego Harry'ego, który pewnej marcowej niedzieli spotkał w górach Różę i zdjął przed nią czapkę konfirmanta. A jednak od tego czasu postarzał się o kilkaset lat, uprawiał muzykę i filozofię, sporo wojował, spijał alzackie wino w gospodzie „Pod Stalowym Hełmem", prowadził dysputy z poczciwymi uczonymi na temat Kriszny, kochał Erikę i Marię, stał się przyjacielem Herminy, zestrzeliwał samochody i spał u boku gładkiej Chinki, spotkał Goethego i Mozarta, a w wielu miejscach rozerwał sieć czasu i pozornej rzeczywistości, która go jeszcze więziła. I choć zgubił swoje ładne szachowe figurki, to jednak w kieszeni został mu solidny nóż. Naprzód, Harry, naprzód, stary zmęczony chłopie!

Fe, do licha, jakże gorzko smakuje życie! Splunąłem na Harry'ego w lustrze, nastąpiłem na niego nogą i rozbiłem go w kawałki. Wolno szedłem przez rozbrzmiewające echem korytarze, uważnie przyglądałem się drzwiom, które obiecywały wiele ciekawych przygód: na żadnych drzwiach nie było już napisów. Powoli obszedłem sto drzwi magicznego teatru. Czyż nie byłem dziś na balu maskowym? Sto lat minęło od tego czasu. Wkrótce nie będzie już żadnych lat. Pozostawało jeszcze coś do zrobienia, Hermina czekała jeszcze. Będzie to osobliwe wesele. Płynąłem w mętnej fali, posępnie wleczony: niewolnik, wilk stepowy. Do licha!

Zatrzymałem się przed ostatnimi drzwiami. Tam zaniosła mnie mętna fala. O Różo, o daleka młodości, o Goethe, o Mozarcie!

Otworzyłem drzwi. To, co za nimi ujrzałem, było prostym i pięknym obrazem. Na dywanach, na podłodze leżało dwoje nagich ludzi, piękna Hermina i piękny Pablo, leżeli tuż obok siebie, pogrążeni w głębokim śnie, do cna wyczerpani miłosną grą, którą na pozór nigdy nasycić się nie można, a która jednak syci tak szybko. Piękni ludzie, wspaniałe obrazy, cudowne ciała. Pod lewą piersią Herminy spostrzegłem świeży, okrągły, ciemno podbarwiony ślad; miłosne ukąszenie pięknych, połyskujących zębów Pabla. W to miejsce wbiłem nóż aż po rękojeść. Krew spłynęła na białą, delikatną skórę Herminy. Scałowałbym tę krew, gdyby wszystko było inaczej, gdyby wszystko odbyło się trochę inaczej. Teraz tego nie uczyniłem; przyglądałem się tylko, jak krew płynęła, i widziałem, jak na chwilę otworzyły się oczy Herminy, boleśnie, głęboko zdziwione. Dlaczego jest zdziwiona? – pomyślałem. Potem przyszło mi na myśl, że muszę jej zacisnąć powieki. Ale zamknęły się same. Stało się. Obróciła się tylko trochę na bok, od pachy do piersi zamigotał cienki, delikatny cień, miał mi coś przypomnieć. Zapomniane! Potem leżała już spokojnie.

Długo na nią patrzyłem. W końcu przeszył mnie dreszcz, jakby po przebudzeniu, chciałem odejść. Wtedy zobaczyłem, że Pablo przeciąga się, otwiera oczy, prostuje członki, pochyla się nad zmarłą i się uśmiecha. Ten człowiek nigdy już nie będzie poważny, wszystko pobudza go do śmiechu. Ostrożnie odwinął jeden róg dywanu i przykrył Herminę aż po piersi, tak że rana nie była już widoczna, po czym bezszelestnie wysunął się z loży. Dokąd poszedł? Czy wszyscy zostawiają mnie samego? Zostałem sam z tą na wpół okrytą zmarłą, którą kochałem i której zazdrościłem. Na jej blade czoło spadał chłopięcy lok, usta świeciły czerwienią w zupełnie zbielałej twarzy i były nieco rozchylone, jej włosy pachniały subtelnie, delikatnie, a przez ich gąszcz prześwitywało małe, pięknie ukształtowane ucho.

Życzenie Herminy zostało więc spełnione. Zabiłem moją kochankę, zanim ją w pełni posiadłem. Uczyniłem rzecz nie do pomyślenia, a teraz klęczałem, wpatrywałem się w nią i nie wiedziałem, co ten czyn oznaczał, nie wiedziałem nawet, czy był on dobry i słuszny, czy też odwrotnie. Co by o nim powiedział mądry szachista, co powiedziałby Pablo? Nie, nie wiedziałem, nie mogłem myśleć. Coraz bardziej czerwieniły się uszminkowane usta w gasnącej twarzy. Takie było całe moje życie, taka była odrobina mego szczęścia i miłości, jak te zastygłe usta: trochę różu na znieruchomiałej twarzy.

I od tej martwej twarzy, od tych martwych białych pleców, martwych białych ramion powoli powiało grozą, zimową pustką i samotnością, jakimś wolno wzmagającym się chłodem, od którego zaczęły mi drętwieć ręce i wargi. Czyżbym zgasił słońce? Czyżbym zabił serce wszelkiego życia? Czy może wtargnął tu śmiertelny chłód wszechświata?

Z przerażeniem patrzyłem na skamieniałe czoło, na sztywny lok, na blady, zimny połysk ucha. Chłód płynący od nich był śmiertelny, a jednak piękny: brzmiał i wibrował cudownie, był muzyką!

Czy nie czułem już kiedyś tej grozy, która jednocześnie była jakby szczęściem? Czy nie słyszałem już kiedyś tej muzyki? Tak, owszem, u Mozarta, u nieśmiertelnych.

Przyszedł mi na myśl wiersz, który kiedyś, w innych czasach, gdzieś znalazłem:

Ale myśmy odnaleźli siebie,
W sferze lodu prześwietlonym gwiezdnie,
Obce są nam lata, dni, godziny,
Obca młodość, starość i różnica płci...
Chłodny, nieruchomy jest nasz wieczny byt,
Chłodny i promienny jest nasz wieczny śmiech.

Wtem otworzyły się drzwi loży i wszedł Mozart, którego na pierwszy rzut oka nie poznałem: nie miał warkocza ani krótkich spodni, ani pantofli ze sprzączkami, był ubrany współcześnie. Usiadł tuż koło mnie, omal go nie dotknąłem i nie przytrzymałem, żeby się nie pobrudził krwią, która spłynęła na podłogę z piersi Herminy. Usiadł i zajął się pilnie kilkoma małymi porozstawianymi tu instrumentami i aparatami, a robił to z dużą powagą, kręcił coś i majstrował przy tych przedmiotach, ja zaś z podziwem spoglądałem na jego zręczne, ruchliwe palce, które tak chętnie zobaczyłbym kiedyś, gdy grają na fortepianie. Zamyślony przypatrywałem się Mozartowi, a raczej nie tyle zamyślony, co rozmarzony i zagubiony w widoku jego pięknych, mądrych rąk, ogrzany uczuciem jego bliskości, a zarazem trochę zalękniony. Nie zwracałem uwagi na to, co on właściwie robił, co tam majstrował, czym się zajmował.

A był to aparat radiowy, który tu ustawił i uruchomił, po czym włączył głośnik i powiedział: — Słychać Monachium, *Concerto grosso F-dur* Händla.

I rzeczywiście, ku memu nieopisanemu zdziwieniu i przerażeniu, piekielny, blaszany lejek zaczął niebawem wypluwać ową mieszaninę flegmy i przeżutej gumy, którą posiadacze gramofonów i abonenci radia postanowili nazywać muzyką; poprzez posępny charkot i skrzeczenie można było istotnie poznać — podobnie jak pod grubą warstwą brudu stare, wspaniałe malowidło — szlachetną strukturę tej boskiej muzyki, jej królewską budowę, chłodny, daleki oddech i nasycony, szeroki dźwięk instrumentów smyczkowych.

— Mój Boże — zawołałem przerażony — co pan robi, mistrzu? Czy serio chce pan sobie i mnie zrobić taką przykrość? Nastawia pan ten ohydny aparat, triumf naszej epoki, jej ostatnią zwycięską broń w niszczycielskiej walce ze sztuką. Czy musi tak być, mistrzu?

O, jakże zaśmiał się ten niesamowity człowiek, jakże śmiał się zimno i upiornie, bezdźwięcznie, a jednak druzgocąc wszystko tym śmiechem! Z prawdziwą przyjemnością przyglądał się moim mękom, kręcił przy przeklętych gałkach, poprawiał blaszany lejek. Śmiejąc się, pozwolił tej zniekształconej, bezdusznej i zatrutej muzyce w dalszym ciągu przenikać do naszego pomieszczenia i, śmiejąc się, dał mi odpowiedź.

– Tylko bez patosu, panie sąsiedzie! Czy pan w ogóle zwrócił uwagę na to ritardando? Niezły pomysł, co? No tak, a teraz niech pan, niecierpliwy człowieku, pozwoli, by przeniknęła pana myśl tego ritardanda... czy słyszy pan te basy? Kroczą jak bogowie... i niech pan pozwoli, by ten pomysł starego Händla nasycił i uspokoił pańskie serce! Posłuchaj raz, człowieku, bez patosu i szyderstwa, jak za tą istotnie idiotyczną i beznadziejną zasłoną śmiesznego aparatu majaczy daleki kształt muzyki bogów! Niech pan uważa, można się przy tym czegoś nauczyć. Niech pan zwróci uwagę, jak ten zwariowany głośnik czyni rzecz na pozór najgłupszą w świecie, najbardziej niepotrzebną i najbardziej zakazaną, ciskając graną gdzieś muzykę bez wyboru, głupio i brutalnie, w dodatku żałośnie zniekształconą, w obcy, dla niej niewłaściwy obszar – i jak, mimo to, nie może zniszczyć pierwotnego ducha tej muzyki, a tylko ujawnia na jej przykładzie własną bezradną technikę i bezduszną przemyślność. Słuchaj dobrze, mały człowieczku, trzeba ci tego koniecznie! Zatem uszy do góry! Tak. A teraz słyszy pan nie tylko pogwałconego przez radio Händla, który nawet w tej najobrzydliwszej formie wciąż jeszcze jest boski, słyszy pan i widzi jednocześnie, czcigodny sąsiedzie, znakomite porównanie wszelkiego życia. Słuchając radia, słyszy i widzi pan odwieczną walkę między ideą a zjawiskiem, między wiecznością a czasem, między tym, co boskie, a tym, co ludzkie. Właśnie tak, mój drogi, jak radio ciska najwspanialszą muzykę świata w ciągu dziesięciu minut, bez wyboru, w najmniej do tego odpowiednie miejsca, w mieszczańskie salony i na poddasza, pomiędzy plotkujących, obżerających się, ziewających i śpiących abonentów, tak jak tę muzykę odziera z jej zmysłowego piękna, psuje ją, niszczy, zaflegmia, a mimo to nie może całkowicie zniszczyć jej ducha... dokładnie tak samo życie ciska wokół siebie tak zwaną rzeczywistością, wspaniałym kalejdoskopem świata, pozwala na to, by po Händlu następował odczyt o sposobie fałszowania bilansu w średnich zakładach przemysłowych, z czarodziejskich dźwięków orkiestry czyni odrażającą zawiesinę tonów, a swoją technikę, zapobiegliwość, swą straszliwą nędzę i próżność wsuwa wszędzie między idee a rzeczywistość, między orkiestrę a ucho. Całe życie jest takie, mój mały, i musimy je takim pozostawić, a jeśli nie jesteśmy głupcami, to musimy się z tego śmiać. Ludziom pańskiego pokroju stanowczo nie przystoi krytykować radia lub życia. Niech się pan raczej nauczy najpierw umiejętności słuchania! Niech się pan nauczy brać serio to, co jest tego warte, a z reszty niech się pan śmieje! Czyżby pan przypadkiem sam dokonywał tego lepiej, szlachetniej, mądrzej, z większym smakiem? O nie, monsieur Harry, na pewno nie. Ze swego życia uczynił pan jakąś wstrętną historię choroby, ze swych zdolności nieszczęście. I, jak widzę, nie potrafi pan nic innego zrobić z piękną, zachwycającą, młodą dziewczyną, jak wbić jej nóż w ciało i zadać śmierć! Czy pan to uważa za słuszne?

– Słuszne? Ach, nie! – zawołałem zrozpaczony. – Mój Boże, wszystko jest takie fałszywe, tak piekielnie głupie i złe! – Jestem bydlęciem, mistrzu, głupim, złym bydlęciem, chorym i zepsutym, co do tego ma pan po tysiąckroć rację... Ale co się tyczy tej dziewczyny, ona sama tego chciała, spełniłem tylko jej życzenie.

Mozart śmiał się bezdźwięcznie, zdobył się jednak na wielką uprzejmość i wyłączył radio.

Moja obrona, w którą dopiero co tak szczerze wierzyłem, dla mnie samego zabrzmiała nieoczekiwanie głupio. Gdy kiedyś Hermina – przypomniałem to sobie nagle – mówiła o czasie i wieczności, natychmiast byłem gotów uznać jej myśli za odbicie moich własnych. Przyjąłem jednak za rzecz oczywistą, że myśl poniesienia śmierci z mojej ręki była własnym pomysłem i życzeniem Herminy bez jakiegokolwiek wpływu z mojej strony. Ale dlaczego wówczas nie tylko przyjąłem ten straszliwy i niesamowity pomysł i nie tylko w niego uwierzyłem, ale nawet z góry go odgadłem? Może jednak dlatego, że była to moja własna myśl? I dlaczego zabiłem Herminę właśnie w chwili, gdy leżała nago w ramionach innego? Wszechwiedząco i szyderczo brzmiał bezgłośny śmiech Mozarta.

– Harry – powiedział – pan jest dowcipnisiem. Czyżby rzeczywiście ta piękna dziewczyna nie mogła sobie od pana życzyć już niczego innego jak pchnięcia nożem? Niech pan to opowiada komu innemu! No, przynajmniej ugodził ją pan solidnie, biedne dziecko ani drgnęło. A teraz byłaby może pora, żeby pan uświadomił sobie skutki swojej galanterii wobec tej damy. Czy też miałby pan zamiar uchylić się od poniesienia konsekwencji swego czynu?

– Nie – krzyknąłem – czyżby pan mnie zupełnie nie rozumiał? Ja miałbym się uchylać od konsekwencji? Przecież niczego innego nie pragnę, jak tylko pokutować, pokutować, pokutować, położyć głowę pod topór, dać się ukarać i zniszczyć.

Mozart spojrzał na mnie z trudnym do zniesienia szyderstwem.

– Jakiż pan jest patetyczny! Ale pan się jeszcze nauczy humoru, Harry. Humor jest zawsze humorem wisielczym, a w razie potrzeby nauczy się go pan właśnie na szubienicy. Czy jest pan na to przygotowany? Tak? Dobrze, wobec tego niech pan idzie do prokuratora i pozwoli zastosować wobec siebie cały ten pozbawiony humoru aparat sądowników, aż do chłodnego ścięcia głowy wczesnym rankiem na podwórzu więziennym. Czy więc jest pan gotowy?

Nagle zabłysnął przede mną napis:

Stracenie Harry'ego

Kiwnąłem głową na znak zgody. Pusty dziedziniec między czterema murami o małych, zakratowanych oknach, porządnie ustawiona gilotyna, tuzin panów w togach i surdutach, a pośrodku stałem ja, drżąc z zimna w szarym mroku wczesnego ranka, z sercem ściśniętym strachem pełnym żałości, lecz zdecydowany i pogodzony z losem. Na rozkaz wystąpiłem do przodu i na rozkaz ukląkłem. Prokurator zdjął biret i chrząknął, inni panowie też chrząknęli. Trzymał przed sobą rozłożone uroczyste pismo i odczytał z niego, co następuje:

– Szanowni panowie, stoi przed wami pan Haller, oskarżony i uznany za winnego lekkomyślnego nadużycia naszego magicznego teatru. Haller nie tylko obraził wzniosłą sztukę, myląc naszą piękną galerię obrazów z tak zwaną rzeczywistością i zabijając iluzorycznym sztyletem lustrzane odbicie dziewczyny, ale zamierzał ponadto posłużyć się naszym teatrem, i to bez poczucia humoru, jako pewnego rodzaju mechaniką samobójstwa. Wskutek tego skazujemy Hallera na karę wiecznego życia i na dwunastogodzinne pozbawienie prawa wstępu do naszego teatru. Ponadto oskarżonemu nie może być darowana kara jednorazowego wyśmiania. Moi panowie, zaczynamy: Raz... dwa... trzy!

Na „trzy" zaintonowali wszyscy obecni z bezbłędną jednoczesnością chóralny śmiech w wyższych rejestrach, straszliwy śmiech zaświatów, trudny do zniesienia dla ludzkiego ucha.

Kiedy znów odzyskałem świadomość, siedział obok mnie jak przedtem Mozart, poklepał mnie po ramieniu i powiedział: – Słyszał pan wyrok. Będzie więc pan musiał przyzwyczaić się do słuchania muzyki radiowej życia. To panu dobrze zrobi. Jesteś niezwykle mało pojętny, miły, głupi chłopcze, ale z czasem zrozumiesz wreszcie, czego się od ciebie żąda. Musisz się nauczyć śmiać, tego się wymaga. Musi pan pojąć humor, wisielczy humor tego życia. Pan jednak gotów jest uczynić wszystko, tylko nie to, czego się od pana wymaga! Jest pan gotów sztyletować dziewczęta, jest pan gotów dać się uroczyście ściąć, z pewnością byłby pan również gotów umartwiać się i biczować przez setki lat. Czy nie tak?

– O tak, z całego serca byłbym gotów! – zawołałem w rozpaczy.

– Oczywiście! Da się pan wziąć na każdą głupią i pozbawioną humoru imprezę, wielkoduszny panie, na wszystko, co jest patetyczne i pozbawione dowcipu. Ale ja się na to nie dam nabrać, grosza bym nie dał za tę całą pańską romantyczną pokutę. Chce pan być stracony, chce pan, żeby ścięto panu głowę, awanturniku! Dla tego głupiego ideału popełniłby pan jeszcze z dziesięć zabójstw. Do diabła, ale pan właśnie ma żyć! Postąpiono by słusznie, gdyby pana skazano na najcięższą karę.

– Jakaż byłaby to kara?

– Moglibyśmy na przykład znów ożywić tę dziewczynę i pana z nią ożenić.

– Nie, nigdy bym się na to nie zgodził. Stałoby się nieszczęście.

– Jak gdyby nie dosyć nieszczęść już pan spowodował. Ale teraz trzeba skończyć z patosem i zabójstwami. Niech pan wreszcie zmądrzeje! Ma pan żyć i nauczyć się śmiechu. Musi pan nauczyć się słuchać tej przeklętej radiowej muzyki życia, wielbić ją, śmiać się z jej niepotrzebnej wrzawy. Koniec, więcej się od pana nie żąda.

Cicho, spoza zaciśniętych zębów, spytałem: – A jeśli się sprzeciwię? Jeśli panu, mistrzu, odmówię prawa rozporządzania wilkiem stepowym i wtrącania się do jego losu?

– Wówczas – rzekł Mozart pojednawczo – zaproponowałbym, żebyś zapalił jeszcze jeden z moich ładnych papierosów. – Mówiąc to i wyczarowując z kieszeni kamizelki papierosa, częstował mnie nim. Nagle nie był już Mozartem, lecz moim przyjacielem Pablem, spoglądającym na mnie ciepło swoimi ciemnymi, egzotycznymi oczyma; podobny był też jak bliźniak do człowieka, który nauczył mnie gry w szachy z figurkami.

– Pablo! – zawołałem, drgnąwszy. – Gdzie jesteśmy?

Pablo podał mi papierosa i ogień.

– Jesteśmy – uśmiechnął się – w moim magicznym teatrze i gdybyś chciał nauczyć się tanga, zostać generałem albo porozmawiać z Aleksandrem Wielkim... wszystko to będzie możliwe następnym razem. Ale muszę powiedzieć, Harry, że mnie trochę rozczarowałeś. Bardzo się zapomniałeś, pogwałciłeś humor mojego małego teatrzyku i popełniłeś świństwo, kłułeś nożami i skalałeś nasz piękny świat obrazów plamami rzeczywistości. To nieładnie z twojej strony. Mam nadzieję, że zrobiłeś to przynajmniej z zazdrości, widząc leżącą obok mnie Herminę. Z tą figurką, niestety, nie umiałeś się obchodzić.

Myślałem, że lepiej nauczyłeś się tej gry. Ale to można naprawić.

Ujął Herminę, która w jego palcach natychmiast skurczyła się do wielkości figurki szachowej i włożył ją do tej samej kieszeni w kamizelce, z której przedtem wyciągnął papierosa.

Przyjemnie pachniał słodki, ciężki dym. Czułem się wyczerpany i byłem gotów spać choćby przez cały rok.

Zrozumiałem wszystko, zrozumiałem Pabla, Mozarta, gdzieś za plecami słyszałem jego straszliwy śmiech, wiedziałem, że w mojej kieszeni są setki tysięcy układów gry życiowej, wstrząśnięty przeczuwałem jej sens, byłem zdecydowany rozpocząć ją raz jeszcze, raz jeszcze zakosztować jej męki, raz jeszcze wzdrygnąć się przed jej bezsensem, raz jeszcze i wiele razy przejść piekło mojej duszy.

Kiedyś będę lepiej grał w tę grę z figurkami. Kiedyś nauczę się śmiać. Czekał na mnie Pablo. Czekał na mnie Mozart.

Hermann Hesse
PRZEDMOWA DO *WILKA STEPOWEGO**

Zanim opowiem o moich przeżyciach, chciałbym spróbować przekazać wyobrażenie o sytuacji życiowej, w jakiej ich doświadczyłem.

Jestem synem pobożnych protestantów, jednak pozostałem wierny tradycjom naszej rodziny tylko o tyle, że do niedawna prowadziłem wyłącznie życie duchowe: życie pozbawione szczególnych zainteresowań materialnych, za to poświęcone rozmyślaniom oraz radowaniu się sztuką i filozofią, a więc życie naturalne dla zdolnego syna rodziny uczonych i pastorów. Za sprawą pewnych sukcesów artystycznych i literackich, które przypadły

* W rękopisie bez tytułu – tekst przedmowy nie został później włączony do drukowanej wersji powieści (przyp. red.).

mi w udziale w latach młodości, przedwcześnie zacząłem postrzegać siebie (a tym samym spełniałem jedno z moich największych młodzieńczych marzeń) jako osobę niezależną i niezobowiązaną do żadnych powinności – mogłem wygodnie utrzymywać się z mojej pracy przypominającej raczej zabawę, mogłem wiele podróżować i poświęcać się ciągle nowym studiom lub zajęciom. Żyłem w ścisłym związku ze światem literatury, muzyki i malarstwa i – patrząc z zewnątrz – prowadziłem życie, któremu ani trochę nie brakowało wolności, beztroski czy wygody. Chociaż już jako dziecko byłem osobą niedostosowaną, melancholijną i sprawiającą problemy, choć w gruncie rzeczy zawsze wiedziałem, że w życiu pozostanę widzem, to w owych latach wczesnego sukcesu odczuwałem coś na kształt szczęścia i harmonii. Ożeniłem się, zbudowałem piękny dom, miałem dzieci, pielęgnowałem przyjaźnie z artystami i literatami, cieszyłem się pewnym prestiżem i uważałem moje sukcesy za zasłużone. Miałem także swój udział w beztrosce i owym nieco lekkomyślnym optymizmie ery przedwojennej, chociaż już wówczas nie mogłem znaleźć potrzebnej równowagi i zdarzało mi się zapadać na ciężkie depresje. Moja profesja, moje podróże i studia, moje małżeństwo – wszystko to miało swoją wartość i swoje radości, a jednak moje życie spowijał cień i wszystko wokół było tylko w połowie rzeczywiste – nie wypełniało mnie całego, pozostawiało uczucie pustki, a często miało mdły, zakłamany smak.

Za sprawą wojny także w moim życiu wiele rzeczy zostało wprawionych w ruch. Nastrój upadku, który kilka lat później zawładnął połową Europy, zniewolił mnie już na początku wojny. Całą mą duszą i ze wszystkich sił będąc przeciwnikiem wojny, bardzo szybko przeszedłem do opozycji wobec mojego otoczenia. Byłem oskarżany o brak serca i zdradę ojczyzny i w krótkim czasie znowu stałem się tym, kim niegdyś byłem jako dziecko i podrostek – lękliwym, melancholijnym outsiderem, który nie pasuje do tego świata. Służba wojenna*, którą dobrowolnie sprawowałem, stawała się coraz bardziej zabójczym obciążeniem, pożerała moje siły i bynajmniej nie dawała usprawiedliwienia przed światem ani nie zapewniła mi czystego sumienia. Przez dwa lata niemalże codziennie walczyłem ze wstrętem i z nigdy niezrealizowaną

---

* Hesse w momencie wybuchu I wojny światowej zgłosił się na ochotnika do wojska, ale został przydzielony do rezerwy z powodu choroby oczu. Utworzył więc w Bernie służbę pomocniczą dla niemieckich jeńców wojennych, w której pracował jako oddelegowany urzędnik cesarski (por. Gunnar Decker, *Hermann Hesse. Wędrowiec i jego cień*, tłum. E. Borg i M. Przybyłowska, Warszawa 2014, s. 304) (przyp. tłum.).

decyzją, by rzucić ten urząd, by raczej dać się zastrzelić, niż dłużej być trybikiem tej wojennej machiny. Również w tych wolnych chwilach, które mi jeszcze zostawały, nie byłem w stanie słuchać muzyki, czytać Platona czy odwiedzać przyjaciół. Czułem, że jestem w sporze z całym otoczeniem, a moja dusza była rozdarta i mroczna. W czasach gdy rację mieli ministrowie wojny i generałowie, filozofia i sztuka były jak bezsensowne, nierozumne igraszki.

Ale dość o tym – tysiące ludzi dzieliło ze mną ten wojenny los. Jednak wraz ze zniszczeniem mojego życia prywatnego, mojej wolności, mojej pracy, moich ideałów, wraz z codziennym nurzaniem się w krwawym bagnie wojny straciłem dostęp do owego najbardziej wewnętrznego obszaru mojego jestestwa, dokąd wcześniej nie były w stanie przeniknąć żadne wstrząsy z zewnątrz. Byłem chory na duszy i nie umiałem się bronić, gdy po zerwaniu z opinią publiczną także mój świat prywatny legł w gruzach. Rodzina rozstała się ze mną, a ja znowu musiałem nauczyć się żyć w pojedynkę. Po zakończeniu wojny, gdy kilka miesięcy później zostałem zwolniony ze służby, z pewnością odetchnąłem, ale też nie pozostało mi już nic, do czego mogłem powrócić: nie tylko nie miałem rodziny i prawie już nie miałem przyjaciół, ale nie miałem też żadnej nadziei, żadnych zajęć, żadnych bogów, żadnych celów, żadnych radości. Miałem wtedy tak dużo wolnego czasu, że w niezakłóconej niczym samotności mogłem badać i rozważać moje życie i siebie samego, by w końcu zdać sobie sprawę, że nic się już z tym nie da zrobić. Jeszcze przez jakiś czas wsłuchiwałem się w próby odrodzenia Niemiec, z nadzieją witałem rewolucję, przez kilku przedstawicieli młodego pokolenia zostałem uznany za towarzysza idei, ale ten oficjalny świat z dzisiaj, podobnie jak świat z wczoraj, nie wydawał mi się powietrzem, którym mógłbym oddychać. A gdy zamordowano Eisnera, Landauera i Różę Luksemburg, moje zaangażowanie sprowadziło się do tego, że zazdrościłem im śmierci.

Od tego czasu – w złym stanie zdrowia i przedwcześnie postarzały – wiodłem życie uciekiniera i jeszcze do niedawna byłem przekonany, że potrafię bez skrupułów zrealizować często rozważane przeze mnie samobójstwo. A jednak tego nie zrobiłem – raz jeszcze mocno wgryzłem się w życie i znów się w nim zakochałem. Właśnie o tym pragnę opowiedzieć. [1925]

tłum. Eliza Pieciul-Karmińska

Hermann Hesse

Posłowie (1941)*

Dzieła literackie mogą być na różne sposoby rozumiane i nierozumiane. W większości wypadków to nie twórca dzieła jest instancją władną decydować o tym, gdzie u czytelników kończy się zrozumienie, a zaczyna niezrozumienie. Niejeden autor znalazł odbiorców, dla których jego dzieło było bardziej przejrzyste niż dla niego samego. Ponadto nieporozumienia mogą przecież w pewnych warunkach okazać się owocne.

W każdym razie to właśnie *Wilk stepowy* wydaje mi się tą z moich książek, która częściej i dogłębniej niż

* W tym czasie w Niemczech nie można było wznowić *Wilka stepowego*. Hesse napisał niniejsze posłowie do wydania szwajcarskiego, które ukazało się w roku 1942 w wydawnictwie Büchergilde Gutenberg (Zurych) (przyp. red.).

jakakolwiek inna była nierozumiana. Ciekawe, że najbardziej zdumiewające dla mnie opinie o *Wilku stepowym* wyrażali wcale nie ci, którzy to dzieło odrzucali, tylko właśnie zachwyceni nim czytelnicy. Po części, ale tylko po części, wyjaśnić to można faktem, iż książka ta, napisana przez pięćdziesięciolatka i traktująca o problemach tego właśnie wieku, bardzo często trafiała do rąk nader młodych czytelników.

Jednak między czytelnikami w moim wieku także znajdowałem osoby, na których książka zrobiła wprawdzie wrażenie, ale w dziwny sposób widoczna była dla nich tylko połowa jej treści. Czytelnicy ci, jak sądzę, odnaleźli w postaci wilka stepowego samych siebie, utożsamili się z nim, współodczuwali jego cierpienia i współśnili jego sny, a przez to całkowicie przeoczyli, iż książka zawiera wiedzę i mówi także o całkiem innych sprawach niż problemy Harry'ego Hallera, że ponad wilkiem stepowym i jego trudnym życiem rozciąga się drugi, wyższy, nieprzemijalny świat, że „Traktat" oraz wszystkie te fragmenty książki, które mówią o duchu, sztuce i „nieśmiertelnych", przeciwstawiają cierpieniom wilka stepowego świat pozytywny, radosny, ponadindywidualny i ponadczasowy i że książka ta wprawdzie opowiada o cierpieniu i przeciwnościach losu, ale w żadnym razie nie jest relacją człowieka zrozpaczonego, lecz – wierzącego.

Oczywiście nie mogę i nie chcę narzucać czytelnikom, jak powinni rozumieć moją opowieść. Niech każdy uczyni z nią to, co mu odpowiada i służy! Ale cieszyłbym się, gdyby wielu zauważyło, że historia wilka stepowego opisuje wprawdzie chorobę i kryzys, ale że nie wiodą one do śmierci, a zatem nie upadek głoszą, lecz jego przeciwieństwo: uzdrowienie.

tłum. Eliza Pieciul-Karmińska

Volker Michels

Posłowie wydawcy do *Wilka stepowego* (2012)

Każdy, kto sądził, że Hesse po swej wyważonej prezentacji legendy o Buddzie, jaką jest *Siddhartha*, w przyszłości będzie nadal szedł drogą harmonii i pogodnej mądrości, po lekturze *Wilka stepowego* musiał stracić wszelkie złudzenia. To, o czym w kolejnej opowieści pisarza Narcyz przypomina Złotoustemu, swemu przyjacielowi i przeciwnikowi, tyczy się także autora tych słów: „Istnieje pokój, oczywiście, ale nie taki, który trwa w nas stale i nie opuszcza nas nigdy. Istnieje tylko pokój, który się ciągle zdobywa w nieustannych zmaganiach i który z dnia na dzień na nowo trzeba zdobywać"*.

---

* Hermann Hesse, *Narcyz i Złotousty*, tłum. M. Tarnowski, Warszawa 2003, s. 311.

W styczniu 1923 roku Hesse wydał książkę pod tytułem *Sinclairs Notizbuch* [Notatnik Sinclaira], zawierającą jego publikowane dotąd pod pseudonimem artykuły skierowane przeciw wojnie i zaciekłemu nacjonalizmowi w Niemczech. W owym czasie siły restauracyjne monarchii niemieckiej za pomocą spiskowej legendy o „ciosie w plecy" próbowały zafałszować przyczyny klęski Niemiec w pierwszej wojnie światowej i sabotować początek demokratycznego państwa, który – zdaniem Hessego – był możliwy wyłącznie dzięki samokrytycznemu odcięciu się od błędów przeszłości. Jednakże próby, jakie pisarz podejmował w swoim czasopiśmie „Vivos voco", by przeciwstawić się tendencjom restauracyjnym, w ramach których poszukiwano kozłów ofiarnych – winnych klęski wojennej, a także starania Hessego, by przerzucić mosty do krajów sąsiadujących z Niemcami, miały okazać się daremne. Albowiem już w lipcu 1921 roku założono partię NSDAP, przeciwko której „tępemu, patologicznemu żydożerstwu" Hesse zajął stanowisko w swym czasopiśmie rok później. W artykule tym Hesse wystąpił przeciw antysemityzmowi „zwiedzionej na manowce młodzieży", który nie pozwalał jej „widzieć świata takim, jaki jest, i który w zgubny sposób wspierał w niej pęd, by dla wszystkich niedociągnięć znaleźć diabła, który jest im winny. Można kochać lub nie kochać Żydów – to przecież ludzie, często nieskończenie bardziej mądrzy, zaangażowani i lepsi niż ich fanatyczni przeciwnicy (...). Ale uznawanie jednej kategorii ludzi za kozła ofiarnego winnego złu tego świata i tysiąca ciężkich grzechów i słabości własnego narodu niemieckiego jest wynaturzeniem tak strasznego rodzaju, że jego szkodliwe działanie dziesięciokrotnie przekracza wszelkie szkody, jakie kiedykolwiek mogły zaistnieć za sprawą Żydów".

Rozczarowany nieurzeczywistnioną szansą nowego politycznego początku w ojczyźnie oraz prawdopodobnie osłabiony z powodu ponownych ataków, jakie wywołały jego publiczne oświadczenia w tej sprawie, w marcu 1923 Hesse wycofał się ze współwydawania czasopisma „Vivos voco". W ostatecznym rozrachunku miała to być jego ostatnia próba, by za pośrednictwem własnego pisma wywierać wpływ na rozwój wydarzeń politycznych.

Jeszcze dotkliwiej niż zawirowania współczesności, których zwieńczeniem w opinii Hessego mogła być wyłącznie kolejna wojna światowa (o której w *Wilku stepowym* mówi się jako o nieuniknionej), aż do chwili ukończenia książki w styczniu 1927 roku dały mu się we znaki relacje w życiu osobistym, będące skutkiem rozwodu z pierwszą żoną Mią w lipcu 1923 roku. W wyniku inflacji jego oszczędności straciły dwie trzecie wartości, a honoraria płacone z Niemiec zostały zredukowane do jednej dwudziestej pierwotnej wysokości. Równocześnie pisarz musiał płacić alimenty na żonę i trzech synów. W styczniu 1924 roku Hesse zrezygnował z niemieckiego obywatelstwa i ponownie się ożenił. Podczas gdy ten pierwszy krok stanowił logiczną konsekwencję jego doświadczeń politycznych, to w obliczu dotychczasowych doświadczeń małżeńskich nie da się tego powiedzieć o ponownym ożenku.

W lipcu 1919, krótko przed ukończeniem opowiadania *Ostatnie lato Klingsora* Hesse poznał w Caronie dwudziestojednoletnią Ruth Wenger, córkę szwajcarskiej pisarki Lisy Wenger. Pomimo jego początkowych oporów znajomość ta w latach 1920-1923 przeradzała się stopniowo w romans, który wydawał się trwały i owocny, dopóki nie przekształcił się w stały związek. W zrozumiały sposób romansowi temu przeciwny był ojciec Ruth, producent wyrobów stalowych i były teolog Theo Wenger, który naciskał na zalegalizowanie związku. Pomimo poważnych zastrzeżeń Hesse ostatecznie ustąpił pod rosnącą presją i zgodził się na zawarcie małżeństwa, o którym na tydzień przed ceremonią ślubną tak pisał do Carla Seeliga: „Żenię się niechętnie, mając tysiące wątpliwości, chociaż bardzo kocham moją narzeczoną, ale nie robię tego w wyniku własnej, czynnej decyzji, lecz wypełniając przeznaczenie”. Gdy tylko związek został zawarty, doszło do konfliktów, które po trzech latach skłoniły Ruth, by w maju 1927 roku, na miesiąc przed wydaniem *Wilka stepowego*, nadać także moc prawną rozkładowi ich pożycia małżeńskiego.

Skrajna oszczędność, do której pisarz czuł się zmuszony z powodu inflacji, spowodowała również problemy zdrowotne. Cztery mroźne zimy spędzone w jego mieszkaniu w Ticino, którego prawie nie dało się ogrzać, doprowadziły do artretyzmu i ischiasu i skłoniły go do wyjazdu na kurację do wód. Pierwszą z nich, trwającą od maja do czerwca 1923 roku, Hesse zrelacjonował z typowym dla siebie wisielczym humorem w swej *Psychologia Balnearia*, znanej pod tytułem *Kuracjusz. Zapiski z kuracji w Baden* – autobiograficznym zwiastunie *Wilka stepowego*. Kryzys twórczy, jaki wywołać musiała trudna sytuacja życiowa, próbował przezwyciężyć, intensyfikując pracę wydawniczą. W latach 1923-1926 ukazało się jedenaście – zestawionych przez Hessego lub opatrzonych jego przedmową bądź posłowiem – wydań tekstów wielkich twórców lub ich krytycznych opracowań. Mowa tu o takich pisarzach, jak Goethe, Swift, Jean Paul, Hölderlin, Novalis, Justinus Kerner i Ludwig Schubart. Książki te opublikowano w rozmaitych wydawnictwach, a wiele z nich w ramach autorskiej serii książkowej „Osobliwe historie i ludzie", która pierwotnie ukazała się nakładem wydawnictwa Seldwyla (Berno), a następnie została przejęta przez wydawnictwo Fischera (Berlin). W marcu 1925 Hesse podpisał umowę z wydawnictwem Deutsche Verlags-Anstalt (Stuttgart) na wielki projekt edytorski, który w dwunastu potężnych tomach prezentować miał „Klasyczne stulecie niemieckiego ducha (1750-1850)". Gdy jednak po dwuletnich przygotowaniach Hesse zakończył pracę nad tą edycją, wydawnictwo rozwiązało umowę i seria nie mogła się ukazać. Starania pisarza, by depresyjne nastroje wynikające z tych wydarzeń przezwyciężyć w listopadzie 1925 roku za pomocą kilkutygodniowego tournée po Niemczech z wykładami oraz autobiograficznej relacji z tej podróży pt. *Nürnberger Reise* [Podróż norymberska], przyniosły raczej mizerny skutek. Wydarzenia te wraz ze wszystkimi innymi przeciwnościami wyjaśniają kryzys, który swój punkt kulminacyjny znalazł w myślach samobójczych i stał się inspiracją dla powstania *Wilka stepowego*. Już w lutym 1925 roku Hesse donosił swojemu zaprzyjaźnionemu koledze po fachu, pisarzowi Hansowi Morgenthalerowi: „Jeśli kiedykolwiek mimo wszystko napiszę książkę, którą mam w głowie, wówczas jej tytuł brzmieć będzie: »Tylko dla obłąkanych« lub »Rozrywka wieczorna dla anarchistów«". A trzy miesiące później, 8 maja 1925 roku, tak pisze do swej przyjaciółki, malarki Anny Bodmer:

„Gdybym nie czuł się tak pod psem, wówczas mógłbym napisać tę książeczkę, która przyszła mi do głowy tej zimy w Bazylei i która zasadniczo traktuje o pewnym wilku stepowym i świętej pamięci W.A. Mozarcie".

Pod koniec 1925 roku, gdy powrócił ze swej „podróży norymberskiej" i wprowadził się do nowej kwatery zimowej – mieszkania w Zurychu przy ulicy Schanzengraben 31, które pozostawili mu do dyspozycji jego przyjaciele Alice i Fritz Leutholdowie – zabrał się poważnie do realizacji planów. Spontanicznie napisał wówczas ponad czterdzieści wierszy, które niejako antycypowały przebieg powieści *Wilk stepowy*. Jednak zanim był w stanie swój kryzys życiowy uczynić przedmiotem utworu prozatorskiego, musiał minąć jeszcze prawie cały rok pełen najdziwniejszych zawirowań, które ukazują, jak wielkiej presji potrzebował autor, by wdrożyć się w rytm pisania. W styczniu 1926 roku Hesse po raz pierwszy w życiu brał lekcje tańca, nadrabiając tym samym straty wynikające z pruderyjnego wychowania w pietystycznym domu rodzinnym. Z całą radykalnością człowieka, który nie ma już nic do stracenia i przepełniony jest lękiem, że niczego jeszcze tak naprawdę nie przeżył, oddał się karnawałowi zmysłowych uciech i intensywnemu smakowaniu życia w jego powierzchownych wymiarach. Chodził więc na bale maskowe i przy swoich próbach naśladowania beztroskich towarzyszy epoki, przyglądał się sam sobie, jak „mądry autor *Siddharthy* tańczy fokstrota i obściskuje samiczki". Opisał to w liście do Anny Bodmer z 10 października 1926 roku, wyjaśniając, że „każdy postęp kroczy drogą poprzez to, co nieracjonalne, głupie, obłąkane i dziecinne, a ja się z tym całkowicie zgadzam". Równie spontaniczne i niedopracowane są także jego nowe wiersze, ujęte w chropowate, banalne rymy; są one odpychające, tak pełne dysonansów i drastycznych treści jak nigdy dotąd. Krytykowi Heinrichowi Wiegandowi, który wyraził z tego powodu zdumienie, Hesse odpowiada w liście z 14 października 1926 roku następująco: „Z punktu widzenia estetyki są one prawdopodobnie bez wartości, więc uważam, że Pańska gruntowna recenzja została zmarnowana na niegodny jej przedmiot. Poza tym jednak Pańskie kryteria estetyczne wydają mi się dość wątpliwe (...). Już lata temu porzuciłem estetyczne ambicje i właściwie nie piszę już poezji, lecz wyznania – tak jak tonący czy otruty nie zajmuje się swoją fryzurą czy modulowaniem głosu, tylko krzyczy ile sił". Wybór tych wierszy, zatytułowany *Wilk stepowy. Z lirycznego pamiętnika Hermanna Hessego*, pisarz już kilka miesięcy wcześniej wysłał do Samuela Fischera do Berlina, który 30 maja podziękował mu listownie za to, „że pozwolił mi Pan na wgląd w Jego wyznania, zanim w swej ostatecznej formie opuściły one przestrzeń doświadczenia prywatnego. Bezpośredniość i surowość sformułowań bije rytmem średniowiecznego tańca śmierci. Nieuchronny los, któremu wszyscy jesteśmy poddani, ujawnia się w Pana wierszach, a umęczone stworzenie daje mu odpór drwiną i szyderstwem, cielesną rozkoszą i goryczą. Takie właśnie wstrząsające wrażenie wywołują i w taki nastrój wprawiają Pańskie wyznania. Ale czy i słoneczna strona Pańskiej natury nie domaga się ujawnienia?". Ten zarzut – obok zastrzeżeń redaktora Oskara Loerkego z wydawnictwa Fischera – powstrzymał prawdopodobnie wydawcę przed publikacją tego cyklu wierszy już w roku 1926 jako zapowiedzi powieści, przy czym wiersze te swoją premierę drukiem miały w listopadzie 1926 roku w piśmie „Neue Rundschau", a w formie książkowej ukazały się dopiero w roku 1928 jako wydanie bibliofilskie w ograniczonym nakładzie pod tytułem *Kryzys. Fragment pamiętnika wierszem*. Z kolei w samej powieści Hesse musiał teraz znaleźć nową formę, by prywatnemu charakterowi swego lirycznego pamiętnika nadać bardziej rzeczowy kształt i wprowadzić go w kontekst zarówno dziejów współczesnych, jak i historii indywidualnego człowieka. Wymarzona przez Samuela Fischera „słoneczna strona" mogła się urzeczywistnić wyłącznie na sposób surrealistyczny dzięki wynalezieniu „teatru magicznego", który kierował wzrok czytelnika poza opłotki aktualnej mizerii i ku wyższej radości Mozarta, i „złotego śladu" humoru „nieśmiertelnych".

Pod koniec 1926 roku, bezpośrednio po jego ponownym tournée z odczytami do Niemiec (z postojami w Ulm, Stuttgarcie, Darmstadt, Marburgu i we Frankfurcie nad Menem), w ciągu sześciu tygodni powstała prozatorska wersja *Wilka stepowego*. W następstwie ukończonej krótko przed Bożym Narodzeniem pierwotnej wersji, sporządzonej ręcznie, pojawiła się, jak to pisarz miał w zwyczaju, ostateczna, raz jeszcze zredagowana kopia, wykonana na maszynie do pisania, jako wzór do druku na użytek wydawnictwa i zecera. Obydwa te pisma zachowały się i pozwalają na pouczające rozważania nad genezą dzieła*. Rękopis powieści znajduje się dzisiaj w Niemieckim Archiwum Literackim w Marbach. Kopia węglowa wersji do druku, którą Hesse podarował swoim przyjaciołom z Zurychu, Alice i Fritzowi Leutholdom, znajduje się obecnie w zbiorach Politechniki w Zurychu, a odbitka druku maszynowego, którą Hesse wysłał swojemu przyjacielowi, pisarzowi Hansowi Morgentha-

---

* Por. studium porównawcze Rudolfa Probsta, *Im Zickzack zwischen Trieb und Geist*, opublikowane w „Quarto", piśmie szwajcarskiego archiwum literackiego w Bernie w roku 1997, w zeszycie 8.

lerowi, przechowywana jest w Szwajcarskim Archiwum Literackim w Bernie.

W połowie stycznia 1927 maszynopis prozatorskiej wersji *Wilka stepowego* dotarł do jego wydawcy w Berlinie, który swoje wrażenia przekazał pisarzowi 8 lutego przy okazji ich spotkania w Zurychu. Dzień później Hesse donosił swojej siostrze, że „nigdy od 25 lat nie słyszał, by [S. Fischer] mówiąc o nowej książce, był tak wstrząśnięty, zachwycony i zaniepokojony". Albowiem pisarz nigdy dotąd nie ukazał związku między neurozą jednostki a neurozą współczesności tak bezwzględnie, jak właśnie dając wgląd w życie codzienne pięćdziesięciolatka – Harry'ego Hallera.

Także z racji wydarzeń opisywanych z trzech różnych punktów widzenia powieść ta była nowatorska na poziomie formalnym. Rozszczepienie jednotorowości monologów przypominało Tomaszowi Mannowi wydane w tym samym czasie niemieckie tłumaczenie *Ulissesa* Jamesa Joyce'a. Ponadto *Wilk stepowy* był kuriozum także z powodu „Traktatu", który w formie osobnej, dołączanej do wczesnych wydań powieści broszurki w kolorze wściekłej żółci poddawał analizie i należnej krytyce stan świadomości nowoczesnych intelektualistów, niejako z pozycji wyższej instancji. Dodatkowym *novum* był surrealistyczny labirynt „teatru magicznego" – ten panoptykon spełnionych najgłębszych marzeń ludzkiej psychiki, w którego zwierciadlanym świecie wytwarzane przez podświadomość obrazy dopełniają się i umożliwiają spotkanie jaźni z owymi właściwościami, których świadomemu „ja" brakuje jeszcze do osiągnięcia doskonałości. Najpierw więc „ja" ogląda w czarodziejskim lustrze Pabla całe spektrum najrozmaitszych tożsamości, z których składa się człowiek, aby potem – za drzwiami prowadzącymi do różnych lóż teatralnych – zostać skonfrontowane z witalnością owych zwykle wypieranych możliwości. Nie mniej innowacyjne było ukazanie, jak *anima* Harry'ego Hallera dopełnia się dzięki jego kobiecemu *alter ego*, Herminie, której pragnienie, by zostać zabitą, jest on w stanie urzeczywistnić dopiero wówczas, gdy za sprawą doświadczeń z Marią udaje mu się zaradzić deficytom w życiu erotycznym. Hermina, podobnie jak Demian, jest projekcją wewnętrznego życia, która znika w momencie, gdy Harry'emu Hallerowi (i analogicznie: Emilowi Sinclairowi) udaje się wcielić w życie wszystko to, czym była ona dla protagonisty. Kunszt Hessego, by za pomocą obrazów wyrażać metamorfozy etapów duchowego rozwoju i procesów uzdrawiania duszy, był przełomowy dla współczesnej mu literatury, nawet jeśli szeroka publiczność dopiero pięćdziesiąt lat po premierze książki była w stanie odkryć go i zrozumieć.

Starania wydawnictwa Samuela Fischera, by znaleźć niemieckie czasopismo, które byłoby gotowe przedrukować powieść w całości, spełzły na niczym. Jedynie w odniesieniu do fragmentów powieści udało się Hessemu znaleźć redakcje gazet, które odważyły się na przedpremierową publikację. I tak, 12 września 1926 roku w gazecie „Frankfurter Zeitung" ukazał się fragment zatytułowany *Sen o audiencji u Goethego*; 26 stycznia 1927 roku w „Berliner Tageblatt" – fragment *Wieczorna godzina w małej knajpce*, 1 stycznia 1927 roku w „Neue Schweizer Rundschau" – fragment *Rozmowa z Mozartem*, w kwietniu 1927 roku w „Literarische Welt" – fragment *Rozmowa o wojnie i o gazetach*, a w maju 1927 roku *Traktat o wilku stepowym* w „Die Neue Rundschau".

W czerwcu 1927 roku ukazało się wydanie książkowe w początkowym nakładzie piętnastu tysięcy egzemplarzy, co zbiegło się w czasie z publikacją pierwszej biografii Hessego autorstwa Hugona Balla, która ukazała się dokładnie w pięćdziesiąte urodziny pisarza. W zapowiedzi wydawniczej z maja 1927 Oskar Loerke napisał: „Historia wilka stepowego to poruszające wyznanie naszych czasów (...). Egzystencjalne pragnienia i rozczarowania prowadzą w jego sercu i umyśle walkę, w której bierze udział cywilizacja europejska z całym swoim bagażem. Wilk stepowy w j e d n e j krwi i j e d n e j duszy kryje dwie natury: jedną ludzką i jedną wilczą; muszą się one zwalczać ze śmiertelną wrogością. Rozszczepienie jego jaźni czyni z niego miłośnika wina zatopionego w swoim świecie, gna go do tańca i maskarad, darowuje mu godziny pocieszenia za pomocą poezji oraz miłość dwóch dziewcząt, które – podobnie jak on – dorastały poza sankcjonowanym przez społeczeństwo porządkiem. A w końcu, gdy ból i otępienie wilka stepowego zyskują coś z jasności sennego marzenia, świat jawi mu się jako Teatr Magiczny. I mimo szorstkiej powagi i buńczucznej lekkomyślności książka ta ma w sobie coś z czystego blasku Mozartowskiej melancholii".

Echo, jakie wywołał *Wilk stepowy* wśród współczesnych, także było rozszczepione. Wielu spośród czytelników, którzy cenili Hessego jako autora *Petera Camenzinda* i *Knulpa*, teraz się od niego odwróciło. Ale tym bardziej wrażliwi okazali się ekspresjoniści i awangarda młodego pokolenia. W berlińskiej gazecie „Acht-Uhr-Abendblatt" z 1 lipca 1927 roku Kurt Pinthus napisał tak: „Czytam *Wilka stepowego*, to najbardziej bezlitosne i szarpiące duszę spośród wszystkich wyznań – bardziej ponure i dzikie niż *Wyznania* Rousseau, te najbardziej okrutne urodziny, jakie kiedykolwiek celebrował pisarz, czyniąc z autorefleksji – autodestrukcję. To dokument upadku dawnego człowieka, dawnego czasu, który ani nie jest czasem, ani czasu nie ma, lecz zapada się z wielkim hukiem w szczelinie pomiędzy dwoma epokami. Samotny, wrogo usposobiony i stronniczy staje Hesse naprzeciw naszych czasów. Jednak ten wewnętrznie rozdarty odmieniec nie osądza ich przepełniony nienawiścią, lecz w cierpieniu patrzy, jak epoka ta niczym rozszalała burza rozrywa na strzępy jego jestestwo. To prawdziwie niemiecka książka – wspaniała, dogłębna, wnikająca w tajniki ludzkiej duszy, uczciwa. To analityczna powieść rozwojowa, *entwicklungsroman*, romantyczna w swej metodzie i przesiąknięta romantycznymi zawirowaniami jak większość wielkich niemieckich powieści i większość książek Hermanna Hessego. Teraz widzę, że wszystkie jego książki w gruncie rzeczy były jak ten *Wilk stepowy*, tyle że nie były tak okrutne. Wszystkie one są introspekcją, autobiografią, analizą własnego »ja«: ale nie z rozkoszy analizowania, lecz z tęsknoty za syntezą: za odnalezieniem siebie samego, własnej istoty".

A w czasopiśmie Carla von Ossietzky'ego „Weltbühne" z 19 lipca 1927 roku Alfred Wolfenstein pisał tak: „Mowa tu jest o mężczyźnie, który jest tak męski, iż nie uważa się za osobowość, za jedną osobowość, lecz za całą ich masę. Mowa tu o bestii, która szczerzy zęby przeciw zakłamanemu, zwyrodniałemu wyobrażeniu naszej wewnętrznej jedności, temu pięknemu samooszukiwaniu, wywodzącemu się najwyraźniej z wizji ciała w antyku. Mowa tu o zwierzęciu-odmieńcu zagonionemu do stadnego, miejskiego życia, o anarchiście, który w rozszalałej wściekłości z powodu takiego życia w fałszu chciałby zburzyć domy towarowe i katedry, czy też skręcić kark »kilku przedstawicielom mieszczańskiego ładu«. Mowa tu o rewolucjoniście własnego »ja« (...). Doniosłe znaczenie tego pamfletu na samego siebie autorstwa Hermanna Hessego zasadza się na tym, że obnaża on ową wcale już nietragiczną gnuśność mieszczańskiego »ja« (...). Dzieło to przemawia do nas w ostrych, wstrząsających, nietuzinkowych i jasnych słowach. Wzniosło się ono na cudowną wysokość ponad ów sentymentalizm, otaczający niegdyś jego twórcę. To mile widziany atak na tym ciągle zbyt słabym froncie wszystkich wrogów dawnego świata, obłudnego zarówno w jego antytezach, jak i w jego porządku".

W gazecie „Berliner Börsen Courier" z 2 lipca 1927 roku Oskar Loerke znalazł wspólny mianownik dla tego, co łączy *Wilka stepowego* z jego twórcą: „On nie moralizuje, lecz robi porządek – nie u sąsiadów i wrogów, lecz u siebie samego – i właśnie przez to w sąsiedztwie i u obcych".

Do roku 1940, gdy w Niemczech nie wolno już było publikować tej książki, *Wilk stepowy* osiągnął nakład

42 tysięcy egzemplarzy. Cały nakład od roku 1927 do 1962 osiągnął za życia Hessego 127 tysięcy egzemplarzy. Suma wszystkich niemieckojęzycznych wydań do dnia dzisiejszego opiewa na 2,1 miliona książek. *Wilk stepowy* został do dzisiaj przetłumaczony na 36 języków. Największa fala recepcji, która wywiera swój wpływ aż do chwili obecnej, zapoczątkowana została w Stanach Zjednoczonych w roku 1963 przez kieszonkowe wydanie amerykańskiego przekładu powieści (w wydawnictwie Bantam Books, Nowy Jork), swój punkt kulminacyjny osiągnęła podczas wojny w Wietnamie, a w Ameryce lat siedemdziesiątych doprowadziła do długoletniej, wieszczonej przez zaniepokojonego J. Sammonsa „germanizacji niemieckiej młodzieży" (*Germanisation of American Youth*, „Yale Review", wiosna 1970 r.). Raz jeszcze – już po śmierci Hessego – potwierdził się ów charakterystyczny dla pisarza fenomen, że jego książki znajdowały szczególny oddźwięk zwłaszcza podczas i w następstwie czasów wojny i kryzysu, a zatem w fazach egzystencjalnego niepokoju i poszukiwania nowych dróg. Ujawniło się to także w recepcji naukowej dzieła, która – intensywniejsza za granicą aniżeli w Niemczech – doprowadziła, zwłaszcza w USA, do imponujących wyników, m.in. w rozprawach o twórczości Hessego autorstwa Josepha Milecka, Theodore'a Ziolkowskiego, Ralpha Freedma-

na oraz w komparatystycznym dziele Egona Schwarza, który dowodził istnienia paraleli między dziełami Goethego (*Faust*, *Wilhelm Meister*) a *Wilkiem stepowym*. Geneza i dzieje oddziaływania powieści udokumentowane zostały w publikacji *Materialien zu Hermann Hesses »Der Steppenwolf«* (Frankfurt am Main 1972). Na szczególną uwagę zasługują również nowsze badania Hermanna Burgera: *Ein Blick ins maskentreibende Chaos* (1981) oraz interpretacje powieści Hermanna Hessego, wykonane przez Petera Hubera w *Psychische Kur im deutschen Maskenball* (Stuttgart 1994), a także komentowane wydanie *Wilka stepowego* autorstwa Heriberta Kuhna (Frankfurt am Main 1999).

tłum. Eliza Pieciul-Karmińska

Spis treści

Tytuł oryginału
DER STEPPENWOLF. ROMAN

Projekt graficzny serii i układ typograficzny
Andrzej Komendziński

Zdjęcia na okładce
iStock

Redaktor serii oryginalnej
Volker Michels

Tekst powieści na podstawie wydania Państwowego
Instytutu Wydawniczego, Warszawa 1998

ISBN 978-83-8008-258-8

Media Rodzina Sp. z o.o.
ul. Pasieka 24, 61-657 Poznań
tel. 61 827 08 50
mediarodzina@mediarodzina.pl
www.mediarodzina.pl

Druk i oprawa
Abedik SA